고등 국어

HIGH SCHOOL

실전기출 문제은행

지학 | 이삼형

이 책의 단원 구성

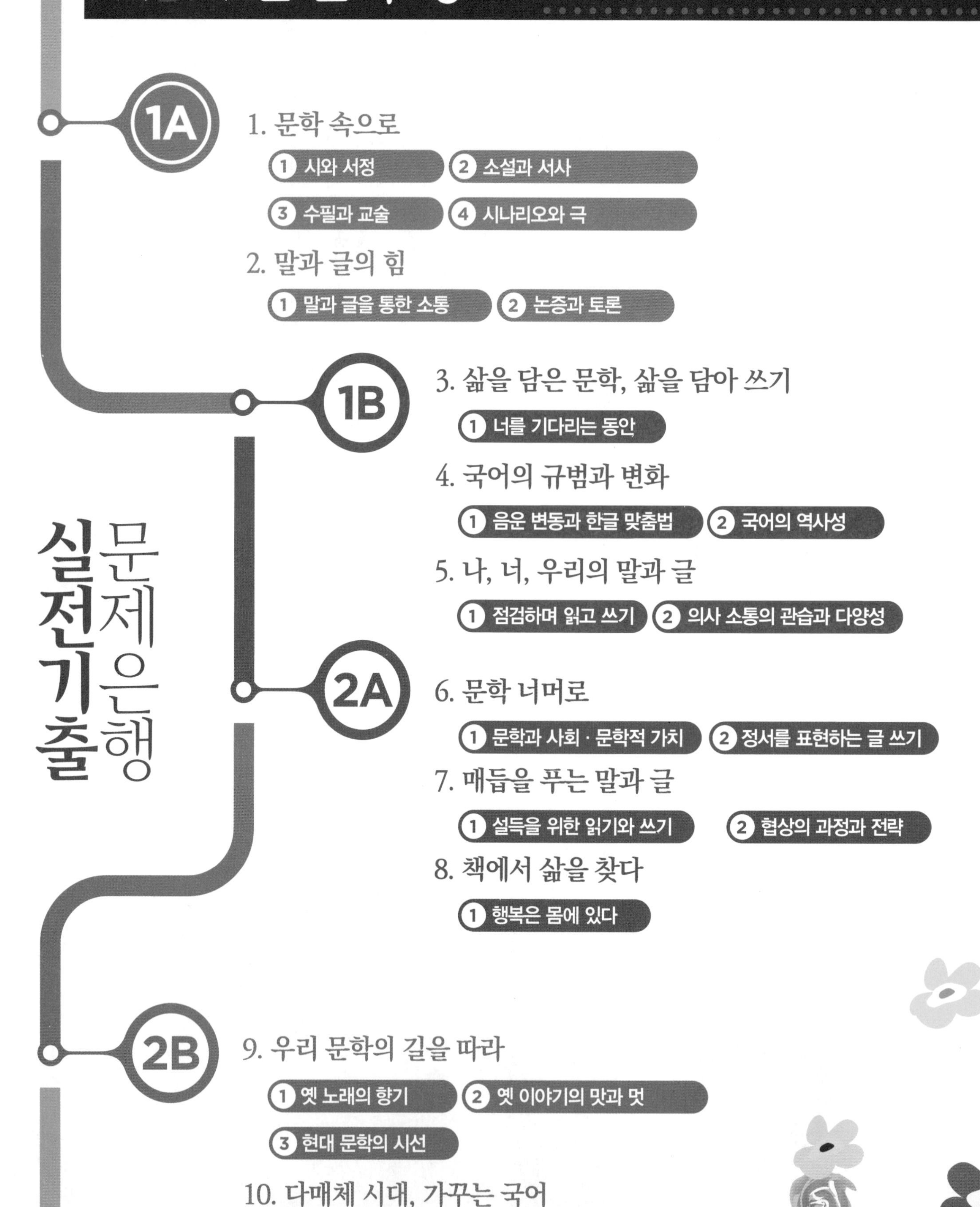

실전기출 문제은행

이 책의 구성 및 특징

교과서 확인학습

- 교과서 핵심내용 해설 및 확인 문제
- 교과서 지문의 핵심내용 파악, 어휘 및 구문 풀이
- O,X 문제 및 서답형 문제 학습

객관식 기본문제

- 기초단계 기출문제 제시 및 풀이능력 체크
- 각 단원의 핵심문제 제시
- 교과서 기반의 기본적인 학습능력 제공

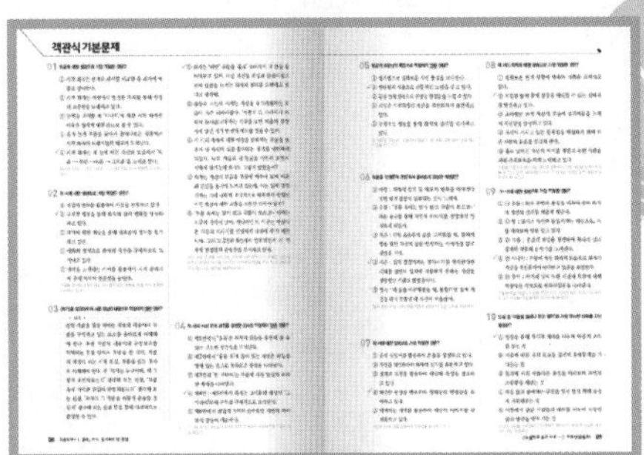

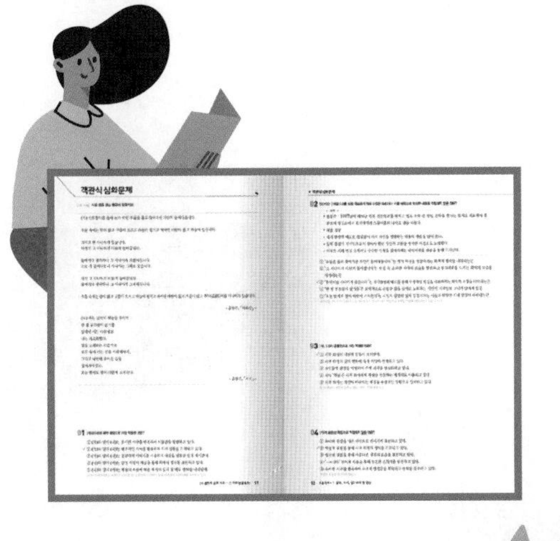

객관식 심화문제

- 중상급 난이도 기출문제 제시 및 오답풀이
- 전국 고등학교 중요 기출문제 엄선 및 풀이
- 변별력 있는 문제 중심으로 기출유형 분석
- 교과서 밖 연계지문 활용 고난도 문제풀이

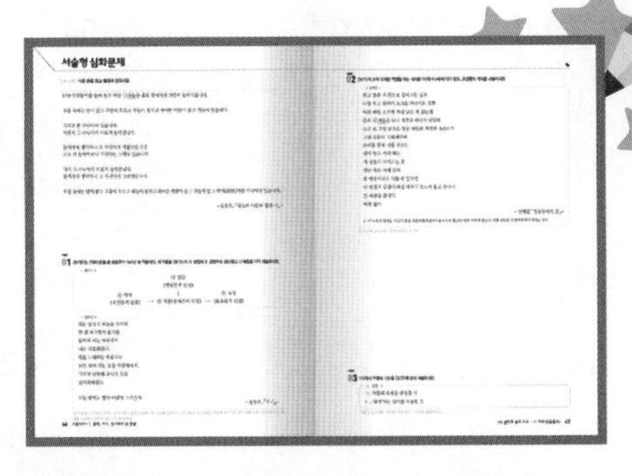

서술형 심화문제

- 서술형 기출문제 제시 및 풀이능력 향상
- 배점 높은 서술형 문제의 적중도를 높임

단원별 종합평가

- 단원별 학습 후 모의시험을 통한 수준평가
- 각 단원의 최종 점검 및 학습 마무리

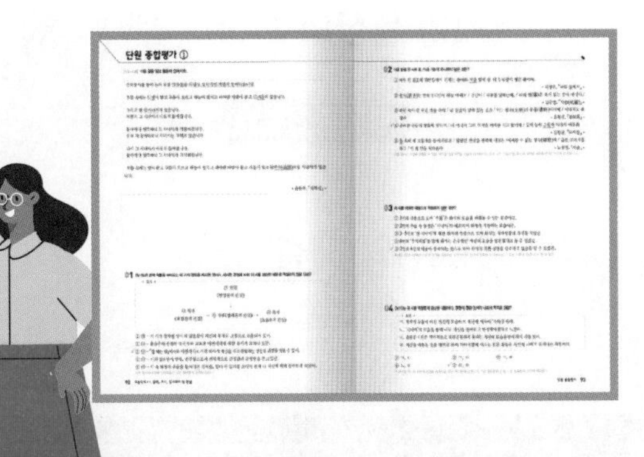

« Contents

6

문학 너머로

(1) 문학과 사회·문화적 가치
도요새에 관한 명상(김원일)

(2) 정서를 표현하는 글 쓰기
내 유년의 울타리는 탱자나무였다(나희덕)

도요새에 관한 명상

– 김원일 –

[앞부분 줄거리] 철새 도래지인 동진강 하구에는 언제부터인가 도요새가 사라지고 있다. 재수생인 병식은 용돈을 벌기 위해 친구와 함께 새를 밀렵하는 일을 한다. 서울에서 대학을 다니던 형 병국은 시국 사건에 연루되어 제적된 후, 낙향하여 자책감을 갖고 생활한다. 그러다 환경 문제에 관심을 갖게 되어 동진강의 철새들이 사라지는 원인을 밝히려고 노력한다. '나'(아버지)는 북에 가족을 두고 온 실향민으로, 제시된 부분은 동진강 하구를 찾은 과거를 회상하는 장면이다.

동진읍에 정착했던 그해 가을이던가, 전쟁 전 고향 땅에서 본 도요새 무리를 동진강 삼각주에서 발견했을 때, 나는 마치 헤어진 부모와 동기간과 약혼녀를 만난 듯 반가웠다. 너희들이 휴전선 위 통천을 거쳐 여기로 날아왔으려니, 하고 대답 없는 물음을 던지면 울컥 사무쳐 오는 향수가 내 심사를 못 견디게 긁어 놓았다. 가져온 술병을 기울이며 나는 새 떼와 많은 대화를 나누었다. 내가 말하고 내가 새가 되어 대답하는 그런 대화를 아무도 이해할 수 없을 것이다. 새가 고향땅 부모님이 되고, 형제가 되고, 어떤 때는 약혼자가 되어 내게 들려주던 그 많은 이야기를 나는 기쁨에 들떠, 때때로 설움에 젖어 화답하는 그 시간만이 내게는 살아 있는 진정한 시간이었다. 세월의 부침 속에 고향에 대한 내 향수도 차츰 식어 갔다. 이제 새 떼가 부쩍 줄어든 동진강 하구도 내 인생과 함께 황혼을 맞고 있었다. 동진강이 악취 풍기는 폐수로 변해 버렸기 때문이었다. 지금 보는 바다 역시 헤엄쳐 북상하면 며칠 내 고향에 도착할 수 있을 것 같던 거리가 까마득히 멀어 보였다. 철새나 나그네새는 휴전선을 넘어 자유로이 왕래하건만 나는 그곳으로 갈 수 없다는 안타까움만 해가 갈수록 내 이마에 깊은 주름을 새겼다.

> '도요새'는 고향의 가족들을 떠올리게 하는 매개체로, '나'(아버지)는 전쟁 통에 북에 가족을 두고 온 실향민임을 알 수 있음
> '나'와 '도요새'의 대비: 고향(통천)에 가지 못하는 '나'와 달리 '도요새'는 남북을 자유롭게 왕래함
> 고향 생각에 마음이 아픈 '나'(아버지)
> '새'를 북에 두고 온 그리운 가족이라 생각함.
> 현실이 삶에서 삶의 미를 찾지 못한 채 과거의 삶을 그리워함
> 과거 → 현재
> 세월의 흐름(산업화 이전→산업화 이후), 생태계 파괴로 도요새가 사라지면서 '나'의 향수도 식어 감
> 환경 오염으로 인한 생태계 파괴
> 세월이 흐르면서 고향에 갈 수 없다는 심리적 거리감이 더해짐
> 추상적 대상(안타까움, 시간의 흐름)을 구체적으로 형상화함
> ▶ 도요새를 바라보며 고향을 그리워 하는 '나'(아버지)

담배 한 대를 피워 물고 나는 여느 날처럼 신문을 폈다. 특별한 읽을거리나 속 시원한 기사가 눈에 필 리 없었다. 오전에는 별 할 일이 없으므로 일 면부터 팔 면까지 샅샅이 읽고 저녁 텔레비전 프로를 훑어보았다. 좋아하는 권투 중계는 없었다. 벽시계를 보았다. 이제 겨우 열 시였다. 지금 기원으로 나간다 해도 강 회장이 벌써부터 출근해 있을 리 없었다. 『강 회장은 강원도 동진시 통천군 군민회 회장으로, 나와 십오 년 넘이 형제처럼 지내는 사이였다. 강 회장 고향은 부전령 아래 송화였고 나보다 칠 년 연상이었다. 흥남 철수 때 처와 자녀 둘을 고향에 두고 홀로 피란 내려와 구제품 따위를 파는 행상을 시작해선 육십 년대 초 이곳에 정착하여 상동 시장에서 포목점을 내었다. 동진읍이 시로 승격되자 강 회장이 사둔 잡종지의 지가가 뛰었고 점포가 부쩍 커졌다. 그러나 일 년 전 고혈압으로 쓰러졌다 일어난 뒤로 포목업도 남한에서 새 장가를 들어 얻은 여편네에게 넘기고 바둑으로 소일하고 지냈다.』

> 「 」: 인물 소개─강 회장이 살아온 내력을 소개함(요약적 제시)
> 넘이: 넘게
> 형제처럼 지내는 사이였다: 호형호제(呼兄呼弟)
> 지가: 땅값

내가 신문 바둑난을 꼼꼼히 들여다보고 있을 때였다. 대문 초인종이 길게 울렸다. 마루 끝에 앉아 껌을 씹으며 라디오 유행가를 듣던 종옥이가 대문께로 달려갔다. 초인종 소리로 보아 두 아들 녀석 같지 않았고 여편네가 또 뭘 빠뜨리고 나갔다 황망히 돌아왔으려니 싶었다.

"누구세요?"

종옥이 철문 쇠빗장을 달그랑거리며 물었다.

"김병국이라고, 이 집에 살지요?"
'나'의 장남

바깥의 무뚝뚝한 목소리였다.

종옥이 문을 열자, 장교와 사병이 집 안으로 들어섰다. 장교는 중위였고, 사병은 상등병이었다. 둘의 거동이 당당한 데다 사병은 총을 메고 위장망 씌운 철모를 쓰고 있었다. 내 가슴이 철렁했고 오른쪽 턱에 경련이 왔다. 전쟁 때 철원 전투에서 왼쪽 다리에 중상을 당한 뒤부터 놀랄 때나 흥분하면 부교감 신경의 실조증이 나타났다. 병국이가 제
전쟁의 후유증을 겪고 있음
어미에게 돈을 못 타 내다 보니 내게 오천 원을 돌려 달라던 게 그저께였다. 내가 강 회장한테 돈을 빌려 애놈한테 주었는데 녀석이 그 돈으로 무슨 말썽을 피웠구나 하는 생각이 들었다. 나는 엉거주춤 마루로 나섰다. 이런 종류의 일은 올여름 들고 벌써 두 차례였다.

▶ 하루하루 무기력한 삶을 살아가는 '나'의 집에 병국을 찾는 방문객(장교와 사병)이 찾아옴

확인학습

01 이 글의 배경이 되는 공간은?
( )

02 '도요새'의 서사적 기능은?
( )

03 '나'에게 '바다'가 멀어 보이는 이유는?
( )

04 신문을 뒤적이고 기원에서 바둑이나 두며 소일하는 '나'의 삶은 어떠한지 쓰시오.
( )

05 '철새'나 '나그네새'에는 북쪽의 고향에 가고 싶은 '나'의 소망이 투영되어 있다. O□ ×□

06 '깊은 주름'에는 고향에 갈 수 없는 현재의 처지와 이상의 괴리에서 오는 '나'의 비애감이 응축되어 있다. O□ ×□

07 '새 떼'와 나눈 '많은 대화'에는 고향에 대한 '나'의 그리움과 체념의 정서가 반영되어 있다. O□ ×□

⊙ **어휘풀이**

- **도요새** 도욧과의 새를 통틀어 이르는 말. 몸은 엷은 갈색에 어두운 갈색 무늬가 있으며, 다리, 부리가 길고 꽁지가 짧음.
- **동기간** 형제자매 사이.
- **통천** 강원도 통천군에 있는 면.
- **잡종지** 여러 가지 용도로 사용할 수 있는 토지.
- **황망히** 마음이 몹시 급하여 당황하고 허둥지둥하는 면이 있게.
- **부교감 신경** 교감 신경과 더불어 자율 신경 계통을 이루는 신경.
- **실조증** 신체의 일부를 움직일 때 장애로 인해 동작이 서투르고 섬세한 움직임을 할 수 없는 상태.

■

지난여름, 한창 더위가 찔 무렵이었다. 비(B) 공단 성창 비료 서교 공장 노무과장이 어깨 벌어진 젊은이 셋을 거느리고 느닷없이 집으로 들이닥친 일이 있었다. 그날은 종옥이가 시장에 가고 없어 나 홀로 집을 지키던 참이었다.
회상(현재→과거)

"김병국이란 작자가 누구요? 도대체 어떤 위인인지 상판이나 좀 봅시다."
비아냥거림 / '얼굴'을 낮잡아 이르는 말

젊은이 하나가 주먹을 내두르며 기세등등하게 말했다.

"내 아들놈인데 당신네는 누, 누구요?" / 기세에 눌려 내 목소리가 더욱 더듬거렸다.
평소에도 말을 더듬는 버릇이 있음. 소심한 인물임을 짐작할 수 있음

"당신 자식이람 아직 마빡이 새파란 놈이겠군. 그 새끼 좀 봅시다." / 다른 젊은이가 윽박질렀다.
'이마'를 속되게 이르는말

"아들은 지, 지금 집에 없소. 무슨 일인데 이러는 거요?"

"그 자식 간 데를 불어요. 당장 작살을 내고 말 테니."
험악한 기세

또 다른 젊은이가 방문 열린 큰방과 건넌방을 기웃거리며 말했다. 마흔쯤 되어 보이는 노무과장이란 자가 내게 정중하게 인사했다.
젊은이들과 달리 격식과 예의를 갖춤

"이거 소란을 피워 죄송합니다. 병국이란 자제분을 만날 수 없겠습니까?"

노무과장이 젊은이들을 제지시키곤 말했다.

"마루에라도 조, 좀 앉으십시오."

"앉구 자시구 할 시간이 없단 말이오!" / 한 젊은이가 말했다.

"가만있자, 병국일 차, 찾자면……. 아무래도 힘들겠네요. 자정이 돼야 돌아오니 나, 난들 행선지를 알 수 있어야죠."

"사실을 말씀드리자면 선생님 자제분이 우리 회사를 상대로 관계 요로에 진정서를 보냈습니다."
노무과장이 방국을 찾아온 이유 / '진정서가 갖는 의미: 사건의 발단이 되면서 동시에 갈등의 원인이 됨. 이 소설의 주제와도 관련을 맺음

노무과장이 찾아온 이유를 설명했다.

"여기 시 보건과에 접수한 진정서 사본 좀 보십시오."

노무과장은 마루에 걸터앉아 주머니에서 복사판 서류를 꺼냈다. 종이를 받아든 내 손이 떨렸다. 방 안으로 들어가 돋보기안경을 찾아 낄 틈도 없이 희미한 글자를 대충 훑어보았다.
아들에 대한 걱정때문. 소심한 인물임을 짐작할 수 있음 / 마음이 급해져서 나오는 행동

『성창 비료 서교 공장은 연간 사십 억 규모의 흑자를 내고 있으면서도 폐기 처리 과정에 대한 근본적인 개선책이 전혀 없음이 입증되었다. 지난 8월 4일 새벽 2시 20분, 당 공장은 야음을 틈타 암모니아 가스를 다량으로 배출하여 그 가스가 폐교천(석교천)을 따라 안개처럼 덮쳐 와 동진강 하류로 확산된 바 있다. 이로 인하여 새벽 4시 10분 동진강 하류에서 오징어잡이에 출어하려던 어민 18명이 심한 두통과 구토증으로 실신한 사건이 있었다. 당사는 기계 밸브가 고장 나서 가스가 샜다고 변명하지만 이런 사건은 일주일을 주기로 이미 수십 차례 반복되었음을 입증하며(관계 자료 별첨), 이로 미루어 당사는 일부러 밸브를 틀어 못쓰게 된 가스를 배출하고 있음이 객관적으로 입증됨으로써……』
「」: 병국이 낸 진정서의 내용: 성창 비료 서교 공장의 폐기물 방류로 인해 동진강의 환경이 오염되고 있음 / 병국이 진정서를 내게 된 이유 / 환경 보호를 고려하지 않고 의도적으로 폐기물을 방류함

"정신병자가 쓴 낙서 뭐 더 읽을 필요도 없소." / 하며 한 젊은이는 내가 읽던 진정서를 낚아챘다.
진정서에 대한 공장 측의 반응: 환경 오염에 대해 개의치 않으며, 진정 내용을 받아들일 의사가 없음

"아, 아들놈이 낸 진정서 틀림없습니까?" / 노무과장에게 내가 물었다.
'병국'

"분명합니다. 알고 보니 자제분은 이 방면에 상습범이더군요. 지난 유월에는 풍천 화학을 상대로 진정서를 낸 바 있습니다. 풍천 화학 역시 야음을 틈타 카드뮴·수은 등 중금속 물질을 다량 배출하여 동진강 하류 삼각주 지대 각종 새 삼백여 마리와 물고기들이 떼죽음을 했다나요. 사람이 아닌 한갓 새나 물고기가 죽은 걸 두고 말입니다."

노무과장의 가치관: 환경 문제에는 관심이 없고 사업 이익만을 생각함. 인간 외의 생명을 하찮게 생각하는 인간 중심적인 가치관 ↔ 생태주의적 가치관

노무과장 목소리가 열을 띠더니 '새나 물고기'란 말을 힘주어 강조했다.

자신의 생각을 강조하기 위한 반언어적 표현

"기가 막혀서. 뭐 제 놈이 실신했다거나 가족이 떼죽음당했다면 또 몰라."

한 젊은이가 가소롭다는 듯 시큰둥 말했다.

"국민 소득 일천 달러 달성에, 오늘날 조국 근대화가 다 무엇으로 이루어진 성과인 줄 선생도 알지요?"

작품 창작 당시의 시대적 배경이 드러남: 창작 시기는 1979년으로, 이 시기의 주된 관심사는 산업화의 추진으로 경제 성장을 이루고 국민 소득을 높이는 것이었으며 환경 문제에는 아무도 관심을 가지지 않음.

다른 젊은이가 내 눈을 찌를 듯 손가락질했다.

환경 문제보다 경제 성장을 우선시하는 사고방식을 알 수 있음

"빈대 잡겠다고 초가삼간 태우겠다는 미친놈 짓거리를 이번으로 뿌릴 뽑아야 해!"

관용적 표현(속담). 새나 물고기를 살리겠다고 고국 근대화(경제 성장)에 차질을 주겠다는 / 관용적 표현, 근절

또 다른 젊은이가 말했다. 그들은 병국이 소재를 두고 다시 한차례 이구동성 삿대질하며, 그놈이 돌아올 자정까지라도 기다리겠다며 세 젊은이가 마루로 올라왔다.

"선생, 진정도 진정 나름입니다. 그러나 이번 문제는 명예 훼손으로밖에 볼 수 없어요. 간혹 기계 고장으로 가스가 새는 수가 있긴 합니다. 그러나 그걸 고의로 몰아붙이는 이런 진정에는 우리가 오히려 명예 훼손으로 자제분을 고발할 수 있다는 것을 아셔야 해요. 선생도 지난번 반상회엘 나갔다면 우리 비(B) 공단에서 돌린 공문을 받아 보았을 겁니다. 공단 측에서도 공해 문제에 관심을 가지고 아황산가스·일산화탄소·폐수·풍속 측정 등 팔대 공해 검증 기구를 사들이려 예산을 책정했다는 내용 말입니다. 또 오염 가능 지역을 삼 단계로 분류하여 오백여 가구 이주 계획을 세워 놓았다는 점도 읽으셨겠죠?"

적반하장(賊反荷杖) / 폐기물 방류가 고의가 아님을 내세워 책임을 회피하려함 / '나'를 은근히 협박하고자 하는 의도를 드러냄 / 공문 내용:공단 측에서도 환경 문제에 관심을 갖고 있다는 점을 드러내기 위한 것(생색을 내기 위한 대책)

노무과장이 숨을 돌리더니 담배를 꺼내어 한 대를 자기가 물고 한 대를 내게 권했다. 그로부터 그들은 한 시간 남짓 집에 머물러 있었다. 그동안 노무과장은 이론을 앞세운 설득으로, 세 젊은이는 힘을 과시한 위협으로 나를 몰아붙였다. 그동안 병국이는 용케 집으로 돌아오지 않았다. 그때도 그는 이틀째 집을 비우고 있었다. 동진강 하류에서 텐트를 치고 야영하거나, 아니면 웅포리 아바이집 토방에서 잠을 잤음이 틀림없었다.

병국의 행위를 옹호하고 싶은 '나'의 심리를 엿볼 수 있음.

확인학습

01 이 글은 과거와 현재가 교차되는 역순행적 구성을 취하고 있다. O□ X□

02 이 글은 인물과 대비되는 자연물을 통해 인물과 자연의 갈등을 부각시키고 있다. O□ X□

03 '나'는 '병국'이 진정서를 낸 사실을 이미 알고 있었으며 '병국'의 생각에 공감하고 있었다. O□ X□

04 '병국'은 B공단 사람들이 집에 찾아오기 전부터 강의 오염상태를 알리는 일을 꾸준히 해오고 있었다. O□ X□

⊙ 어휘풀이

- **요로** 영향력이 있는 중요한 자리나 지위. 또는 그 자리나 지위에 있는 사람.
- **진정서** 실정이나 사정을 진술하여 적은 글.
- **야음** 밤의 어둠.
- **출어** 물고기를 잡으러 배가 나감.
- **검증** 검사하여 증명함.

"선생님이 김병국 부친 되십니까?" / 중위가 정중하게 물었다.

"예, 그렇습니다만……."

"보호자로서 저희 부대까지 동행해 주셔야겠습니다."

"병국이 지금 어, 어디 있습니까?"

"부대에서 보호 중입니다."

"보호 중이라니, 녀석이 무, 무슨 사건을 저질렀나요?"

"아드님이 통금 시간에 우리 통제 구역 안으로 무단출입했어요. 선생님도 알겠지만 그 시간에 무단출입자는 부대 측에서 발포할 권한이 있습니다."

군인들이 '나'를 찾아온 이유를 밝힘

"그럼 발포해서 병국이가 다, 다쳤나요?"

"그런 정도는 아니지만, 하여간 잠시 시간을 내셔야겠어요."

"부대가 어딘데요?"

"동남만 일대 경비를 담당하는 삼오칠오 부댑니다."

나는 방으로 들어가 외출복으로 갈아입었다. 해석을 달리하면 까다로운 사건일 수 있으나 병국의 경우로 따져 볼 때 그리 큰 걱정은 안 해도 좋을 듯했다.『병국이가 해안선을 따라 남하해 온 간첩이 아니요, 부대 경계 배치 상황을 탐지하려는 첩자가 아닌 이상 무사히 풀려나올 것임이 분명했다. 녀석은 새에 관한 무슨 조사를 목적으로, 아니면 수질 오염과 관련하여 경계 지구 안으로 잠입했음이 틀림없었다.』

「」: '나'가 병국의 경우로 따져 볼 때 그리 큰 걱정은 안 해도 좋을 듯하다고 생각한 이유

우리가 대문 밖으로 나오니 군용 지프가 대기하고 있었다. 사병이 운전수 옆자리에 타고 중위와 나는 뒷좌석에 앉았다. 차가 시내로 빠져나갈 동안 중위가 굳게 입을 다물고 있어 무료한 시간을 쪼개느라고 내가 내 소개를 했다. [나는 스물여섯 해 전 전역된 대위 출신이다. 1952년 1월, 철원 전투에서 중상을 입어 현재도 상이 장교로 연금 혜택을 받고 있다. 현역 시절 무공 훈장을 세 개나 받은 바 있다.] 내가 그런 말을 더듬더듬 엮자 중위는 동지적 친근감을 보이며, 그럼 상사님이시군요, 하곤 한결 공손히 응대했다.

6.25 참전했던 상이군인임을 밝힘

[ ]: '나'의 이력 소개, 군인들과의 사이에 존재하는 긴장감을 완화하는 역할을 함

6.25 동란 중 벌어진 전투

상사(上司). 자기보다 벼슬이나 지위가 위인 사람

"파견 대장님 소관이라 저는 그저 심부름을 왔습니다만." / 하고 중위가 서두를 뗀 뒤 말했다.

"아드님이 성인이기 때문에 굳이 보호자를 대동할 필요는 없지만, 아마 그 언행 진부와 가족 관계를 파악하려 선배님을 부르는 것 같아요."

'나'를 부르는 이유를 밝힘

"그럼 혹 제 아들놈이 철새 휴식 장소나 그 은신처를 찾으려 통제 구역 안으로 들어간 게 아닌가요?"

'나'가 생각하는 이유가 아닌, 더 심각한 이유가 있는지에 대한 의구심을 지님

"글쎄요……."

"아니면 동진강 하류의 폐, 폐수 오염도를 조사할 목적으로?"

"둘 중 하나겠죠." / 중위는 알 만하다는 얼굴로 나를 보고 빙긋 웃었다.

"그럼 경찰서로 이첩되는 건가요?"

'나'의 걱정이 드러남

"가 보시면 만나겠지만 저희 파견 대장님은 무척 인간적이십니다."

파견 대장이 법대로만 해결하지 않고 개인의 사정을 고려하는 인물이라는 뜻, 파견 대장이 병국을 법대로 처리하지 않을 것임을 암시함.

나는 더 물을 말이 없었다. 중위 어투로 보아 크게 걱정하지 않아도 되겠다고 안심했다. 어느덧 차는 시내를 빠져나와 석교천을 끼고 사방이 트인 해안 지대를 달렸다. 나는 지프 차창으로 밖을 내다보았다. 황량한 공한지 멀리로 비(B)

'나'의 걱정이 다소 해소됨

공단 공장 굴뚝들이 보였다. 바다에서 불어오는 바람에 밀려 연기가 시내 쪽으로 날아갔다. 그중 삼영정유공장으로 짐작되는 굴뚝에 가스를 태우는 불꽃이 중동 유전 지대처럼 붉은 혀를 날름거렸다. 그 불꽃을 휩싼 검은 연기가 분진을 날리며 서쪽 하늘로 날아갔다. 삼각주 갈대밭과 해안 구릉 사이로 바다가 보이자, 지프는 휘어진 길을 따라 남쪽으로 꺾어 들었다. 나는 차창을 열었다. 소금 내 섞인 바닷바람을 마시자 뭉쳐 누웠던 희열이 내 몸을 천천히 달구었다. 나는 바다에 눈을 주었다. 가을 햇살 아래 바다의 잔물결이 반짝거렸다. 나는 바닷바람을 마시며 숨을 크게 내쉬었다.

공장 굴뚝에서 가스를 태우는 불꽃을 뱀이나 악귀의 혀처럼 묘사함으로써 산업화에 대한 비판적인 인식을 드러냄

과거 회상의 매개체

"어릴 적부터 병국이 그, 그놈은 바다를 무척이나 좋아했더랬지요." / 중위를 돌아보며 내가 말했다.

"저도 고향이 인천입니다만, 소년들에게 바다는 늘 큰 꿈을 키워 주지요."

큰 꿈, 그렇다. 병국이는 어릴 적부터 바다를 보며 큰 꿈을 키웠더랬다. 두 녀석이 초등학교에 다닐 무렵, 일요일이면 자전거 뒤에 병국이를 앉히고 자전거 앞에 병식이를 태워 나는 곧잘 동진강 삼각주나, 동남만 남쪽 돌기에 자리 잡은 장진포까지 바다 구경을 나갔다. 병식은 장난질 심한 개구쟁이로만 기억에 남아 있지만, 병국이는 바다로 나오면 기선을 보는 게 소원이었다. 동남만이 공업화의 거센 물결을 타자 한갓 고래잡이 기지였던 장진포가 항만 준설 공사를 마쳐 이제 몇 만 톤급 배까지 들어오게 되었지만, 그 당시는 고래잡이 배가 큰 배였다.

과거 회상이 시작되는 부분

병국, 병식

과거 현재의 대비: 산업화로 급변하는 시대 상황을 드러냄

"아버지, 저는 외국 깃발을 단 큰 기선이 보고 싶어요."

병국이는 말했다. 노를 젓거나 돛을 올려 바람의 힘으로 움직이는 거룻배나, 통통배라 부르던 발동선은 녀석의 안중에 차지 않았다. 갈색 머리 코 큰 선원이 마도로스파이프를 물고 알아들을 수 없는 말로 인사하는 기선이 어촌에 닿을 리 없었지만, 그는 난 바다에 기선이 지나가는 구경이라도 했으면 바랐다.

"너는 큰 배가 그, 그렇게 타 보고 싶니?" / 내가 물었다.

"그래요. 아버지는 기선을 타 보셨나요?"

병국이가 조갑지를 주워 파도 위로 힘껏 내던졌다. 조갑지를 삼킨 큰 파도가 해안으로 밀려왔다. 빠져나가는 썰물이 파도의 뿌리를 밀쳤다. 큰 파도가 작은 파도로 기를 낮추어 발밑까지 따라왔다.

조개, 혹은 조가비(조개껍데기)의 방언

"나야 물론 여러 번 타 봤어. 부산서 일본 시, 시모노세키란 항구까지 배를 타고 건넜지."

확인학습

01 중위는 이질감을 표현하여 대립적 분위기를 조성한다. O□ X□

02 이 글은 산업화 시대의 사회상을 반영하고 있다. O□ X□

03 윗글은 서정적인 배경 묘사를 통해 환상적인 분위기를 조성한다. O□ X□

⊙ 어휘풀이

- **발포(發砲)** 총이나 포를 쏨.
- **상이** 부상을 당함.
- **무공 훈장** 전시 또는 이에 준하는 비상사태하에서 전투에 참가하여 뚜렷한 무공을 세운 사람에게 주는 훈장.
- **진부** 참됨과 거짓됨. 또는 진짜와 가짜.
- **이첩** 받은 공문이나 통첩을 다른 부서로 다시 보내어 알림.
- **공한지** 농사를 지을 수 있는데도 아무것도 심지 않고 놀리는 땅.
- **분진** 티끌.
- **기선** 증기 기관의 동력으로 움직이는 배를 통틀어서 이르는 말.
- **항만** 바닷가가 굽어 들어가서 선박이 안전하게 머물 수 있고, 화물 및 사람이 배로부터 육지에 오르내리기에 편리한 곳. 또는 그렇게 만든 해역.
- **준설** 물의 깊이를 깊게 하여 배가 잘 드나들 수 있도록 하천이나 항만 등의 바닥에 쌓인 모래나 암석을 파내는 일.
- **거룻배** 돛이 없는 작은 배.
- **난바다** 육지로 둘러싸이지 아니한, 육지에서 멀리 떨어진 바다.

내 목소리가 시무룩했다. 『해방 전 나는 오사카에서 전문학교에 적을 두고 있었다. 태평양 전쟁 말기 조선인 강제
『 』: 과거회상
학병 제도가 실시되지 않았다면 나는 종전을 그곳에서 맞을 뻔했다. 1944년 여름, 나는 고향으로 돌아왔던 것이다.
전쟁이 끝남
해방은 금강산 유점사 말사인 마하연에서 맞이했다. 이듬해 봄, 나는 대학에 다시 다니려 서울로 갔다.』

"아버지, 기선을 타면 거룻배보다 훨씬 기분이 좋겠죠?"

"배가 크니까, 요동이 어, 없어 방 속에 있는 기분이지."

"갑판이 학교 운동장만 하다면서요?"

"병국아, 통일되면 우리 그런 배 타고 아버지 고향으로 가자구. 거기도 바닷가니 금강산 구경도 할 수 있거든. 내
실향민의 통일에 대한 소망과 고향에 대한 그리움이 드러남
가 원산에서 중학교 다닐 때 금강산에 수학여행을 갔더랬지. 또 해방되던 해는 일 년 가까이 징용을 피하느라 금강산
기, 깊은 암자에서 숨어 살았어."

"금강산은 세계에서 가장 아름다운 산이라면서요?"

「"무, 물론. 그림으로도 나는 금강산만큼 아름다운 산을 본 적 없어. 너도 들었지, 삐죽삐죽한 보, 봉우리가 일만이
「 」: 대상을 열거하여 고향에 대한 간절한 그리움을 드러냄
천 개나 된다는 것 말이야. 차, 참 볼만하지. 내금강만 하더라도 젤 높은 비로봉이며 며, 명경대 · 동석동 · 망군대 ·
백만봉 · 조양봉 · 시, 십이폭포 · 진주담이며 외, 외금강은 또 어떻구. 만물상 · 비봉폭포 · 연주담 · 집신봉 · 오, 오류
동, 구룡천의 구룡연폭포……."」

"그만하세요. 아버진 언제 그걸 다 외웠나요?"

"어디 그, 그뿐인가. 해금강, 신금강은 또 어떡하고. 장안사 · 표, 표훈사 · 유점사, 그것 말고도 절은 또 얼마라구."

나는 신이 나서 입술에 침을 튀겨 가며 지껄였다.
'나'의 심리(고향에 대한 향수)가 행위를 통해 간접적으로 표현됨

남한에 정착한 뒤 그곳이 그리워 지도를 펴 놓고 주야장천 들여다보니 자연스럽게 외우게 된 지명이었다. 내 눈앞
한순간도 고향을 잊은 적이 없음
에 금강산을 일주하듯 기암절벽의 산봉우리와 청청한 폭포와 단풍으로 타오르는 떨기나무 숲이 원색 영화 장면처럼 스쳤다. 나는 내 생전에 다시 그 산을 오를 수 없을 것 같았다. 만약 내가 한 번 더 그 산에 오를 수 있다면 나는 거기에서 눈을 감아도 좋으리라 하고 생각하자, 눈물이 돌고 코끝이 찡했다.

"아버지, 저 바다 따라 북으로 올라가면 금강산에 닿겠네요?"

"그럼, 아버지 고향 통천에도 다, 닿지. 두백리라고, 참 경치 좋은 어촌이란다. 해방 전에 네 할아버진 그곳에서 큰
'나'가 고향에서 경제적으로 풍요로운 삶을 살았을 것임을 짐작하게 함
어장을 가지고 계셨어. 지금 사, 살아 계신담 연세가 쉰아홉, 내년이 환갑이로구나."

갈매기 두 마리가 해안선을 따라 북쪽으로 날아가고 있었다. 내 눈과 병국이 눈이 갈매기를 따라갔다.
'나'의 처지와 대비되는 존재 / 갈매기: '나'의 향수를 환기하는 존재

"저 갈매기 타고 갈 수 있다면 내, 내일 아침쯤 그곳에 도착할 수 있을 거야."

내가 한숨 끝에 풀죽은 목소리로 말했다.

"아버지, 『닐스의 이상한 여행』이란 동화책을 읽은 적 있어요?"
고향에 가고 싶은 '나'의 간절한 염원을 드러내는 역할을 함

병국이 물었다.

"아니."

"그 책을 보면 닐스가 꼬마 요정 톰테를 못살게 굴다 요술에 걸려 키가 십 센티도 안 되는 난쟁이로 변하지요. 그래서 큰 거위를 타고 기러기 떼를 따라 정처 없는 여행을 떠나요."

"참 재, 재미있는 동화책이로구나. 나도 꼬마 요정 요술에나 걸렸으면 좋겠구나."

"그럼 아버지만 거위를 타고 고향으로 가 버리면 어떡해요?"

"아니지. 너희들을 태워 고향으로 떠, 떠나야지."

"야, 신난다. 정말 그런 요술이 동화가 아님 얼마나 좋을까." ▶ 과거 회상이 끝남
통일이 현실적으로 어려운 상황이라는 비관적 인식을 보여줌

지프가 부대 정문으로 들어섰다. 본부 막사 앞에 차가 멎자, 우리는 내렸다. 중위는 나를 본부 막사 파견 대장실로 안내했다. 대장은 자기 책상에서 서류철을 뒤적이다 우리를 맞았다. 그의 계급은 소령이었다.

"김병국 부친 되십니다."

중위가 나를 소개했다. 그리고 덧붙여, 내가 예편된 대위 출신으로 육이오 전쟁에 참전한 상이용사라고 말했다.

"그렇습니까. 반갑습니다. 저는 윤영구라 합니다. 앉으시지요."

윤 소령이 나를 회의용 책상으로 안내해 간이 철제 의자를 권했다. 그는 호인다운 인상에 목소리가 시원시원하여, 중위의, 파견 대장은 인간적이란 말에 한결 신뢰감을 주었다.
인물의 외양을 보고 그의 성품을 짐작함

"불비한 자식을 둬서 죄, 죄송합니다. 자식놈과 얘기해 보셨다면 아, 알겠지만 천성이 착한 놈입니다."
의도적으로 범법 행위를 하지 않았을 것이라는 의도를 내포함

의자에 앉으며 내가 말했다.

"어젯밤 마침 제가 부대에서 숙식할 일이 있어 장시간 그 친구와 얘기를 나눠봤지요. 똑똑한 젊은이더군요."
병국이 하는 일에 공감할 줄 아는 식견을 지닌 인물임을 알 수 있음

"요즘 제 딴에는 뭐 조류와 환경 오염 실태를 여, 연구한답시고……. 모르긴 하지만 그 일 때문에 시, 심려를 끼치지 않았나 하는데요?"

"그렇습니다. 그러나 자제분은 군 통제 구역 출입이 어떤 처벌을 받는지 알 텐데도 무모한 행동을 했어요. 설령 하는 일이 정당하다면 사전에 부대 양해나 협조부터 요청해야지요."
병국의 잘못을 알려줌. 원칙을 고수하는 윤소령의 성격이 드러남

"물론 그래야지요. 야영하다 자신도 모르는 사이에 워, 월경했겠죠. 어떻게 한번 용서해 주십시오. 아비 된 제가 주의를 단단히 시키겠습니다."
병국의 행위가 의도적인 것이 아니라 단순한 실수였다고 변명하면서 자식을 두둔함
▶ 윤 소령의 말을 긍정한 후 자식을 두둔하며 이해와 선처를 구함

윤 소령은 병국의 신상 문제는 언급하지 않고, 1968년 11월 울산 · 삼척 지구 무장 공비 출현으로 그들이 저지른 만행을 예로 들었다.
법적 처벌에 대한 언급을 하지 않음으로서 선처를 암시함
무장 공비 출현 사건을 예로 들어 국가 보안과 경비의 중요성을 강조함으로써 병국의 행동이 무모한 행위였음을 상기시키고 있음

■

"……그들은 야음을 틈타 쾌속정을 이용하여 동해안을 따라 남하했던 겁니다."
밤의 어둠

윤 소령은 말했다. 그는 국제 유수의 공업 단지 보안과 경비가 얼마나 중요한지를 강조했다.

"……아시겠지만 우리는 실전이 없달 뿐 휴전이란 이름으로 전쟁을 쉬고 있는 준전시 상태 아닙니까. 남북 공존의 평화를 원한다면 그 평화를 확보하기 위해서도 경각심을 풀 수 없어요. 기실 국민 복리와 제반 사업의 성장이란 것도 안보 확립 위에서만 이루어지는 겁니다."
윤 소령이 가장 우선시하는 가치

윤 소령은 당번병을 불러 김병국 군을 데려오라고 말했다. 한참 뒤, 사병과 함께 병국이 파견 대장실로 들어왔다. 『땟국 앉은 꾀죄죄한 그의 몰골이 중병 환자 같았다. 점퍼와 검정 바지도 펄투성이여서 하수도 공사를 하다 나온 듯
「」: 초췌한 외양 묘사를 통해 병국의 현재 처지와 내면을 보여줌
했다. 병국은 움푹 꺼진 동태 눈으로 나를 보았다.』

"이 녀석아, 넌 도대체 어, 어떻게 돼먹은 놈이냐! 통금 시간에 허가증 없이 해안 일대에 모, 못 다니는 줄 뻔히 알
통금 제도가 있었던 당시의 사회상을 알 수 있음
면서."

내가 노기를 띠고 아들에게 소리쳤다.
뒤에 이어지는 내용으로 미루어 볼 때, '나'는 병국의 초췌한 모습에 안타까움과 연민의 정을 느끼고 있음(윤 소령을 의식하며 화를 내는 척 함)

"본의는 아니었어요. 사흘 사이 동진강 하구 삼각주에서 갑자기 새들이 집단으로 죽기에 그 이유를 좀 알아보려던
병국이 군부대에 붙잡히게 된 이유를 밝힘
게……."

병국이 머리를 떨구었다.

"그래도 변명은!"

"고정하십시오. 자제분 의도나 진심은 충분히 파악했으니깐요."
윤 소령이 병국의 의도를 받아들였음을 알 수 있음

윤 소령이 말했다.

병국은 간밤에 쓴 진술서에 손도장을 찍고, 각서 한 장을 썼다. 내가 그 각서에 연대 보증을 섬으로써 우리 부자가
긴 시간 동안 복잡하고 까다로운 절차를 거침
파견대 정문을 나서기는 정오가 가까울 무렵이었다. 부대에서 나올 때 집으로 찾아왔던 중위가 병국이 사물을 인계했다. 닭털 침낭과 등산 배낭, 이인용 천막, 그리고 걸레 조각처럼 늘어진 바다오리와 꼬마물떼새 시신이 각 열 구씩
병국이 야영을 하며 새들의 집단 폐사 원인을 조사했음을 알 수 있음
이었다.

▶ 군부대에서 풀려난 병국을 데리고 부대를 나섬

"죽은 새는 뭘 하게?"
'나'의 질문 의도 : 환경 오염과 관련된 병국의 행동에 관심을 보임

웅포리 쪽으로 걸으며 내가 물었다.

"해부를 해서 사인을 캐 보려구요."

"폐, 폐수 탓일까?"

"글쎄요……."
병국은 새들의 집단 폐사 원인이 공장 폐수가 아닐 수도 있다고 생각함

"너도 시장할 테니 아바이집으로 가서 저, 점심 요기나 하자."

나는 웅포리 정 마담을 만나 이잣돈을 받아오라던 아내 말을 떠올렸다. 병국이는 식사 따위에 관심이 없어 보였다.

"아버지, 아무래도 새를 독살하는 치들이 있는 것 같아요."
병국이 추측하는 새들의 폐사 원인

"그걸 어떻게 아니?"

"갑자기 떼죽음당하는 게 이상하잖아요? 물론 전에도 새나 물고기가 떼죽음하는 경우가 있었지만, 이번은 뭔가 다른 것 같아요."

"물 탓이야. 이제 동진강은 강물이 아니고 도, 독물이야. 조만간 이곳에서 새 떼가 자취를 감추고 말 게야."

▶ '나'는 병국과 새들의 집단 폐사 원인에 대해 진지한 대화를 나눔

[뒷부분 줄거리] 병국은 철새의 죽음과 병식이 하는 일이 관련 있음을 알게 되고 아무런 문제의식을 갖지 못하는 병식과 다툰 뒤 바다로 가는 버스에 오른다. 병국은 버스에서 내려 술집을 지나가다가 통일을 기다리는 아버지의 말을 듣지만 자신의 존재가 도움이 되지 못한다는 생각으로 지나쳐 버린다. 그리고 비상하는 도요새를 바라보고 따라가다 놓치고 만다.

확인학습

01 이 글은 자연물을 매개로 인물의 내면을 드러낸다. O□ X□

02 윗글을 읽고 '나'의 고향에 대한 그리움이 얼마나 크고 간절한지를 알 수 있다. O□ X□

03 이 글을 시대적 배경과 밀접한 어휘를 활용하여 주제 의식을 강화한다. O□ X□

04 '나'는 환경을 보호하기 위해서 적극적인 자세로 노력하고 있고, '아들(병국)'은 사회 부조리에 대하여 비판적인 자세를 취하고 있다. O□ X□

⊙ 핵심정리

갈래	중편 소설, 환경 소설	성격	사실적, 생태적, 현실 비판적
배경	1970년대 동진강 하구		
시점	1인칭 시점(인물별) → 전지적 작가 시점(교과서 인용 부분은 1인칭 시점)		
제재	철새 도래지인 동진강 하구의 환경 오염과 분단 문제		
주제	산업화로 인한 환경 오염 문제에 대한 비판과 민족의 비극적 역사 현실에 대한 인식		
특징	• 각 부마다 서술 시점이 변화하면서 등장인물의 내면을 효과적으로 드러냄. • 과거와 현재가 교차되는 역순행적 구성 방식을 취함.		

⊙ 어휘풀이

- **말사** 본사의 관리를 받는 절. 또는 본사에서 갈라져 나온 절.
- **불비** 제대로 다 갖추어져 있지 아니함.
- **월경** 국경이나 경계선을 넘는 일.
- **유수** 손꼽을 만큼 두드러지거나 훌륭함.
- **연대 보증** 보증인이 채무자와 연대하여 채무를 이행할 것을 약속하는 보증. 책임지고틀림이 없음을 증명함.
- **시장하다** 배가 고프다.
- **치** '사람'을 낮잡아 이르는 말.

객관식 기본문제

[01~02] 다음 글을 읽고 물음에 답하시오.

(가) 지난여름, 한창 더위가 찔 무렵이었다. 비(B) 공단 성창 비료 서교 공장 노무과장이 어깨 벌어진 젊은이 셋을 거느리고 느닷없이 집으로 들이닥친 일이 있었다. 그날은 종옥이가 시장에 가고 없어 나 홀로 집을 지키던 참이었다.
"김병국이란 작자가 누구요? 도대체 어떤 위인인지 상판이나 좀 봅시다."
젊은이 하나가 주먹을 내두르며 기세등등하게 말했다.
"내 아들놈인데 당신네는 누, 누구요?"
기세에 눌려 내 목소리가 더욱 더듬거렸다.
"당신 자식이라면 아직 마빡이 새파란 놈이겠군, 그 새끼 좀 봅시다."
다른 젊은이가 윽박질렀다.
"아들이 지, 지금 입에 없소. 무슨 일인데 이러는 거요?"
"그 자식 간 데를 불어요. 당장 작살내고 말 테니."
또 다른 젊은이가 방문 열린 큰방과 건넌방을 기웃거리며 말했다. 마흔쯤 되어 보이는 노무과장이란 자가 내게 정중하게 인사했다.
"이거 소란을 피워 죄송합니다. 병국이란 자제분을 만날 수 없겠습니까?"
노무과장이 젊은이들을 제지시키곤 말했다.
"마루에라도 조, 좀 앉으십시오."
"앉고 자시고 할 시간이 없단 말이오!"

(나) "분명합니다. 알고 보니 자제분은 이 방면에 상습범이더군요. 지난 유월에는 풍천 화학을 상대로 진정서를 낸 바 있었습니다. 풍천 화학 역시 야음을 틈타 카드뮴·수은 등 중금속 물질을 다량 배출시켜 동진강 하류 삼각주 지대의 각종 새 삼백여 마리와 물고기를 떼죽음을 했다나요. 사람이 아닌 한갓 새나 물고기가 죽은 걸 두고 말입니다."
노무과장 목소리가 열을 띠더니 '새나 물고기'란 말을 힘주어 강조했다.
"기가 막혀서, 뭐 제 놈이 실신했다거나 가족이 떼죽음당했다면 또 몰라."
한 젊은이가 가소롭다는 듯 시큰둥 말했다.
"국민 소득 일천 달러 달성에, 오늘날 조국 근대화가 다 무엇으로 이루어진 성과인 줄 선생도 알지요?"
다른 젊은이가 내 눈을 찌를 듯 손가락질했다.
"빈대 잡겠다고 초가삼간 태우겠다는 미친놈 짓거리를 이번으로 뿌릴 뽑아야 해!"
또 다른 젊은이가 말했다. 그들은 병국이 소재를 두고 다시 한차례 이구동성 삿대질하며, 그놈이 돌아올 자정까지라도 기다리겠다며 마루로 올라왔다.
"선생, 진정도 진정 나름입니다. 그러니 이번 문제는 순전히 명예 훼손으로밖에 볼 수 없어요. 간혹 기계 고장으로 가스가 새는 수가 있긴 합니다. 그러나 그걸 고의로 몰아붙이는 이런 진정에는 우리가 오히려 명예 훼손으로 자제분을 고발할 수 있다는 것을 아셔야 해요. 선생도 지난번 반상회엘 나갔다면 우리 비(B) 공단에서 돌린 공문을 받아 보았을 겁니다. 공단 측에서도 공해 문제에 관심을 가지고 아황산가스 · 일산화탄소 · 폐수 · 풍속 측정 등 팔대 공해 검증 기구를 사들이려 예산을 책정했다는 내용 말입니다. 또 오염 가능 지역을 삼 단계로 분류하여 오백여 가구 이주 계획을 세워 놓았다는 점도 읽으셨겠죠?"

01 (가)의 서술적 특징으로 적절하지 않은 것은?

① 인물의 행동이나 심리를 생생하게 묘사하고 있군.
② 사건을 보다 극적이고 현장감 있게 제시하고 있군.
③ 장면을 그대로 보여 주어 독자의 상상력을 자극하고 있군.
④ 자신의 의문을 해소하기 위해 청자에게 답을 요구하고 있군.
⑤ 서술자의 직접 서술보다 인물들 간의 대화 방식으로 서술하고 있군.

02 (나)에서 노무과장의 말하기 방식으로 적절한 것을 〈보기〉에서 모두 고른 것은?

보기

ⓐ 자신의 생각을 강조하기 위해 비언어적 표현을 적극적으로 사용하고 있다.
ⓑ 자신의 잘못을 감추기 위해 잘못이 없는 상대를 오히려 나무라는 태도를 보이고 있다.
ⓒ 자신이 속한 집단의 문제점을 인식하고 있으면서 이에 대한 책임을 회피하려고 하고 있다.
ⓓ 자신의 생각을 강조하기 위해 비속어를 적절히 사용하여 상대에게 위압감을 조성하고 있다.
ⓔ 자신이 속한 집단의 행동을 구체적으로 제시하여 문제 해결을 위한 노력을 해 왔음을 강조하고 있다.
ⓕ 자신의 생각을 강조하기 위해 관용적 표현을 통해 비유적으로 자신의 처지를 상대에게 전달하고 있다.
ⓖ 자신이 속한 집단과 갈등 관계인 상대의 약점을 파악하여, 상대가 굴복할 수밖에 없는 제안을 하고 있다.

① ⓐ, ⓑ, ⓔ
② ⓑ, ⓒ, ⓔ
③ ⓑ, ⓔ, ⓖ
④ ⓑ, ⓓ, ⓔ, ⓕ
⑤ ⓐ, ⓒ, ⓓ, ⓕ, ⓖ

[03~05] 다음 글을 읽고 물음에 답하시오.

(가) 갈매기 두 마리가 해안선을 따라 북쪽으로 날아가고 있었다. 내 눈과 병국이 눈이 갈매기를 따라갔다.
"저 갈매기 타고 갈 수 있다면 내, 내일 아침쯤 그곳에 도착할 수 있을 거야."
내가 한숨 끝에 풀죽은 목소리로 말했다.
"아버지, ㉠「닐스의 이상한 여행」이란 동화책을 읽은 적 있어요?"
병국이 물었다. / "아니."
"그 책을 보면 닐스가 꼬마 요정 톰테를 못살게 굴다 요술에 걸려 키가 십 센티도 안 되는 난쟁이로 변하지요. 그래서 큰 거위를 타고 기러기 떼를 따라 정처 없는 여행을 떠나요."
"참 재, 재미있는 동화책이로구나. 나도 꼬마 요정 요술에나 걸렸으면 좋겠구나."
"그럼 아버지만 거위를 타고 고향으로 가 버리면 어떡해요?"
"아니지. 너희들을 태워 고향으로 떠, 떠나야지."
㉡"야, 신난다. 정말 그런 요술이 동화가 아님 얼마나 좋을까."

(나) "그렇습니까. 반갑습니다. 저는 윤영구라 합니다. 앉으시지요."
윤 소령이 나를 회의용 책상으로 안내해 간이 철제 의자를 권했다. 그는 호인다운 인상에 목소리가 시원시원하여, 중위의, 파견 대장은 인간적이란 말에 한결 신뢰감을 주었다.
"불비한 자식을 둬서 죄, 죄송합니다. 자식놈과 얘기해 보셨다면 아, 알겠지만 천성이 착한 놈입니다."
의자에 앉으며 내가 말했다.
"어젯밤 마침 제가 부대에서 숙식할 일이 있어 장시간 그 친구와 얘기를 나눠봤지요. 똑똑한 젊은이더군요."
"요즘 제 딴에는 뭐 조류와 환경 오염 실태를 여, 연구한답시고……. 모르긴 하지만 그 일 때문에 시, 심려를 끼치지 않았나 하는데요?"
"그렇습니다. 그러나 자제분은 군 통제 구역 출입이 어떤 처벌을 받는지 알 텐데도 무모한 행동을 했어요. 설령 하는 일이 정당하다면 사전에 부대 양해나 협조부터 요청해야지요."
"물론 그래야지요. 야영하다 자신도 모르는 사이에 워, 월경했겠죠. 어떻게 한번 용서해 주십시오. 아비 된 제가 주의를 단단히 시키겠습니다."
윤 소령은 병국이의 신상 문제는 언급하지 않고, 1968년 11월 울진 · 삼척 지구 무장 공비 출현으로 그들이 저지른 만행을 예로 들었다.
"…… 그들은 야음을 틈타 쾌속정을 이용하여 동해안을 따라 남하했던 겁니다."
윤 소령은 말했다. 그는 국제 유수의 공업 단지 보안과 경비가 얼마나 중요한지를 강조했다.
"…… 아시겠지만 우리는 실전이 없달 뿐 휴전이란 이름으로 전쟁을 쉬고 있는 준전시 상태 아닙니까. 남북 공존의 평화를 원한다면 그 평화를 확보하기 위해서도 경각심을 풀 수 없어요. 기실 국민 복리와 제반 산업의 성장이란 것도 안보 확립 위에서만 이루어지는 겁니다."
윤 소령은 당번병을 불러, 김병국 군을 데려오라고 말했다. 한참 뒤, 사병과 함께 병국이가 파견 대장실로 들어왔다. 땟국 앉은 꾀죄죄한 그의 몰골이 중병 환자 같았다. 점퍼와 검정 바지도 펄투성이여서 하수도 공사를 하다 나온 듯했다. 병국이는 움푹 꺼진 동태 눈으로 나를 보았다.

03 (가)에서 작가가 ㉠을 언급한 이유로 가장 적절한 것은?

① '나'의 천진한 모습을 강조하기 위해
② 고향을 잊고 싶은 마음을 드러내기 위해
③ '나'와 병국의 서먹한 분위기를 해소하기 위해
④ 고향에 대한 그리움이 환상임을 드러내기 위해
⑤ 고향에 돌아가고 싶은 '나'의 간절함을 드러내기 위해

04 (가)의 ㉡에 대한 추론으로 가장 적절한 것은?

① 미래에 대한 불가역성을 드러낸다.
② 현재 상황을 희화적으로 인식하고 있음을 드러낸다.
③ 소망하는 것을 실현에 옮길 수 있다는 인식을 드러낸다.
④ 힘든 것도 합리적으로 해결 가능하다는 인식을 드러낸다.
⑤ 소망하는 것의 실현은 현실적으로 어렵다는 인식을 보여 준다.

05 (나)에서 등장인물의 말하기 방식에 대한 설명으로 적절하지 않은 것은?

① '나'는 자식을 두둔하고 있다.
② '나'는 겸손한 태도를 보이며 선처를 호소하고 있다.
③ '나'는 반어적 표현을 사용하여 자식이 곤란에 처한 것임을 강조하고 있다.
④ 윤소령은 원칙을 말하며 병국의 잘못을 알려주고 있다.
⑤ 윤소령은 병국이 하는 일을 이해하는 태도를 보이고 있다.

[06~12] 다음 글을 읽고 물음에 답하시오.

(가) 동진읍에 정착했던 그해 가을이던가, 전쟁 전 고향 땅에서 본 도요새 무리를 동진강 삼각주에서 발견했을 때, 나는 마치 헤어진 부모와 동기간과 약혼녀를 만난 듯 반가웠다. 너희들이 휴전선 위의 통천을 거쳐 여기로 날아왔으려니, 하고 대답 없는 물음을 던지면 울컥 사무쳐 오는 향수가 내 심사를 못 견디게 긁어 놓았다. 가져온 술병을 기울이며 나는 새 떼와 많은 대화를 나누었다. 내가 말하고 내가 새가 되어 대답하는 그런 대화를 아무도 이해할 수 없을 것이다. 새가 고향땅 부모님이 되고, 형제가 되고, 어떤 때는 약혼자가 되어 내게 들려주던 그 많은 이야기를 나는 기쁨에 들떠, 때때로 설움에 젖어 화답하는 그 시간만이 내게는 살아 있는 진정한 시간이었다. 세월의 부침 속에 고향에 대한 나의 향수도 차츰 식어 갔다. 이제 새 떼가 부쩍 줄어든 동진강 하구도 내 인생과 함께 황혼을 맞고 있었다. 동진강이 악취 풍기는 폐수로 변해 버렸기 때문이었다. 지금 보는 바다 역시 헤엄쳐 북상하면 며칠 내 고향에 도착할 수 있을 것 같던 거리가 까마득히 멀어 보였다. 철새나 나그네새는 휴전선을 넘어 자유로이 왕래하건만 나는 그곳으로 갈 수 없다는 ㉠안타까움만 해가 갈수록 내 이마에 깊은 주름을 새겼다.

(나) 내가 신문 바둑난을 꼼꼼히 들여다보고 있을 때였다. 대문 초인종이 길게 울렸다. 마루 끝에 앉아 껌을 씹으며 라디오 유행가를 듣던 종옥이가 대문께로 달려갔다. 초인종 소리로 보아 두 아들 녀석 같지 않았고 여편네가 또 뭘 빠뜨리고 나갔다 황망히 되돌아왔으려니 생각했다.

"누구세요?"

종옥이가 철문 쇠빗장을 달그랑거리며 물었다.

"김병국이라고, 이 집에 살지요?"

바깥의 무뚝뚝한 목소리였다.

종옥이 문을 열자, 장교와 사병이 집 안으로 들어섰다. 장교는 중위였고, 사병은 상등병이었다. 둘의 거동이 당당한 데다 사병은 총을 메고 위장망 씌운 철모를 쓰고 있었다. 내 가슴이 철렁했고 오른쪽 턱에 경련이 왔다. 전쟁 때 철원 전투에서 왼쪽 다리에 중상을 당한 뒤부터 ㉡놀랄 때나 흥분하면 부교감 신경의 실조증이 나타났다. 병국이가 제 어미에게 돈을 못 타내다 보니 내게 오천 원을 돌려 달라던 게 그저께였다. 내가 강 회장한테 돈을 빌려 애놈한테 주었는데 녀석이 그 돈으로 무슨 말썽을 피웠구나 하는 생각이 들었다. 나는 엉거주춤 마루로 나섰다. 이런 종류의 일은 올여름 들고 벌써 두 차례였다.

(다) 지난 여름 한창 더위가 찔 무렵이었다. 비(B) 공단 성창 비료 석교 공장 노무과장이 어깨 벌어진 젊은이 셋을 거느리고 느닷없이 집으로 들이닥친 일이 있었다. 그날은 종옥이가 시장에 가고 없어 나 홀로 집을 지키던 참이었다.

"김병국이란 작자가 누구요? ㉢도대체 어떤 위인인지 상판이나 좀 봅시다."

젊은이 하나가 주먹을 내두르며 기세등등하게 말했다.

"내 아들놈인데 당신네는 누, 누구요?"

기세에 눌려 내 목소리가 더욱 더듬거렸다.

"당신 자식이라면 아직 마빡이 새파란 놈이겠군, 그 새끼 좀 봅시다."

다른 젊은이가 윽박질렀다.

"아들이 지, 지금 입에 없소. 무슨 일인데 이러는 거요?"

"그 자식 간 데를 불어요. 당장 작살내고 말 테니."

또 다른 젊은이가 방문 열린 큰방과 건넌방을 기웃거리며 말했다. 마흔쯤 되어 보이는 노무과장이란 자가 내게 정중하게 인사했다.

"이거 소란을 피워 죄송합니다. 병국이란 자제분을 만날 수 없겠습니까?"

노무과장이 젊은이들을 제지시키곤 말했다.

"마루에라도 조, 좀 앉으십시오."

"앉고 자시고 할 시간이 없단 말이오!"

한 젊은이가 말했다.

"가만있자, 병국일 차, 찾으면………. 아무래도 힘들겠네요. 자정이나 돼야 돌아오니 나, 난들 행선지를 알 수 있어야죠."

"사실을 말씀드리자면 선생님 자제분이 우리 회사를 상대로 관계 요로에 진성서를 보냈습니다."

노무과장이 찾아온 이유를 설명했다.

"여기 시 보건과에 접수한 진정서 좀 보십시오."

노무과장은 마루에 걸터앉아 주머니에서 복사판 서류를 꺼냈다. 종이를 받아 든 내 손이 떨렸다. 방 안으로 들어가 돋보기안경을 찾아 낄 틈도 없이 희미한 글자를 대충 훑어보았다.

[A] 성창 비료 석교 공장은 연간 사십 억 규모의 흑자를 내고 있으면서도 폐기 처리 과정에 대한 근본적인 개선책이 전혀 없음이 입증되었다. 지난 8월 4일 새벽 2시 20분. 당 공장은 야음을 틈타 암모니아 가스를 다량으로 배출하여 그 가스가 폐수천(석교천)을 따라 안개처럼 덮쳐 와 동진강 하류로 확산된 바 있다. 이로 인하여 새벽 4시 10분 동진강 하류에서 오징어잡이에 출어하려던 어민 18명이 심한 두통과 구토증으로 실신한 사건이 있었다. 당사는 기계 밸브가 고장 나서 가스가 샜다고 변명하지만 이런 사건은 일주일을 주기로 이미 수십 차례 반복되었음을 입증하며(관계 자료 별첨), 이로 미루어 당사는 일부러 밸브를 틀어 못쓰게 된 가스를 배출하고 있음이 객관적으로 입증됨으로써…….

"정신병자가 쓴 낙선 뭐 더 읽을 필요도 없소."

하며 한 젊은이는 내가 읽던 진정서를 낚아챘다.

"아, 아들놈이 낸 진정서가 틀림없습니까?"

노무과장에게 내가 물었다.

"분명합니다. 알고 보니 자제분은 이 방면에 상습범이더군요. 지난 유월에는 풍천 화학을 상대로 진정서를 낸 바 있었습니다. 풍천 화학 역시 야음을 틈타 카드뮴·수은 등 중금속 물질을 다량 배출시켜 동진강 하류 삼각주 지대의 각종 새 삼백여 마리와 물고기를 떼죽음을 했다나요. 사람이 아닌 한갓 새나 물고기가 죽은 걸 두고 말입니다."

노무과장 목소리가 열을 띠더니 '새나 물고기'란 말을 힘주어 강조했다.

"기가 막혀서, 뭐 제 놈이 실신했다거나 가족이 떼죽음당했다면 또 몰라."

한 젊은이가 가소롭다는 듯 시큰둥 말했다.

"국민 소득 일천 달러 달성에, 오늘날 조국 근대화가 다 무엇으로 이루어진 성과인 줄 선생도 알지요?"

다른 젊은이가 내 눈을 찌를 듯 손가락질했다.

"빈대 잡겠다고 초가삼간 태우겠다는 미친놈 짓거리를 이번으로 뿌릴 뽑아야 해!"

또 다른 젊은이가 말했다. 그들은 병국이 소재를 두고 다시 한차례 이구동성 삿대질하며, 그놈이 돌아올 자정까지라도 기다리겠다며 마루로 올라왔다.

(라) "선생님이 김병국의 부친 되십니까?"

중위가 정중한 목소리로 물었다.

"예, 예, 그렇습니다만……."

"보호자로서 저희 부대까지 동행을 좀 해주셔야겠어요."

"병국이는 지금 어, 어디 있습니까?"

"부대에서 보호 중입니다."

"보호중이라니. 녀석이 무, 무슨 사건을 저질렀나요?"

"아드님이 통금 시간에 우리 통제 구역 안으로 무단출입을 했어요. 선생님도 아시겠지만 그 시간에 무단출입자는 발포까지 할 권한이 있습니다."

"그럼 발포를 해서 병국이가 다, 다쳤나요?"

"그런 정도는 아닙니다만, 하여간 잠시 시간을 내셔야겠어요."

"부대가 어딘데요?"

"동남만 일대의 경비를 담당하고 있는 삼오칠오 부댑니다."

나는 방으로 들어가 외출복으로 갈아입었다. 해석을 달리하면 까다로운 사건일 수도 있으나 병국이의 경우를 따져 볼 때는 그리 큰 걱정은 안 해도 좋을 듯했다. 병국이가 해안선을 따라 남하해 온 간첩도 아니요, 부대 경계 배치 상황을 탐지하려는 첩자도 아닌 이상 무사히 풀려 나올 것임이 분명했다. 녀석은 새에 대한 무슨 조사를 목적으로, 아니면 공해와 관련하여 경계 지구 안으로 잠입했음이 틀림없었다.

(마) "그럼 혹 제 아들놈이 철새 휴식 장소나 그 은신처를 찾기 위해 통제 구역 안으로 들어간 게 아닌가요?"

"글쎄요……."

"아, 아니면 동진강 하류의 폐, 폐수 오염도를 조사할 목적으로?"

"둘 중의 하나겠죠."

중위는 알 만하다는 얼굴로 나를 보고 빙긋 웃었다.

"그럼 경찰서로 이첩되는 건가요?"

"가 보시면 만나겠지만 저희 파견 대장님은 무척 인간적이십니다."

나는 더 이상 물을 말이 없었다. 중위 어투로 보아 크게 걱정하지 않아도 되겠다고 안심했다. 어느덧 차는 시내를 빠져나와 석교천을 끼고 사면이 트인 해안 지대를 달렸다 나는 지프 차창으로 밖을 내다보았다. 황량한 공한지 멀리로 비(B) 공단 공장 굴뚝들이 보였다. 바다에서 불어오는 바람에 밀려 연기가 시내 쪽으로 날아갔다. 그중 삼영정유공장으로 짐작되는 굴뚝에 가스를 태우는 불꽃이 중동 유전 지대처럼 ㉣붉은 혀를 날름거렸다. 그 불꽃을 휩싼 검은 연기가 분진을 날리며 서쪽 하늘로 날아갔다. 삼각주 갈대밭과 해안 구릉 사이로 바다가 보이자, 지프는 휘어진 길을 따라 남쪽으로 꺾어들었다. 나는 차창을 열었다. 소금 내 섞인 바닷바람을 마시자 ㉤뭉쳐 누웠던 희열이 내 몸을 달구었다. 나는 바다에 눈을 주었다. 가을 햇살 아래 바다의 잔물결이 반짝거렸다. 나는 바닷바람을 마시며 숨을 크게 내쉬었다.

– 김원일, 「도요새에 관한 명상」 –

---

06 위 글의 갈래에 관한 설명으로 가장 적절한 것은?

① 주로 인물들 사이의 대화를 중심으로 사건이 전개된다.
② 우리가 생활하고 있는 그대로의 세계를 무대로 한다.
③ 실제로 존재하지 않는 환상을 통해 현실을 도피하려고 한다.
④ 작자가 생각하는 바의 바람직한 세계를 추구한다.
⑤ 강한 정서를 바탕으로 작가의 개성을 드러낸다.

07 위 글의 특징으로 가장 알맞지 않은 것은?

① 이 글은 주로 일제 식민지 시기와 한국전쟁을 배경으로 한다.
② 각 부마다 서술자를 달리 함으로써 각각의 등장인물의 가치관을 효과적으로 드러낸다.
③ 장편소설 형태로 서사를 만들기 위해 인물별로 여러 시점을 사용했다.
④ 현재와 과거를 교차시키는 형식으로 서사가 진행된다.
⑤ 도요새와 같은 소재를 사용하여 인물들 각자의 세계관을 보여준다.

08 윗글의 서술상의 특징으로 적절한 것은?

① (가)는 회상을 통해 과거에 대한 회한과 성찰을 드러내고 있다.
② (나) 현재 발생하는 사건을 서술자가 요약하여 직접 제시하고 있다.
③ (다)는 인물 간의 갈등 상황을 대화를 중심으로 전개하고 있다.
④ (라)는 과거와 현재를 넘나들며 사건을 현장감 있게 서술하고 있다.
⑤ (마)는 서술자가 관찰자의 입장에서 사건을 객관적으로 전달하고 있다.

09 (가)의 '새'에 대한 설명으로 적절하지 않은 것은?

① '나'의 외로움을 달래주는 대상이다.
② '나'에게 향수를 불러일으키는 매개체이다.
③ 현재의 삶에 향수를 불러일으키는 매개체이다.
④ 자유롭게 남과 북을 오갈 수 있는 존재이다.
⑤ 실향민인 '나'의 처지와 대비되는 대상이다.

10 ㉠~㉤에 대한 이해로 적절하지 않은 것은?

① ㉠ : 추상적 대상인 감정을 구체적으로 형상화하였군.
② ㉡ : 전쟁의 후유증으로 나타난 증상이라 할 수 있겠군.
③ ㉢ : 반어적 표현을 통해 인물을 비아냥거리고 있군.
④ ㉣ : 감각적인 표현으로 공장의 활기찬 모습을 표현하려 했군.
⑤ ㉤ : 바다와 관련된 즐거웠던 기억이 떠오르는 모양이군.

11 [A]에 대한 설명으로 적절하지 않은 것은?

① 병국이 진정서를 제출한 이유가 드러나 있다.
② 인과관계에 따라 구체적 사례를 서술하고 있다.
③ 환경문제가 대두된 당시의 사회상을 짐작하게 한다.
④ 구체적인 문제 해결 방안을 설득력 있게 제시하고 있다.
⑤ 폐기 처리 과정에 대한 근본적 개선책이 없음을 입증하고 있다.

12 병국의 행동에 대한 평가 중 노무과장과 상반된 가치관을 지닌 사람의 평가로 가장 적절한 것은?

① 경제 성장을 위해서는 환경오염을 감수해야 함을 인정하고 있군.
② 생태계 보존보다는 인간의 존엄성을 중시하는 태도를 보여주는군.
③ 다른 사람의 도움을 받지 않고 혼자서 문제해결을 하려는 자립심을 본받아야겠군.
④ 맹목적인 환경 보존으로 수많은 사람의 생존권이 위협 받을 수 있다는 사실을 간과하고 있군.
⑤ 인간의 이기심 때문에 무고한 동물들이 죽는 것을 막기 위해 최선을 다하는 용기 있는 행동이군.

[13~14] 다음 글을 읽고 물음에 답하시오.

(가) 동진읍에 정착했던 그해 가을이던가, 전쟁 전 고향 땅에서 본 도요새 무리를 동진강 삼각주에서 발견했을 때, 나는 마치 헤어진 부모와 동기간과 약혼녀를 만난 듯 반가웠다. 너희들이 휴전선 위의 통천을 거쳐 여기로 날아왔으려니, 하고 대답 없는 물음을 던지면 울컥 사무쳐 오는 향수가 내 심사를 못 견디게 긁어 놓았다. 가져온 술병을 기울이며 나는 새 떼와 많은 대화를 나누었다. 내가 말하고 내가 새가 되어 대답하는 그런 대화를 아무도 이해할 수 없을 것이다. 새가 고향땅 부모님이 되고, 형제가 되고, 어떤 때는 약혼자가 되어 내게 들려주던 그 많은 이야기를 나는 기쁨에 들떠, 때때로 설움에 젖어 화답하는 그 시간만이 내게는 살아 있는 진정한 시간이었다. 세월의 부침 속에 고향에 대한 나의 향수도 차츰 식어 갔다. 이제 새 떼가 부쩍 줄어든 동진강 하구도 내 인생과 함께 황혼을 맞고 있었다. 동진강이 악취 풍기는 폐수로 변해 버렸기 때문이었다. 지금 보는 바다 역시 헤엄쳐 북상하면 며칠 내 고향에 도착할 수 있을 것 같던 거리가 까마득히 멀어 보였다. 철새나 나그네새는 휴전선을 넘어 자유로이 왕래하건만 나는 그곳으로 갈 수 없다는 안타까움만 해가 갈수록 내 이마에 깊은 주름을 새겼다.

(나) 담배 한 대를 피워 물고 나는 여느 날처럼 신문을 폈다. 특별한 읽을거리나 속 시원한 기사가 눈에 띌 리 없었다. 오전에는 별 할 일이 없으므로 일 면부터 팔 면까지 샅샅이 읽고 저녁 텔레비전 프로를 훑어보았다. 좋아하는 권투 중계는 없었다. 벽시계를 보았다. 이제 겨우 열 시였다. 지금 기원으로 나간다 해도 강 회장이 벌써부터 출근해 있을 리 없었다. 강 회장은 강원도 동진시 통천군 군민회 회장으로, 나와 십오 년 넘이 형제처럼 지내는 사이였다. 강 회장 고향은 부전령 아래 송화였고 나보다 칠 년 연상이었다. 홍남 철수 때 처와 자녀 둘을 고향에 두고 홀로 피란 내려와 구제품 따위를 파는 행상을 시작해선 육십 년대 초 이곳에 정착하여 상동 시장에서 포목점을 내었다. 동진읍이 시로 승격되자 강 회장이 사둔 잡종지의 지가가 뛰었고 점포가 부쩍 커졌다. 그러나 일 년 전 고혈압으로 쓰러졌다 일어난 뒤로 포목업도 남한에서 새 장가를 들어 얻은 여편네에게 넘기고 바둑으로 소일하고 지냈다.

(다) 지난여름, 한창 더위가 찔 무렵이었다. 비(B) 공단 성창 비료 서교 공장 노무과장이 어깨 벌어진 젊은이 셋을 거느리고 느닷없이 집으로 들이닥친 일이 있었다. 그날은 종옥이가 시장에 가고 없어 나 홀로 집을 지키던 참이었다.
"김병국이란 작자가 누구요? 도대체 어떤 위인인지 상판이나 좀 봅시다."
젊은이 하나가 주먹을 내두르며 기세등등하게 말했다.
"내 아들놈인데 당신네는 누, 누구요?"
기세에 눌려 내 목소리가 더욱 더듬거렸다.
"당신 자식이라면 아직 마빡이 새파란 놈이겠군, 그 새끼 좀 봅시다."
다른 젊은이가 윽박질렀다.

"아들이 지, 지금 입에 없소. 무슨 일인데 이러는 거요?"
"그 자식 간 데를 불어요. 당장 작살내고 말 테니."
또 다른 젊은이가 방문 열린 큰방과 건넌방을 기웃거리며 말했다. 마흔쯤 되어 보이는 노무과장이란 자가 내게 정중하게 인사했다.
"이거 소란을 피워 죄송합니다. 병국이란 자제분을 만날 수 없겠습니까?"
노무과장이 젊은이들을 제지시키곤 말했다.
"마루에라도 조, 좀 앉으십시오."
"앉구 자시구 할 시간이 없단 말이오!"
한 젊은이가 말했다.
"가만있자, 병국일 차, 찾으면………. 아무래도 힘들겠네요. 자정이나 돼야 돌아오니 나, 난들 행선지를 알 수 있어야죠."
"사실을 말씀드리자면 선생님 자제분이 우리 회사를 상대로 관계 요로에 진성서를 보냈습니다."
노무과장이 찾아온 이유를 설명했다.

(라) 병국은 간밤에 쓴 진술서에 손도장을 찍고, 각서 한 장을 썼다. 내가 그 각서에 연대 보증을 섬으로써 우리 부자가 파견대 정문을 나서기는 정오가 가까울 무렵이었다. 부대서 나올 때 집으로 찾아왔던 중위가 병국이의 사물을 인계했다. 닭털 침낭과 등산 배낭, 이인용 천막, 그리고 걸레 조각처럼 늘어진 바다오리와 꼬마물떼새 시신이 각 열 구씩이었다.
"죽은 새는 뭘 하게?"
웅포리 쪽으로 걸으며 내가 물었다.
"해부를 해서 사인을 캐 보려구요."
"폐, 폐수 탓일까?"
"글쎄요……."
"너도 시장할 테니 아바이집으로 가서 저, 점심 요기나 하자."
나는 웅포리 정 마담을 만나 이잣돈을 받아 오라던 아내 말을 떠올렸다. 병국이는 식사 따위에 관심이 없어 보였다.
"아버지, 아무래도 새를 독살하는 치들이 있는 것 같아요."
"그걸 어떻게 아니?"
"갑자기 떼죽음 당하는 게 이상하잖아요? 물론 전에도 새나 물고기가 떼죽음하는 경우가 있었지만, 이번은 뭔가 다른 것 같아요."
"물 탓이야. 이제 동진강은 강물이 아니고 도, 독물이야. 조만간 이곳에서 새 떼가 자취를 감추고 말 게야."

---

13 위의 소설에 대한 설명으로 가장 적절하지 <u>않은</u> 것은?

① 1970년대 동진강 하구를 주요 무대로 설정하고 있다.
② 이 소설은 과거 회상으로부터 시작해 현재로 진행되는 순행적인 서사 구성 형식을 취하고 있다.
③ 「어둠의 혼」을 통해 이데올로기의 아픔을 형상화한 작가인 김원일은 위 소설에서도 실향민을 통해 분단 문제를 환기시킨다.
④ 병국의 행동을 통해 동진강 하구의 환경오염에 대한 문제제기를 하고 있다.
⑤ 이 소설은 각 부마다 시점을 다르게 서술하여 각각의 등장인물의 내면 풍경을 잘 드러낸다.

14 위 소설에 서의 새와 〈보기〉의 새에 대한 이해로 가장 적절한 것은?

보기

1
하늘에 깔아 논
바람의 여울터에서나
속삭이듯 서걱이는
나무의 그늘에서나, 새는
노래한다. 그것이 노래인 줄도 모르면서
새는 그것이 사랑인 줄도 모르면서
두 놈이 부리를
서로의 죽지에 파묻고
따스한 체온을 나누어 가진다.

2
새는 울어
뜻을 만들지 않고,
지어서 교태로
사랑을 가식하지 않는다.

3
포수는 한 덩이 납으로
그 순수를 겨냥하지만,
매양 쏘는 것은
피에 젖은 한 마리 상한 새에 지나지 않는다.

– 박남수, 「새」 –

① 위 소설의 '나'에게 있어 자유로이 왕래하는 새가 부러움의 대상인 것과 같이 〈보기〉의 '상한 새'도 자유를 의미한다.
② 위 소설의 병국에게 새는 자신과 동일시하는 대상임에 반해 〈보기〉의 새는 죽어가는 인간을 구원할 메시아적 존재다.
③ 위 소설에서 비료 공장 사람들은 〈보기〉의 포수와 같은 존재로 자연을 파괴하는 비인간적인 행태를 보인다.
④ 위 소설의 '나'에게 새가 고향에 대한 그리움을 의미한다면 〈보기〉의 새는 인간 문명의 진보를 상징한다.
⑤ 위 소설의 병국에게 있어 새가 사라져가는 연민의 대상임에 반해 〈보기〉에서의 새는 도래해야 할 인류의 가치라 할 수 있다.

객관식 심화문제

[01~03] 다음 글을 읽고, 물음에 답하시오.

(가) 동진읍에 정착했던 그해 가을이던가, ㉠전쟁 전 고향 땅에서 본 도요새 무리를 동진강 삼각주에서 발견했을 때, 나는 마치 헤어진 부모와 동기간과 약혼녀를 만난 듯 반가웠다. 너희들이 휴전선 위의 통천을 거쳐 여기로 날아왔으려니, 하고 대답 없는 물음을 던지면 울컥 사무쳐 오는 향수가 내 심사를 못 견디게 긁어 놓았다. 가져온 술병을 기울이며 나는 새 떼와 많은 대화를 나누었다. 내가 말하고 내가 새가 되어 대답하는 그런 대화를 아무도 이해할 수 없을 것이다. 새가 고향땅 부모님이 되고, 형제가 되고, 어떤 때는 약혼자가 되어 내게 들려주던 그 많은 이야기를 나는 기쁨에 들떠, 때때로 설움에 젖어 화답하는 그 시간만이 내게는 살아 있는 진정한 시간이었다. 세월의 부침 속에 고향에 대한 나의 향수도 차츰 식어 갔다. 이제 새 떼가 부쩍 줄어든 동진강 하구도 내 인생과 함께 황혼을 맞고 있었다. 동진강이 악취 풍기는 폐수로 변해 버렸기 때문이었다. 지금 보는 바다 역시 헤엄쳐 북상하면 며칠 내 고향에 도착할 수 있을 것 같던 거리가 까마득히 멀어 보였다.

(나) 종옥이 문을 열자, 장교와 사병이 집 안으로 들어섰다. 장교는 중위였고, 사병은 상등병이었다. 둘의 거동이 당당한 데다 사병은 총을 메고 위장망 씌운 철모를 쓰고 있었다. 내 가슴이 철렁했고 오른쪽 턱에 경련이 왔다. ㉡전쟁 때 철원 전투에서 왼쪽 다리에 중상을 당한 뒤부터 놀랄 때나 흥분하면 부교감 신경의 실조증이 나타났다. 병국이가 제 어미에게 돈을 못 타 내다 보니 내게 오천 원을 돌려 달라던 게 그저께였다. 내가 강 회장한테 돈을 빌려 애놈한테 주었는데 녀석이 그 돈으로 무슨 말썽을 피웠구나 하는 생각이 들었다. 나는 엉거주춤 마루로 나섰다. 이런 종류의 일은 올여름 들고 벌써 두 차례였다.

지난여름 한창 더위가 찔 무렵이었다. 비(B) 공단 성창 비료 석교 공장 노무과장이 어깨 벌어진 젊은이 셋을 거느리고 느닷없이 집으로 들이닥친 일이 있었다. 그날은 종옥이가 시장에 가고 없어 나 홀로 집을 지키던 참이었다.

"김병국이란 작자가 누구요? 도대체 어떤 위인인지 상판이나 좀 봅시다."

젊은이 하나가 주먹을 내두르며 기세등등하게 말했다.

"내 아들놈인데 당신네는 누, 누구요?"

기세에 눌려 내 목소리가 더욱 더듬거렸다.

"당신 자식이라면 아직 마빡이 새파란 놈이겠군, 그 새끼 좀 봅시다."

다른 젊은이가 윽박질렀다.

"아들이 지, 지금 입에 없소. 무슨 일인데 이러는 거요?"

"그 자식 간 데를 불어요. 당장 작살내고 말 테니."

또 다른 젊은이가 방문 열린 큰방과 건넌방을 기웃거리며 말했다. 마흔쯤 되어 보이는 노무과장이란 자가 내게 정중하게 인사했다.

"이거 소란을 피워 죄송합니다. 병국이란 자제분을 만날 수 없겠습니까?"

노무과장이 젊은이들을 제지시키곤 말했다.

"마루에라도 조, 좀 앉으십시오."

"앉고 자시고 할 시간이 없단 말이오!"

한 젊은이가 말했다.

"가만있자, 병국일 차, 찾으면……….. 아무래도 힘들겠네요. 자정이나 돼야 돌아오니 나, 난들 행선지를 알 수 있어야죠."

"사실을 말씀드리자면 선생님 자제분이 우리 회사를 상대로 ㉢관계 요로에 진성서를 보냈습니다."

(다) 사병이 운전수 옆자리에 타고 중위와 나는 뒷좌석에 앉았다. 차가 시내로 빠져나올 동안 중위가 굳게 입을 다물고 있어 무료한 시간을 쪼개느라고 ㉣내가 내 소개를 했다. 나는 스물여섯 해 전에 전역된 대위 출신이다. 1952년 1월, 철원 전투에서 중상을 입어 현재도 상이 장교로 연금 혜택을 받고 있다. 현역 시절 무공 훈장을 세 개나 받은 바 있다. 내가 그런 말을 더듬 더듬 엮자 중위는 동지적 친근감을 보이며, 그럼 상사님이시군요, 하곤 한결 공손이 응대했다.

"파견 대장님 소관이라 저는 그저 심부름을 왔습니다만."

하고 중위가 서두를 뗀 뒤 말했다.

"아드님이 성인이기 때문에 굳이 보호자를 대동할 필요는 없지만, 아마 그 언행 진부와 가족 관계를 파악하려 선배님을 부르는 것 같아요."

"그럼 혹 제 아들놈이 철새의 휴식 장소나 그 은신처를 찾으려 통제 구역 안으로 들어간 게 아닌가요?"

"글쎄요……."

"아니면 동진강 하류의 폐, 폐수 오염도를 조사할 목적으로?"

"둘 중 하나겠죠."

중위는 알 만하다는 얼굴로 나를 보고 빙긋 웃었다.

"그럼 경찰서로 이첩되는 건가요?"

"가 보시면 만나겠지만 저희 ㉤파견 대장님은 무척 인간적이십니다."

나는 더 물을 말이 없었다. 중위 어투로 보아 크게 걱정하지 않아도 되겠다고 안심했다. 어느덧 차는 시내를 빠져나와 석교천을 끼고 사방이 트인 해안 지대를 달렸다. 나는 지프 차창으로 밖을 내다보았다. 황량한 공한지 멀리로 비(B) 공단 공장 굴뚝들이 보였다. 바다에서 불어오는 바람에 밀려 연기가 시내 쪽으로 날아갔다. 그중 삼영정유공장으로 짐작되는 굴뚝에 ㉮가스를 태우는 불꽃이 중동 유전 지대처럼 붉은 혀를 날름거렸다. 그 불꽃을 휩싼 검은 연기가 분진을 날리며 서쪽 하늘로 날아갔다.

- 김원일, 「도요새에 관한 명상」 -

01 윗글의 서술상 특징으로 적절하지 않은 것은?

① 작품 속 서술자가 사건을 요약하여 설명하고 있다.
② 우화적 기법으로 현실에 대한 문제 해결을 모색하고 있다.
③ 과거와 현재가 교차하는 역순행적 구성 방식을 취하고 있다.
④ 1인칭 시점으로 인물의 내면세계를 효과적으로 드러내고 있다.
⑤ 등장인물 간의 대화를 통해 사건을 극적이고 현장감있게 제시하고 있다.

02 ㉠~㉤에 대한 설명으로 적절하지 않은 것은?

① ㉠ : '나'가 실향민임을 알 수 있음
② ㉡ : '나'가 흥분을 잘하는 성격임을 알 수 있음
③ ㉢ : 사건의 발단이 되는 동시에 갈등의 원인이 됨
④ ㉣ : 서로 간의 친밀감을 만드는 역할을 함
⑤ ㉤ : 병국을 법대로 처리하지 않을 것임을 암시함

03 〈보기〉의 ⓐ~ⓔ 중, ㉮와 상징적 의미가 가장 유사한 것은?

보기

성북동 산에 번지가 새로 생기면서
본래 살던 ⓐ성북동 비둘기만이 번지가 없어졌다.
새벽부터 돌 깨는 산울림에 떨다가
가슴에 금이 갔다.
그래도 성북동 비둘기는
ⓑ하느님의 광장 같은 새파란 아침 하늘에
성북동 주민에게 축복의 메시지나 전하듯
성북동 하늘을 한 바퀴 휘 돈다.

성북동 ⓒ메마른 골짜기에는
조용히 앉아 콩알 하나 찍어 먹을
ⓓ널찍한 마당은커녕 가는 데마다
ⓔ채석장 포성이 메아리쳐서
피난하듯 지붕에 올라앉아
아침 구공탄 굴뚝 연기에서 향수를 느끼다가
산 1번지 채석장에 도로 가서
금방 따낸 돌 온기에 입을 닦는다.

– 김광섭, 「성북동 비둘기」 –

① ⓐ ② ⓑ ③ ⓒ ④ ⓓ ⑤ ⓔ

[04~07] 다음 글을 읽고, 물음에 답하시오.

(가) ㉠동진읍에 정착했던 그해 가을이던가, 전쟁 전 고향 땅에서 본 ㉡도요새 무리를 ㉢동진강 삼각주에서 발견했을 때, 나는 마치 헤어진 부모와 동기간과 약혼녀를 만난 듯 반가웠다. 너희들이 휴전선 위의 통천을 거쳐 여기로 날아왔으려니, 하고 대답 없는 물음을 던지면 울컥 사무쳐 오는 향수가 내 심사를 못 견디게 긁어 놓았다. 가져온 ㉣술병을 기울이며 나는 새 떼와 많은 대화를 나누었다. 내가 말하고 내가 새가 되어 대답하는 그런 대화를 아무도 이해할 수 없을 것이다. 새가 고향땅 부모님이 되고, 형제가 되고, 어떤 때는 약혼자가 되어 내게 들려주던 그 많은 이야기를 나는 기쁨에 들떠, 때때로 설움에 젖어 화답하는 그 시간만이 내게는 살아 있는 진정한 시간이었다. 세월의 부침 속에 고향에 대한 나의 향수도 차츰 식어 갔다. 이제 새 떼가 부쩍 줄어든 동진강 하구도 내 인생과 함께 황혼을 맞고 있었다. 동진강이 악취 풍기는 ㉤폐수로 변해 버렸기 때문이었다. 지금 보는 바다 역시 헤엄쳐 북상하면 며칠 내 고향에 도착할 수 있을 것 같던 거리가 까마득히 멀어 보였다. 철새나 나그네새는 휴전선을 넘어 자유로이 왕래하건만 나는 그곳으로 갈 수 없다는 안타까움만 해가 갈수록 내 이마에 깊은 주름을 새겼다.

담배 한 대를 피워 물고 나는 여느 날처럼 신문을 폈다. 특별한 읽을거리나 속 시원한 기사가 눈에 띌 리 없었다. 오전에는 별 할 일이 없으므로 일 면부터 팔 면까지 샅샅이 읽고 저녁 텔레비전 프로를 훑어보았다. 좋아하는 권투 중계는 없었다. 벽시계를 보았다. 이제 겨우 열 시였다. 지금 기원으로 나간다 해도 강 회장이 벌써부터 출근해 있을 리 없었다. 강 회장은 강원도 동진시 통천군 군민회 회장으로, 나와 십오 년 넘이 형제처럼 지내는 사이였다. 강 회장 고향은 부전령 아래 송화였고 나보다 칠 년 연상이었다. 흥남 철수 때 처와 자녀 둘을 고향에 두고 홀로 피란 내려와 구제품 따위를 파는 행상을 시작해선 육십 년대 초 이곳에 정착하여 상동 시장에서 포목점을 내었다. 동진읍이 시로 승격되자 강 회장이 사둔 잡종지의 지가가 뛰었고 점포가 부쩍 커졌다. 그러나 일 년 전 고혈압으로 쓰러졌다 일어난 뒤로 포목업도 남한에서 새장가를 들어 얻은 여편네에게 넘기고 바둑으로 소일하고 지냈다.

(나) 차가 시내로 빠져나갈 동안 중위가 굳게 입을 다물고 있어 무료한 시간을 쪼개느라고 ⓐ내가 내 소개를 했다. 나는 스물여섯 해 전 전역한 대위 출신이다. 1952년 1월, 철원 전투에서 중상을 입어 현재도 상이 장교로 연금 혜택을 받고 있다. 현역 시절 무공 훈장을 세 개나 받은 바 있다. 내가 그런 말을 더듬더듬 엮자, 중위는 동지적 친근감을 보이며, 그럼 상사님이시군요, 하곤 한결 공손히 응대했다.

04 (가)의 서술상 특징으로 가장 적절한 것은?

① 작품 밖의 서술자가 사건을 시간적 순서로 배열하여 서술하고 있다.
② 과거와 현재를 넘나들며 과거에 대한 회한과 성찰을 드러내고 있다.
③ 전지적인 서술자가 작품 밖에서 인물의 심리를 직접 묘사하고 있다.
④ 다양한 인물의 시각을 이용하여 인물의 내면을 효과적으로 드러내고 있다.
⑤ 등장인물이 글 표면에 등장하여 자신이 겪은 일을 주관적 관점에서 서술하고 있다.

05 (가)에 대한 적절한 설명을 <보기>에서 적절한 것끼리 묶인 것은?

보기

가. 동진강 하구에 '새 떼가 부쩍 줄어든' 이유는 밀렵꾼이 늘어났기 때문이다.
나. 강 회장은 '나'와 같은 처지의 인물로 홀로 남으로 내려와 자수성가한 인물이다.
다. '도요새'는 나의 처지와 대비되는 대상으로 고향에 대한 '나'의 태도 변화를 야기하는 소재이다.
라. 윗글은 서술자의 직접 서술 방식을 사용하여 인물이 살아온 내력을 요약적으로 제시하고 있다.

① 가, 나　② 나, 라　③ 나, 다　④ 다, 라　⑤ 가, 마

06 (가)의 ㉠~㉤ 중 〈보기〉의 밑줄 친 시어와 의미가 유사한 것은?

보기

반중(盤中) <u>조홍(早紅)감</u>이 고와도 보이나다.
유자ㅣ 아니라도 품음직도 하다마는
품어 가 반길 이 없을싀 글로 설워하나이다.

– 박인로 –

① ㉠ ② ㉡ ③ ㉢ ④ ㉣ ⑤ ㉤

07 (나)에서 ⓐ의 역할로 적절한 것은?

① 인물의 내적 욕망을 드러낸다.
② 사건 전개의 새로운 국면을 예고한다.
③ 인물들 사이의 긴장감을 완화해 준다.
④ 사건의 진행 과정을 요약적으로 제시한다.
⑤ 인물의 복잡한 심리를 암시적으로 드러낸다.

[08~13] 다음 글을 읽고, 물음에 답하시오.

(가) 동진읍에 정착했던 그해 가을이던가, 전쟁 전 고향 땅에서 본 도요새 무리를 동진강 삼각주에서 발견했을 때, 나는 마치 헤어진 부모와 동기간과 약혼녀를 만난 듯 반가웠다. 너희들이 휴전선 위의 통천을 거쳐 여기로 날아왔으려니, 하고 대답 없는 물음을 던지면 울컥 사무쳐 오는 향수가 내 심사를 못 견디게 긁어 놓았다. 가져온 술병을 기울이며 나는 새 떼와 많은 대화를 나누었다. 내가 말하고 내가 새가 되어 대답하는 그런 대화를 아무도 이해할 수 없을 것이다. 새가 고향땅 부모님이 되고, 형제가 되고, 어떤 때는 약혼자가 되어 내게 들려주던 그 많은 이야기를 나는 기쁨에 들떠, 때때로 설움에 젖어 화답하는 그 시간만이 내게는 살아 있는 진정한 시간이었다. 세월의 부침 속에 고향에 대한 나의 향수도 차츰 식어 갔다. 이제 새 떼가 부쩍 줄어든 동진강 하구도 내 인생과 함께 황혼을 맞고 있었다. 동진강이 악취 풍기는 폐수로 변해 버렸기 때문이었다. <u>㉠지금 보는 바다 역시 헤엄쳐 북상하면 며칠 내 고향에 도착할 수 있을 것 같던 거리가 까마득히 멀어 보였다.</u> 철새나 나그네새는 휴전선을 넘어 자유로이 왕래하건만 나는 그곳으로 갈 수 없다는 <u>㉡안타까움만 해가 갈수록 내 이마에 깊은 주름을 새겼다.</u>

(나) 내가 신문 바둑난을 꼼꼼히 들여다보고 있을 때였다. 대문 초인종이 길게 울렸다. 마루 끝에 앉아 껌을 씹으며 라디오 유행가를 듣던 종옥이가 대문께로 달려갔다. 초인종 소리로 보아 두 아들 녀석 같지 않았고 여편네가 또 뭘 빠뜨리고 나갔다 황망히 되돌아왔으려니 생각했다.

"누구세요?"

종옥이가 철문 쇠빗장을 달그랑거리며 물었다.

"김병국이라고, 이 집에 살지요?"

바깥의 무뚝뚝한 목소리였다.

종옥이 문을 열자, 장교와 사병이 집 안으로 들어섰다. 장교는 중위였고, 사병은 상등병이었다. 둘의 거동이 당당한 데다 사병은 총을 메고 위장망 씌운 철모를 쓰고 있었다. 내 가슴이 철렁했고 오른쪽 턱에 경련이 왔다. 전쟁 때 철원 전투에서 왼쪽 다리에 중상을 당한 뒤부터 놀랄 때나 흥분하면 부교감 신경의 실조증이 나타났다. 병국이가 제 어미에게 돈을 못 타내다 보니 내게 오천 원을 돌려 달라던 게 그저께였다. 내가 강 회장한테 돈을 빌려 애놈한테 주었는데 녀석이 그 돈으로 무슨 말썽을 피웠구나 하는 생각이 들었다. 나는 엉거주춤 마루로 나섰다. 이런 종류의 일은 올여름 들고 벌써 두 차례였다.

(다) "사실을 말씀드리자면 선생님 자제분이 우리 회사를 상대로 관계 요로에 진성서를 보냈습니다."
노무과장이 찾아온 이유를 설명했다.
"여기 시 보건과에 접수한 진정서 좀 보십시오."
노무과장은 마루에 걸터앉아 주머니에서 복사판 서류를 꺼냈다. 종이를 받아 든 내 손이 떨렸다. 방 안으로 들어가 돋보기안경을 찾아 낄 틈도 없이 희미한 글자를 대충 훑어보았다.

㉢ 성창 비료 서교 공장은 연간 사십 억 규모의 흑자를 내고 있으면서도 폐기 처리 과정에 대한 근본적인 개선책이 전혀 없음이 입증되었다. 지난 8월 4일 새벽 2시 20분, 당 공장은 야음을 틈타 암모니아 가스를 다량으로 배출하여 그 가스가 폐교천(석교천)을 따라 안개처럼 덮쳐 와 동진강 하류로 확산된 바 있다. 이로 인하여 새벽 4시 10분 동진강 하류에서 오징어잡이에 출어하려던 어민 18명이 심한 두통과 구토증으로 실신한 사건이 있었다. 당사는 기계 밸브가 고장 나서 가스가 샜다고 변명하지만 이런 사건은 일주일을 주기로 이미 수십 차례 반복되었음을 입증하며(관계 자료 별첨), 이로 미루어 당사는 일부러 밸브를 틀어 못쓰게 된 가스를 배출하고 있음이 객관적으로 입증됨으로써…….

"정신병자가 쓴 낙선 뭐 더 읽을 필요도 없소."
하며 한 젊은이는 내가 읽던 진정서를 낚아챘다.
"아, 아들놈이 낸 진정서가 틀림없습니까?"
노무과장에게 내가 물었다.
"분명합니다. 알고 보니 자제분은 이 방면에 상습범이더군요. 지난 유월에는 풍천 화학을 상대로 진정서를 낸 바 있었습니다. 풍천 화학 역시 야음을 틈타 카드뮴·수은 등 중금속 물질을 다량 배출시켜 동진강 하류 삼각주 지대의 각종 새 삼백여 마리와 물고기를 떼죽음을 했다나요. 사람이 아닌 한갓 새나 물고기가 죽은 걸 두고 말입니다."
노무과장 목소리가 열을 띠더니 '새나 물고기'란 말을 힘주어 강조했다.
"기가 막혀서, 뭐 제 놈이 실신했다거나 가족이 떼죽음당했다면 또 몰라."
한 젊은이가 가소롭다는 듯 시큰둥 말했다.
"국민 소득 일천 달러 달성에, 오늘날 조국 근대화가 다 무엇으로 이루어진 성과인 줄 선생도 알지요?"

(라) 우리가 대문 밖으로 나오니 군용 지프가 대기하고 있었다. 사병이 운전수 옆자리에 타고 중위와 나는 뒷좌석에 앉았다. 차가 시내로 빠져나갈 동안 중위가 굳게 입을 다물고 있어 무료한 시간을 쪼개느라고 내가 내 소개를 했다. 나는 스물여섯 해 전 전역한 대위 출신이다. 1952년 1월, 철원 전투에서 중상을 입어 현재도 상이 장교로 연금 혜택을 받고 있다. 현역 시절 무공 훈장을 세 개나 받은 바 있다. 내가 그런 말을 더듬더듬 엮자, 중위는 동지적 친근감을 보이며, 그럼 상사님이시군요, 하곤 한결 공손히 응대했다.
"파견 대장님 소관이라 저는 그저 심부름 왔습니다만."
하고 중위가 서두를 뗀 뒤 말했다.
"아드님이 성인이기 때문에 굳이 보호자를 대동할 필요는 없지만, 아마 그 언행 진부와 가족 관계를 파악하려 선배님을 부르는 것 같아요."
"그럼 혹 제 아들놈이 철새 휴식 장소나 그 은신처를 찾으려 통제구역 안으로 들어간 게 아닌가요?"
"글쎄요……."
"아니면 동진강 하류의 폐, 폐수 오염도를 조사할 목적으로?"
"둘 중 하나겠죠."
중위는 알 만하다는 얼굴로 나를 보고 빙긋 웃었다.

〈중략〉

어느덧 차는 시내를 빠져나와 석교천을 끼고 사방이 트인 해안 지대를 달렸다. 나는 지프 차창으로 밖을 내다보았다. 황량한 공한지 멀리로 비(B) 공단 공장 굴뚝들이 보였다. 바다에서 불어오는 바람에 밀려 연기가 시내 쪽으로 날아갔다. ㉣<u>그중 삼영정유공장으로 짐작되는 굴뚝에서 가스를 태우는 불꽃이 중동 유전 지대처럼 붉은 혀를 날름거렸다.</u> 그 불꽃을 휩싼 검은 연기가 분진을 날리며 서쪽 하늘로 날아갔다. 삼각주 갈대밭과 해안 구릉 사이로 바다가 보이자, 지프는 휘어진 길을 따라 남쪽으로 꺾어 들었다. 나는 차창을 열었다. 소금 내 섞인 바닷바람을 마시자 뭉쳐 두었던 희열이 내 몸을 천천히 달구었다. 나는 바다에 눈을 주었다. 가을 햇살 아래 바다의 잔물결이 반짝거렸다. 나는 바닷바람을 마시며 숨을 크게 내쉬었다.
"어릴 적부터 병국이 그놈은 바다를 무척이나 좋아했더랬지요."

(마) 큰 꿈, 그렇다. 병국이는 어릴 적부터 바다를 보며 큰 꿈을 키웠더랬다. 두 녀석이 초등학교에 다닐 무렵, 일요일이면 자전거 뒤에 병국이를 앉히고 자전거 앞에 병식이를 태워 나는 곧잘 동진강 삼각주나, 동남만 남쪽 돌기에 자리 잡은 장진포까지 바다 구경을 나갔다. 〈중략〉

"병국아, 통일되면 우리 그런 배 타고 아버지 고향으로 가자. 거기도 바닷가니 금강산 구경도 할 수 있거든. 내가 원산에서 중학교에 다닐 때 금강산에 수학여행을 갔더랬지. 또 광복되던 해는 일 년 가까이 징용을 피하느라 금강산의 기, 깊은 암자에서 숨어 살았어."

"금강산은 세계에서 가장 아름다운 산이라면서요?"

ⓜ "무, 물론. 그림으로도 나는 금강산만큼 아름다운 산을 본 적 없어. 너도 들었지, 삐죽삐죽한 보, 봉우리가 일만 이천 개나 된다는 것 말이야. 차, 참 볼 만하지. 내금강만 하더라도 젤 높은 비로봉이며, 명경대 · 동석동 · 망군대 · 백마봉 · 조양봉 · 시, 십이폭포 · 진주담이며 외, 외금강은 또 어떻구. 만물상 · 비봉폭포 · 연주담 · 집선봉 · 오, 오류동, 구룡천의 구룡연폭포……."

"그만하세요. 아버진 언제 그걸 다 외웠나요?"

"어디 그, 그뿐인가. 해금강, 신금강은 또 어떠하고. 장안사 · 표, 표훈사 · 유점사, 그것 말고도 절은 또 얼마라고."

나는 신이 나서 입술에 침을 튀겨 가며 지껄였다.

(바) "불비한 자식을 둬서 죄, 죄송합니다. 자식놈과 얘기해 보셨다면 아, 알겠지만 천성이 착한 놈입니다."

의자에 앉으며 내가 말했다.

"어젯밤 마침 제가 부대에서 숙식할 일이 있어 장시간 그 친구와 얘기를 나눠 봤지요. 똑똑한 젊은이더군요."

"요즘 제 딴에는 뭐 조류와 환경오염 실태를 여, 연구한답시고……. 모르긴 하지만 그 일 때문에 시, 심려를 끼치지 않았나 하는데요?"

"그렇습니다. 그러나 자제분은 군 통제 구역 출입이 어떤 처벌을 받는지 알 텐데도 무모한 행동을 했어요. 설령 하는 일이 정당하다면 사전에 부대 양해나 협조부터 요청해야지요."

ⓐ<u>"물론 그래야지요. 야영하다 자신도 모르는 사이에 워, 월경했겠죠. 어떻게 한번 용서해 주십시오. 아비 된 제가 주의를 단단히 시키겠습니다."</u>

윤 소령은 병국이의 신상 문제는 언급하지 않고, 1968년 11월 울진 · 삼척 지구 무장 공비 출현으로 그들이 저지른 만행을 예로 들었다.

"…… 그들은 야음을 틈타 쾌속정을 이용하여 동해안을 따라 남하했던 겁니다."

윤 소령은 말했다. 그는 국제 유수의 공업 단지 보안과 경비가 얼마나 중요한지를 강조했다.

"…… 아시겠지만 우리는 실전이 없달 뿐 휴전이란 이름으로 전쟁을 쉬고 있는 준전시 상태 아닙니까. 남북 공존의 평화를 원한다면 그 평화를 확보하기 위해서도 경각심을 풀 수 없어요. 기실 국민 복리와 제반 산업의 성장이란 것도 안보 확립 위에서만 이루어지는 겁니다."

– 김원일, 「도요새에 관한 명상」 –

08 윗글의 작가가 작품 창작 과정에서 떠올렸을 법한 생각으로 적절하지 <u>않은</u> 것은?

① ㉠ : 환경오염으로 인한 생태계 파괴로 도요새가 사라지면서 고향에 대한 물리적 거리감이 더해짐을 표현해야겠어.
② ㉡ : 고향에 갈 수 없는 '안타까움'은 눈에 보이지 않는 추상적인 관념이므로 보다 구체적으로 형상화해야겠어.
③ ㉢ : 병국이가 쓴 진정서를 그대로 독자들에게 보여줌으로써 갈등 상황을 사실적으로 제시해야겠어.
④ ㉣ : 공장 굴뚝에서 가스를 태우는 불꽃을 '붉은 혀를 날름거리는' 뱀처럼 묘사하여 산업화에 대한 부정적 인식을 드러내야 겠어.
⑤ ㉤ : 고향에 대한 '나'의 그리움을 보다 더 간절하게 표현하기 위해 금강산의 구체적인 지명을 열거해서 표현해야겠어.

09 〈보기〉의 시대상황을 고려하여 윗글을 감상한 것으로 적절하지 않은 것은?

보기

1970년대는 산업화로 인한 환경오염 문제와 민족의 분단 문제가 두드러진 시기이다. 당시 대기오염과 수질오염이 심각한 문제로 대두되었으나, 경제 성장을 위한 개발을 중시했던 시기였기에 환경 보호를 위한 감시와 통제는 전혀 이루어지지 않았다. 또한 민족 분단의 현실이 지속되면서 긴장이 고조되고 사회 분위기도 경직되었으며, 실향민 문제도 해결되지 않았다.

① '작가'는 아버지의 모습을 통해 분단 상황으로 인한 실향민의 상처를 형상화하고 있다.
② '작가'는 작품을 통해 맹목적인 산업화에 의해 희생되는 자연의 모습을 보여주고 있다.
③ '노무과장'은 환경오염에 대한 문제의식을 가지고 있으면서도 경제 성장을 보다 더 우선시하고 있다.
④ '아버지'는 통일에 대한 소망과 고향에 대한 그리움을 강하게 드러내고 있다.
⑤ '윤소령'은 남북의 대치 상황이 유지되는 당대 현실 속에서 국가 보안과 경비의 중요성을 최우선적인 가치로 인식하고 있다.

10 윗글의 도요새와 〈보기〉의 새에 대한 설명으로 적절하지 않은 것은?

보기

영화(映畵)가 시작하기 전에 우리는
일제히 일어나 애국가를 경청한다.
삼천리 화려 강산의
을숙도에서 일정한 군(群)을 이루며
갈대숲을 이루는 흰 새 떼들이
자기들끼리 끼룩거리면서
자기들끼리 낄낄대면서
일렬 이열 삼렬 횡대로 자기들의 세상을
이 세상에서 떼어 메고
이 세상 밖 어디론가 날아간다
우리도 우리들끼리
낄낄대면서 / 낄쭉대면서
우리의 대열을 이루며
한 세상 떼어 메고
이 세상 밖 어디론가 날아갔으면
하는데 대한 사람 대한으로
길이 보전하세로
각각 자기 자리에 앉는다.
주저앉는다.

– 황지우, 「새들도 세상을 뜨는구나」 –

① (가)의 '도요새'는 나로 하여금 고향과 가족을 떠올리게 하는 매개체이다.
② 〈보기〉의 '새'는 애국가 영상 속의 자유로운 존재를 의미한다.
③ 고향에 가지 못하는 서술자 '나'와는 달리 (가)의 '도요새'는 남북을 자유롭게 왕래한다.
④ 세상 밖 어디론가 자유롭게 날아가는 〈보기〉의 '새'와는 대조적으로 화자를 비롯한 관객들은 자리에 주저앉는다.
⑤ (가)의 '도요새'와 〈보기〉의 '새'는 모두 서술자 혹은 화자의 감정이 이입된 대상이다.

11 다음은 위 작품을 감상하기 위한 활동이다. 활동 내용으로 적절하지 않은 것은?

활동 과제	활동 내용
제목을 보며 작품 내용을 짐작해보자.	'도요새'에 대한 인물의 생각이 작품 전반에 걸쳐 나타날 거야. ····· ㉮
모르는 단어의 뜻을 찾고, 작품 속에서 어떤 의미를 지니는지 확인해보자	'진정서'는 실정이나 사정을 진술하여 적은 글이란 뜻이야. 전후 문맥을 고려했을 때, 병국이가 쓴 진정서는 사건의 발단이 되면서 동시에 갈등의 원인을 의미해. ····· ㉯
인물들이 겪는 갈등 양상을 찾아보자.	이 작품은 대립적 가치관을 가진 인물들을 통해 1970년대 산업화 시대에 맞물린 사회적 문제들을 형상화하고 있어 ····· ㉰
작품 구성상의 특성을 알아보자	이 작품은 과거와 현재가 교차되는 역순행적 구성을 취하고 있어. 과거 회상이 나타난 부분은 (가), (다), (마)로군 ····· ㉱
작품의 시점에 대해 알아보자	이 작품은 전체가 4부로 구성되어 있으며, 각 부분마다 서술자가 달라진다는 점이 특징적이야. 특히 제시된 부분은 서술자가 작품 속에 직접 개입해서 인물의 심리나 행동을 분석하여 서술하고 있어. ····· ㉲

① ㉮ ② ㉯ ③ ㉰ ④ ㉱ ⑤ ㉲

12 윗글에 제시된 '병국'의 정서 및 태도와 가장 유사한 것은?

① 산이 날 에워싸고 / 씨나 뿌리며 살아라 한다 / 밭이나 갈며 살아라 한다 // 어느 짧은 산자락에 집을 모아 / 아들 낳고 딸을 낳고 / 흙담 안팎에 호박 심고 / 들찔레처럼 살아라 한다 / 쑥대밭처럼 살아라 한다

– 박목월, 「산이 날 에워싸고」 –

② 남으로 창을 내겠소. / 밭이 한참갈이 / 괭이로 파고 / 호미론 김을 매지요. // 구름이 꼬인다 갈 리 있고. / 새 노래는 공으로 들으랴오. / 강냉이가 익걸랑 / 함께 와 자셔도 좋소. // 왜 사냐건 웃지요.

– 김상용, 「남으로 창을 내겠소」 –

③ 고향에 고향에 돌아와도 / 그리던 고향은 아니러뇨. // 산꿩이 알을 품고 / 뻐꾸기 제철에 울건만, // 마음은 제 고향 지니지 않고 / 머언 항구로 떠도는 구름

– 정지용, 「고향」 –

④ 성북동 산에 번지가 새로 생기면서 / 본래 살던 성북동 비둘기만이 번지가 없어졌다. / 새벽부터 돌 깨는 산울림에 떨다가 / 가슴에 금이 갔다. / 그래도 성북동 비둘기는 / 하느님의 광장 같은 새파란 아침 하늘에 / 성북동 주민에게 축복의 메시지나 전하듯 / 성북동 하늘을 한 바퀴 휘 돈다.

– 김광섭, 「성북동 비둘기」 –

⑤ 산에 올라 산나물을 따다 보니 알겠네. / 저 벌레도 사람살이의 길을 가르쳐 준다는 것을 / 명아주 수리취 화살나무 홋잎까지 사람이 먹을 수 있는 것은 벌레도 먹고 있다는 것을 / 마치 길라잡이처럼 벌레가 먼저 먹고 있다는 것을

– 김신용, 「벌레길」 –

13 ⓐ에 나타난 말하기 방식으로 적절한 것은?

① 모호한 말을 써서 논점을 흐리고 있다.
② 근거를 내세워 상대방을 설득하고 있다.
③ 우격다짐으로 자신의 의지를 관철시키고 있다.
④ 자신의 의도를 숨기면서 상대방을 회유하고 있다.
⑤ 상대의 말을 긍정한 후 자신의 의도를 드러내고 있다.

[14~18] 다음 글을 읽고, 물음에 답하시오.

(가) 나는 지프 차창으로 밖을 내다보았다. ㉠황량한 공한지 멀리로 비(B) 공단 공장 굴뚝들이 보였다. 바다에서 불어오는 바람에 밀려 연기가 시내 쪽으로 날아갔다. 그중 ⓐ삼영정유공장으로 짐작되는 굴뚝에서 가스를 태우는 불꽃이 중동 유전 지대처럼 붉은 혀를 날름거렸다. 그 불꽃을 휩싼 검은 연기가 분진을 날리며 서쪽 하늘로 날아갔다. ㉡삼각주 갈대밭과 해안 ㉢구릉 사이로 바다가 보이자, 지프는 휘어진 길을 따라 남쪽으로 꺾어 들었다. 나는 차창을 열었다. 소금 내 섞인 바닷바람을 마시자 뭉쳐 두었던 ㉣희열이 내 몸을 천천히 달구었다. 나는 바다에 눈을 주었다. 가을 햇살 아래 바다의 잔물결이 반짝거렸다. 나는 바닷바람을 마시며 숨을 크게 내쉬었다.
"어릴 적부터 병국이 그놈은 바다를 무척이나 좋아했더랬지요."
중위를 돌아보며 내가 말했다.
"저도 고향이 인천입니다만, 소년들에게 바다는 늘 큰 꿈을 키워 주지요.
ⓑ큰 꿈, 그렇다. 병국이는 어릴 적부터 바다를 보며 큰 꿈을 키웠더랬다. 두 녀석이 초등학교에 다닐 무렵, 일요일이면 자전거 뒤에 병국이를 앉히고 자전거 앞에 병식이를 태워 나는 곧잘 동진강 삼각주나, 동남만 남쪽 돌기에 자리 잡은 장진포까지 바다 구경을 나갔다. 병식은 장난질 심한 개구쟁이로만 기억에 남아 있지만, 병국이는 바다로 나오면 기선을 보는 게 소원이었다. 동남만이 공업화의 거센 물결을 타자 한갓 고래잡이 기지였던 장진포가 항만 ㉤준설 공사를 마쳐 이제 몇 만 톤 급 배까지 들어오게 되었지만, 그 당시는 고래잡이배가 큰 배였다.
"아버지, 저는 외국 깃발을 단 큰 기선이 보고 싶어요."
병국이는 말했다. 노를 젓거나 돛을 올려 바람의 힘으로 움직이는 거룻배나 통통배라 부르던 발동선은 녀석의 안중에 차지 않았다.

(나) 윤 소령은 당번병을 불러, 김병국 군을 데려오라고 말했다. 한참 뒤, 사병과 함께 병국이가 파견 대장실로 들어왔다. 땟국 앉은 꾀죄죄한 그의 몰골이 중병 환자 같았다. ⓒ점퍼와 검정 바지도 펄투성이어서 하수도 공사를 하다 나온 듯했다. 병국이는 움푹 꺼진 동태 눈으로 나를 보았다.
"이 녀석아, 넌 도대체 어, 어떻게 돼먹은 놈이냐! 통금 시간에 허가증 없이 해안 일대에 모, 못 다니는 줄 뻔히 알면서."
내가 노기를 띠고 아들에게 소리쳤다.
"본의는 아니었어요. 사흘 사이 동진강 하구 삼각주에서 갑자기 새들이 집단으로 죽기에 그 이유를 좀 알아보려던 게……."
병국이가 머리를 떨구었다.
"그래도 변명은!"
"고정하십시오. 자제분 의도나 진심은 충분히 파악했으니까요."
윤 소령이 말했다.
병국은 간밤에 쓴 진술서에 손도장을 찍고, 각서 한 장을 썼다. 내가 그 각서에 연대 보증을 섬으로써 우리 부자가 파견대 정문을 나서기는 정오가 가까울 무렵이었다. 부대서 나올 때 집으로 찾아왔던 중위가 병국이의 사물을 인계했다. 닭털 침낭과 등산 배낭, 이인용 천막, 그리고 걸레 조각처럼 늘어진 바다오리와 꼬마물떼새 시신이 각 열 구씩이었다.
"죽은 새는 뭘 하게?"
웅포리 쪽으로 걸으며 내가 물었다.
"해부를 해서 사인을 캐 보려구요."
"폐, 폐수 탓일까?"
"글쎄요……."
"너도 시장할 테니 아바이집으로 가서 저, 점심 요기나 하자."
나는 웅포리 정 마담을 만나 이잣돈을 받아 오라던 아내 말을 떠올렸다. 병국이는 식사 따위에 관심이 없어 보였다.
"아버지, 아무래도 새를 독살하는 치들이 있는 것 같아요."
"그걸 어떻게 아니?"
"갑자기 떼죽음 당하는 게 이상하잖아요? 물론 전에도 새나 물고기가 떼죽음하는 경우가 있었지만, 이번은 뭔가 다른 것 같아요."
"물 탓이야. 이제 동진강은 강물이 아니고 도, 독물이야. 조만간 이곳에서 새 떼가 자취를 감추고 말 게야."

(다) "당신은 밤낮없이 글을 읽는데, 과거에 응시하지 않으니 어찌된 것입니까?"
남편은 여전히 책에 시선을 둔 채 가볍게 대꾸했다.
"공부가 미숙한 때문이오."
"그럼 장사라도 하여 먹고살아야지요."
"장사는 밑천이 없는데 어찌하겠소."
"그럼 공장이 일이라도 하시지요."
"공장이는 기술이 없으니 어찌하겠소."
"ⓓ당신은 주야로 독서하더니 배운 것이 고작 어찌하겠소 타령입니까? 사람은 생명이 있은 다음에야 무엇이든 할 수 있는 법인데 이제 우리는 굶어 죽을 지경에 이르렀으니 무슨 도리를 차리셔야 합니다."
"십 년을 기약했는데 이제 칠 년밖에 되지 않았거늘 나더러 뭘 하라는 거요?"
"대체 무엇을 위해 독서하십니까?"
남편은 대답이 궁해지자 책을 탁 덮고 일어나 딴소리를 했다.
"애석하구나. 겨우 칠 년이라니."
그러고는 집을 나가 돌아오지 않았다.
ⓔ사람들은 남편은 뛰어난 인재라고 했다. 능히 천하를 경영할 재주가 있다고 하는 이도 있었다. 그러나 남편이 죽는지 사는지 아내가 모르고, 아내가 죽는지 사는지 남편이 몰라야만 뛰어난 인재가 되는 거라면 그 뛰어난 인재라는 말은 분명 이 세상에서 쓸모없는 존재라는 뜻이리라.

14 〈보기〉에서 (가)와 (나)의 서술방식에 대한 설명으로 옳지 않은 것을 모두 모아 놓은 것은?

보기

㉠ 시간의 흐름에 따라 일관된 방향으로 이야기를 서술한다.
㉡ 장면에 따라 서술자가 바뀌어 다양한 관점을 보여준다.
㉢ 병국의 아버지가 1인칭 서술자로 등장하고 있다.
㉣ '나'가 작가 자신임을 드러내는 작가 관찰자 시점이다.
㉤ '나'는 전지적인 시각으로 상대의 마음을 읽고 있다.

① ㉡, ㉢, ㉣
② ㉠, ㉡, ㉢
③ ㉡, ㉣, ㉤
④ ㉠, ㉡, ㉣, ㉤
⑤ ㉠, ㉢, ㉣, ㉤

15 윗글의 인물에 대한 설명으로 적절한 것은?

① (가)의 중위는 이질감을 표현하여 대립적 분위기를 조성한다.
② (나)의 병국은 '나'에게 분노의 감정을 드러내고 있다.
③ (나)의 윤소령은 "고정하십시오."라며 '나'의 말문을 막는 것으로 보아 완고한 성격이다.
④ (다)의 아내는 상대방의 입장을 지지하는 발언을 하지 않는다.
⑤ (다)의 남편의 말을 통해 사회 개혁의 포부가 드러난다.

16 밑줄 친 어휘에 대한 설명으로 올바른 것은?

① ㉠ 바로 뒤의 '공한지'에 심은 게 없다는 것을 강조하고 있으므로 '깨끗한'의 의미이다.
② ㉡ 뒤 이은 '갈대밭'에서 자라는 갈대의 품종을 나타낸다.
③ ㉢ 지형과 관련된 단어로 '언덕'으로 이해하면 된다.
④ ㉣ 오염된 바다로 인한 불만의 감정이 뜨거움을 보여준다.
⑤ ㉤ 쌓아 올린다는 의미로 항구시설을 높이 세우는 것을 뜻한다.

17 윗글에 대한 설명으로 올바른 것을 모두 모아 놓은 것은?

보기

A (가)(나)는 산업화 시대의 사회상을 반영하고 있다.
B (가)(나)는 '나'의 의식의 흐름을 통해서, 병국이 행동의 은폐된 원인을 추리하는 데 주력하고 있다.
C (나)에는 병국이 사회와 겪는 갈등이 나타나 있다.
D (다)를 영화로 촬영할 경우, 시대극이므로 아내는 유교적 전통여인상에 충실한 연기를 해야 한다.
E (다)는 과거에 창작된 작품의 내용을 바탕으로 하고 있으나 현대적인 시각이 더해진 소설이다.

① A, B, C ② B, C, D ③ B, C, E
④ A, B, C, D ⑤ A, C, E

18 밑줄 친 'ⓐ~ⓔ' 부분에 대한 설명으로 적절한 것은?

① 공해가 발생되는 상황이 표현된 ⓐ에는 비판적 관점이 담겨 있다고 볼 수 있다.
② ⓑ는 성장한 후 개인적인 이익을 중시하는 등장인물의 현실적인 자세와 닮아 있다.
③ 병국은 사실 하수도 공사를 한 것이 아니므로, ⓒ를 통해 병국의 상태를 짐작할 수 없다.
④ ⓓ의 화자는 반어적 화법을 통해 상대방(남편)의 지적 능력을 칭찬하고 있다.
⑤ ⓔ에 드러난 당대의 가치관과 이 작품의 작가의 관점이 일치한다.

[19~22] 다음 글을 읽고, 물음에 답하시오.

동진읍에 정착했던 그해 가을이던가, 전쟁 전 고향 땅에서 본 ㉠도요새 무리를 동진강 삼각주에서 발견했을 때, 나는 마치 헤어진 부모와 동기간과 약혼녀를 만난 듯 반가웠다. 너희들이 휴전선 위의 통천을 거쳐 여기로 날아왔으려니, 하고 대답 없는 물음을 던지면 울컥 사무쳐 오는 향수가 내 심사를 못 견디게 긁어 놓았다. 가져온 술병을 기울이며 나는 새 떼와 많은 대화를 나누었다. 내가 말하고 내가 새가 되어 대답하는 그런 대화를 아무도 이해할 수 없을 것이다. 새가 고향땅 부모님이 되고, 형제가 되고, 어떤 때는 약혼자가 되어 내게 들려주던 그 많은 이야기를 나는 기쁨에 들떠, 때때로 설움에 젖어 화답하는 그 시간만이 내게는 살아 있는 진정한 시간이었다. 세월의 부침 속에 고향에 대한 나의 향수도 차츰 식어 갔다. 이제 새 떼가 부쩍 줄어든 동진강 하구도 내 인생과 함께 황혼을 맞고 있었다. ⓐ동진강이 악취 풍기는 폐수로 변해 버렸기 때문이었다. 지금 보는 바다 역시 헤엄쳐 북상하면 며칠 내 고향에 도착할 수 있을 것 같던 거리가 까마득히 멀어 보였다. ⓑ철새나 나그네새는 휴전선을 넘어 자유로이 왕래하건만 나는 그곳으로 갈 수 없다는 안타까움만 해가 갈수록 내 이마에 깊은 주름을 새겼다.

〈중략〉

지난여름, 한창 더위가 찔 무렵이었다. 비(B) 공단 성창 비료 서교 공장 노무과장이 어깨 벌어진 젊은이 셋을 거느리고 느닷없이 집으로 들이닥친 일이 있었다. 그날은 종옥이가 시장에 가고 없어 나 홀로 집을 지키던 참이었다.

"김병국이란 작자가 누구요? ⓒ도대체 어떤 위인인지 상판이나 좀 봅시다."

젊은이 하나가 주먹을 내두르며 기세등등하게 말했다.

"내 아들놈인데 당신네는 누, 누구요?"
기세에 눌려 내 목소리가 더욱 더듬거렸다.
"당신 자식이라면 아직 마빡이 새파란 놈이겠군, 그 새끼 좀 봅시다."
다른 젊은이가 으박질렀다.
"아들이 지, 지금 입에 없소. 무슨 일인데 이러는 거요?"
"그 자식 간 데를 불어요. 당장 작살을 내고 말 테니."
또 다른 젊은이가 방문 열린 큰방과 건넌방을 기웃거리며 말했다. 마흔쯤 되어 보이는 노무과장이란 자가 내게 정중하게 인사했다.
"이거 소란을 피워 죄송합니다. 병국이란 자제분을 만날 수 없겠습니까?"
노무과장이 젊은이들을 제지시키곤 말했다.
"마루에라도 조, 좀 앉으십시오."
"앉구 자시구 할 시간이 없단 말이오!"
한 젊은이가 말했다.
"가만있자, 병국일 차, 찾으면………. 아무래도 힘들겠네요. 자정이나 돼야 돌아오니 나, 난들 행선지를 알 수 있어야죠."
"ⓓ사실을 말씀드리자면 선생님 자제분이 우리 회사를 상대로 관계 요로에 진성서를 보냈습니다."
노무과장이 찾아온 이유를 설명했다.
"여기 시 보건과에 접수한 진정서 좀 보십시오."
노무과장은 마루에 걸터앉아 주머니에서 복사판 서류를 꺼냈다. 종이를 받아 든 내 손이 떨렸다. ⓔ방 안으로 들어가 돋보기안경을 찾아 낄 틈도 없이 희미한 글자를 대충 훑어보았다.

〈중략〉

노무과장에게 내가 물었다.

[A] "분명합니다. 알고 보니 자제분은 이 방면에 상습범이더군요. 지난 유월에는 풍천 화학을 상대로 진정서를 낸 바 있었습니다. 풍천 화학 역시 야음을 틈타 카드뮴·수은 등 중금속 물질을 다량 배출시켜 동진강 하류 삼각주 지대의 각종 새 삼백여 마리와 물고기를 떼죽음을 했다나요. 사람이 아닌 한갓 새나 물고기가 죽은 걸 두고 말입니다."

노무과장 목소리가 열을 띠더니 '새나 물고기'란 말을 힘주어 강조했다.
"기가 막혀서, 뭐 제 놈이 실신했다거나 가족이 떼죽음당했다면 또 몰라."
한 젊은이가 가소롭다는 듯 시큰둥 말했다.
"국민 소득 일천 달러 달성에, 오늘날 조국 근대화가 다 무엇으로 이루어진 성과인 줄 선생도 알지요?"
다른 젊은이가 내 눈을 찌를 듯 손가락질했다.
"빈대 잡겠다고 초가삼간 태우겠다는 미친놈 짓거리를 이번으로 뿌릴 뽑아야 해!"

19 윗글에 대한 설명으로 옳지 않은 것은?

① '나'는 전쟁 통에 북에 가족을 두고 온 실향민이다.
② 동진강 하구는 환경오염으로 생태계가 파괴되고 있다.
③ 병국이는 이전에도 비슷한 문제로 진정서를 제출한 적이 있다.
④ 노무과장은 병국의 행위에 대해 용기가 있고 신념이 강하다고 생각한다.
⑤ 노무과장은 환경 문제보다 경제 성장을 우선시하는 사고방식을 가지고 있다.

20 밑줄 친 시어 중, ㉠과 그 기능이 유사한 것은?

① 반중(盤中) <u>조홍(早紅)감</u>이 고와도 보이나다/유자; 아니라도 품음직도 하다마는/품어 가 반길 이 없을싀 글로 설워하나이다

② <u>산(山)</u>은 녯 산(山)이로되 물은 녯 물이 안이로다/주야(晝夜)에 흘은이 녯 물이 이실쏜야/인걸(人傑)도 물과 ᄀᆞᆺᄋᆞ야 가고 안이 오노ᄆᆡ라

③ <u>국화(菊花)</u>야 너ᄂᆞᆫ 어이 삼월 동풍(東風) 다 지ᄂᆡ고/낙목한천(落木寒天)에 네 홀로 퓌엿ᄂᆞ다/아마도 오상고절(傲霜孤節)은 너ᄲᅮᆫ인가 ᄒᆞ노라

④ 장안(長安)을 도라보니 <u>북궐(北闕)</u>이 천 리(千里)로다/어주(魚舟)에 누어신ᄃᆞᆯ 니즌 스치 이시랴./두어라 내 시ᄅᆞᆷ 아니라 제세현(濟世賢)이 업스랴

⑤ 가노라 <u>삼각산(三角山)</u>아 다시 보자 한강수(漢江水)야/고국 산천(故國山川)을 떠나고자 하랴마ᄂᆞᆫ/시절(時節)이 하 수상(殊常)하니 올동 말동 ᄒᆞ여라

21 다음 중 ⓐ~ⓔ에 대한 설명으로 옳지 <u>않은</u> 것은?

① ⓐ : 동진강 하구의 새 떼가 줄어든 이유이다.
② ⓑ : 추상적 대상을 구체적으로 형상화하고 있다.
③ ⓒ : 젊은이가 소심한 성격을 가졌음을 알 수 있다.
④ ⓓ : 노무과장이 병국이를 찾아온 이유가 나타난다.
⑤ ⓔ : '나'의 마음이 급해져서 나온 행동이다.

22 [A]를 고려할 때, 병국이에게 '새'가 지닌 의미로 적절한 것은?

① 경제적 이익을 추구할 수 있는 대상
② 그리운 고향과 가족에 닿을 수 있는 통로
③ 남북 분단으로 인한 사람들의 아픔과 슬픔
④ 어린 시절의 꿈을 이룰 수 있게 하는 수단
⑤ 산업화로 인한 환경오염 및 자연 파괴의 희생물

[23~26] 다음 글을 읽고, 물음에 답하시오.

동진읍에 정착했던 그해 가을이던가, 전쟁 전 고향 땅에서 본 ㉮도요새 무리를 동진강 삼각주에서 발견했을 때, 나는 마치 헤어진 부모와 동기간과 약혼녀를 만난 듯 반가웠다. 너희들이 휴전선 위의 통천을 거쳐 여기로 날아왔으려니, 하고 대답 없는 물음을 던지면 울컥 사무쳐 오는 향수가 내 심사를 못 견디게 긁어 놓았다. 가져온 술병을 기울이며 나는 새 떼와 많은 대화를 나누었다. 내가 말하고 내가 새가 되어 대답하는 그런 대화를 아무도 이해할 수 없을 것이다. 새가 고향땅 부모님이 되고, 형제가 되고, 어떤 때는 약혼자가 되어 내게 들려주던 그 많은 이야기를 나는 기쁨에 들떠, 때때로 설움에 젖어 화답하는 그 시간만이 내게는 살아 있는 진정한 시간이었다. 세월의 부침 속에 고향에 대한 나의 향수도 차츰 식어 갔다. 이제 새 떼가 부쩍 줄어든 동진강 하구도 내 인생과 함께 황혼을 맞고 있었다. 동진강이 악취 풍기는 폐수로 변해 버렸기 때문이었다. ㉠지금 보는 바다 역시 헤엄쳐 북상하면 며칠 내 고향에 도착할 수 있을 것 같던 거리가 까마득히 멀어 보였다. 철새나 나그네새는 휴전선을 넘어 자유로이 왕래하건만 나는 ㉯그곳으로 갈 수 없다는 안타까움만 해가 갈수록 내 이마에 깊은 주름을 새겼다.

[A] 담배 한 대를 피워 물고 나는 여느 날처럼 신문을 폈다. 특별한 읽을거리나 속 시원한 기사가 눈에 띌 리 없었다. 오전에는 별 할 일이 없으므로 일 면부터 팔 면까지 샅샅이 읽고 저녁 텔레비전 프로를 훑어보았다. 좋아하는 권투중계는 없었다. 벽시계를 보았다. 이제 겨우 열 시였다.

지금 기원으로 나간다 해도 강 회장이 벌써부터 출근해 있을 리 없었다. 강 회장은 강원도 동진시 통천군 군민회 회장으로, 나와 십오 년 넘이 형제처럼 지내는 사이였다. 강 회장 고향은 부전령 아래 송화였고 나보다 칠 년 연상이었다. 흥남 철수 때 처와 자녀 둘을 고향에 두고 홀로 피란 내려와 구제품 따위를 파는 행상을 시작해선 육십 년대 초 이곳에 정착하여 상동 시장에서 포목점을 내었다. 동진읍이 시로 승격되자 강 회장이 사둔 잡종지의 지가가 뛰었고 점포가 부쩍 커졌다. 그러나 일 년 전 고혈압으로 쓰러졌다 일어난 뒤로 포목업도 남한에서 새 장가를 들어 얻은 여편네에게 넘기고 바둑으로 소일하고 지냈다.

내가 신문 바둑난을 꼼꼼히 들여다보고 있을 때였다. 대문 초인종이 길게 울렸다. 마루 끝에 앉아 껌을 씹으며 라디오 유행가를 듣던 종옥이가 대문께로 달려갔다. 초인종 소리로 보아 두 아들 녀석 같지 않았고 여편네가 또 뭘 빠뜨리고 나갔다 황망히 되돌아왔으려니 생각했다.

"누구세요?"

종옥이가 철문 쇠빗장을 달그랑거리며 물었다.

"김병국이라고, 이 집에 살지요?"

바깥의 무뚝뚝한 목소리였다.

종옥이 문을 열자, 장교와 사병이 집 안으로 들어섰다. 장교는 중위였고, 사병은 상등병이었다. 둘의 거동이 당당한 데다 사병은 총을 메고 위장망 씌운 철모를 쓰고 있었다. 내 가슴이 철렁했고 오른쪽 턱에 경련이 왔다. 전쟁 때 철원 전투에서 왼쪽 다리에 중상을 당한 뒤부터 놀랄 때나 흥분하면 부교감 신경의 실조증이 나타났다. 병국이가 제 어미에게 돈을 못 타내다 보니 내게 오천 원을 돌려 달라던 게 그저께였다. 내가 강 회장한테 돈을 빌려 애놈한테 주었는데 녀석이 그 돈으로 무슨 말썽을 피웠구나 하는 생각이 들었다. 나는 엉거주춤 마루로 나섰다. 이런 종류의 일은 올여름 들고 벌써 두 차례였다.

지난여름, 한창 더위가 찔 무렵이었다. 비(B) 공단 성창 비료 서교 공장 노무과장이 어깨 벌어진 젊은이 셋을 거느리고 느닷없이 집으로 들이닥친 일이 있었다. 그날은 종옥이가 시장에 가고 없어 나 홀로 집을 지키던 참이었다.

"김병국이란 작자가 누구요? 도대체 ㉡어떤 위인인지 상판이나 좀 봅시다."

젊은이 하나가 주먹을 내두르며 기세등등하게 말했다.

"내 아들놈인데 당신네는 누, 누구요?"

기세에 눌려 내 목소리가 더욱 더듬거렸다.

"당신 자식이라면 아직 마빡이 새파란 놈이겠군, 그 새끼 좀 봅시다." 다른 젊은이가 윽박질렀다.

"아들이 지, 지금 입에 없소. 무슨 일인데 이러는 거요?"

"그 자식 간 데를 불어요. 당장 작살내고 말 테니."

또 다른 젊은이가 방문 열린 큰방과 건넌방을 기웃거리며 말했다. ㉢마흔쯤 되어 보이는 노무과장이란 자가 내게 정중하게 인사했다.

"이거 소란을 피워 죄송합니다. 병국이란 자제분을 만날 수 없겠습니까?"
노무과장이 젊은이들을 제지시키곤 말했다.
"마루에라도 조, 좀 앉으십시오."
"앉구 자시구 할 시간이 없단 말이오!"
한 젊은이가 말했다.
"가만있자, 병국일 차, 찾으면………. 아무래도 힘들겠네요. 자정이나 돼야 돌아오니 나, 난들 행선지를 알 수 있어야죠."
"사실을 말씀드리자면 선생님 자제분이 우리 회사를 상대로 관계 요로에 진성서를 보냈습니다."
노무과장이 찾아온 이유를 설명했다.
"여기 시 보건과에 접수한 진정서 좀 보십시오."
노무과장은 마루에 걸터앉아 주머니에서 복사판 서류를 꺼냈다. 종이를 받아 든 내 손이 떨렸다. 방 안으로 들어가 돋보기안경을 찾아 낄 틈도 없이 희미한 글자를 대충 훑어보았다.
"정신병자가 쓴 낙선 뭐 더 읽을 필요도 없소."
하며 한 젊은이는 내가 읽던 진정서를 낚아챘다.
"아, 아들놈이 낸 진정서가 틀림없습니까?"
노무과장에게 내가 물었다.
"분명합니다. 알고 보니 자제분은 이 방면에 상습범이더군요. 지난 유월에는 풍천 화학을 상대로 진정서를 낸 바 있었습니다. 풍천 화학 역시 야음을 틈타 카드뮴·수은 등 중금속 물질을 다량 배출시켜 동진강 하류 삼각주 지대의 각종 새 삼백여 마리와 물고기를 떼죽음을 했다나요. 사람이 아닌 한갓 새나 물고기가 죽은 걸 두고 말입니다."
노무과장 목소리가 열을 띠더니 ㉣'새나 물고기'란 말을 힘주어 강조했다.
"기가 막혀서, 뭐 제 놈이 실신했다거나 가족이 떼죽음당했다면 또 몰라."
한 젊은이가 가소롭다는 듯 시큰둥 말했다.
"국민 소득 일천 달러 달성에, 오늘날 조국 근대화가 다 무엇으로 이루어진 성과인 줄 선생도 알지요?"
다른 젊은이가 내 눈을 찌를 듯 손가락질했다.
"㉤빈대 잡겠다고 초가삼간 태우겠다는 미친놈 짓거리를 이번으로 뿌릴 뽑아야 해!"
또 다른 젊은이가 말했다. 그들은 병국이 소재를 두고 다시 한차례 이구동성 삿대질하며, 그놈이 돌아올 자정까지라도 기다리겠다며 마루로 올라왔다.
"선생, 진정도 진정 나름입니다. 그러니 이번 문제는 순전히 명예 훼손으로밖에 볼 수 없어요. 간혹 기계 고장으로 가스가 새는 수가 있긴 합니다. 그러나 그걸 고의로 몰아붙이는 이런 진정에는 우리가 오히려 명예 훼손으로 자제분을 고발할 수 있다는 것을 아셔야 해요. 선생도 지난번 반상회엘 나갔다면 우리 비(B) 공단에서 돌린 공문을 받아 보았을 겁니다. 공단 측에서도 공해 문제에 관심을 가지고 아황산가스 · 일산화탄소 · 폐수 · 풍속 측정 등 팔대 공해 검증 기구를 사들이려 예산을 책정했다는 내용 말입니다. 또 오염 가능 지역을 삼 단계로 분류하여 오백여 가구 이주 계획을 세워 놓았다는 점도 읽으셨겠죠?"
노무과장이 숨을 돌리더니 담배를 꺼내어 한 대를 자기가 물고 한 대를 내게 권했다. 그로부터 그들은 한 시간 남짓 집에 머물러 있었다. 그동안 노무과장은 이론을 앞세운 설득으로, 세 젊은이는 힘을 과시한 위협으로 나를 몰아붙였다. 그동안 병국이는 용케 집으로 돌아오지 않았다. 그때도 그는 이틀째 집을 비우고 있었다. 동진강 하류에서 텐트를 치고 야영하거나, 아니면 옹포리 아바이집 토방에서 잠을 잤음이 틀림없었다.

– 김원일, 「도요새에 관한 명상」 –

23 윗글에 대한 설명으로 적절하지 않은 것은?

① 대화를 통해 인물 간의 갈등을 생생하게 제시하고 있다.
② 역순행적 구성 방식을 통하여 지난 일을 떠올리고 있다.
③ 주로 현재형 어미를 사용하여 현장감을 부여하고 있다.
④ 1인칭 시점을 사용하여 주인공의 내면의 효과적으로 드러내고 있다.
⑤ 작품의 시대적 배경과 함께 당시 사람들의 인식의 차이를 드러내고 있다.

24 ㉠~㉤에 대한 설명으로 적절하지 않은 것은?

① ㉠ : 고향에 대한 심리적 거리감이 더해졌음을 드러내고 있다.
② ㉡ : 병국을 비아냥거리기 위한 반어적 표현이다.
③ ㉢ : 젊은이들과 달리 격식과 예의를 갖추어 '나'를 안심시키고 있다.
④ ㉣ : 반어적 표현을 활용하여 자신의 생각을 부각하고 있다.
⑤ ㉤ : 속담을 활용하여 자신의 주장을 강화하고 있다.

25 〈보기〉에서 ㉮와 동일한 기능을 하는 시어로 가장 적절한 것은?

보기

서리 내린 가을 하늘에 달이 비치고 은하수 밝은데
나그네 돌아갈 생각에 감회가 새로워라.
긴 밤을 앚았노라니 수심에 애가 타는데
홀연 들려오는 이웃집 아낙네의 다듬이 소리.
끊어질 듯 이어지며 바람결에 실려와
별이 기울도록 잠시도 쉬지 않는군.
고국 떠난 뒤 듣지를 못했더니
타향에서 듣는 이 소리 비슷도 하구나.
그 방망이 무거운지 가벼운지
그 다듬잇돌 평평한지 아니한지
가녀린 몸에 땀 흘리는 게 가련한데
밤 늦도록 고운 팔을 지치도록 두르리리.
길 떠난 나그네의 홑옷이 걱정되었기 때문인가
규방에 홀로 있는 외로움 달래기 위함인가
비록 그대 모습 가물거려 잘 떠올려지지 않지만
글쎄 무단히 원망하고 있겠지.
이국 땅에 있어 새로 사귄 친구도 없고
부인 생각엔 긴 탄식만 나네.
지금 홀로 방 안에서 다듬이 소리 들으니
이 밤 눈가에 눈물 고임을 그 누가 알리.
그립고 그리워서 마음이 매달린 듯한데
저 소리 또 들려 갑갑한 마음 뚫을 길 없어라.
꿈 속에서 다음이 소리 따라가려 하지만
수심 많아 잠조차 이루지 못하오.

– 양태사, 「야청도의성」 –

① 가을하늘　② 다듬이 소리　③ 규방　④ 그대　⑤ 꿈 속

26 ㉯와 같은 표현기법이 나타나는 작품으로 적절하지 않은 것은?

① 전원(田園)에 나믄 흥(興)을 전나귀에 모도 싯고
계산(溪山) 니근 길로 흥치며 도라와셔
아해 금서(琴書)를 다스려라 나믄 해를 보내리라.

– 김천택 –

② 빈천(貧賤) 풀랴 ᄒᆞ고 권문(權門)에 드러가니
덤 업슨 흥정을 뉘 몬져 ᄒᆞ쟈 ᄒᆞ리
강산과 풍월을 달나 ᄒᆞ니 그는 그리 못ᄒᆞ리.

– 조찬한 –

③ ᄒᆞᆫ 손에 막ᄃᆡ 잡고 또 ᄒᆞᆫ 손에 가싀 쥐고,
늙는 길 가싀로 막고 오ᄂᆞᆫ 백발(白髮) 막ᄃᆡ로 치려터니,
백발(白髮)이 제 몬져 알고 즈럼길노 오더라.

– 우탁 –

④ ᄆᆞ음의 미친 실음 疊疊(텹텹)이 ᄊᆞ혀 이셔.
짓ᄂᆞ니 한숨이오 디ᄂᆞ니 눈믈이라.
인ᄉᆡᆼ(人生)은 유한(有限)ᄒᆞᆫᄃᆡ 시룸도 그지업다

– 정철 –

⑤ 꿈에 단니ᄂᆞᆫ 길히 ᄌᆞ최 곳 나량이면
남의 집 창(窓)밧기 석로(石路)라도 달으련마ᄂᆞᆫ
꿈길이 ᄌᆞ최 없스니 그를 슬허ᄒᆞ노라

– 이명한 –

서술형 심화문제

[01~03] 다음 글을 읽고, 물음에 답하시오.

(가) 동진읍에 정착했던 그해 가을이던가, 전쟁 전 고향 땅에서 본 도요새 무리를 동진강 삼각주에서 발견했을 때, 나는 마치 헤어진 부모와 동기간과 약혼녀를 만난 듯 반가웠다. 너희들이 휴전선 위의 통천을 거쳐 여기로 날아왔으려니, 하고 대답 없는 물음을 던지면 울컥 사무쳐 오는 향수가 내 심사를 못 견디게 긁어 놓았다. 가져온 술병을 기울이며 나는 새 떼와 많은 대화를 나누었다. 내가 말하고 내가 새가 되어 대답하는 그런 대화를 아무도 이해할 수 없을 것이다. 새가 고향땅 부모님이 되고, 형제가 되고, 어떤 때는 약혼자가 되어 내게 들려주던 그 많은 이야기를 나는 기쁨에 들떠, 때때로 설움에 젖어 화답하는 그 시간만이 내게는 살아 있는 진정한 시간이었다. 세월의 부침 속에 고향에 대한 나의 향수도 차츰 식어 갔다. 이제 새 떼가 부쩍 줄어든 동진강 하구도 내 인생과 함께 황혼을 맞고 있었다. 동진강이 악취 풍기는 폐수로 변해 버렸기 때문이었다. 지금 보는 바다 역시 헤엄쳐 북상하면 며칠 내 고향에 도착할 수 있을 것 같던 거리가 까마득히 멀어 보였다. 철새나 나그네새는 휴전선을 넘어 자유로이 왕래하건만 나는 그곳으로 갈 수 없다는 안타까움만 해가 갈수록 내 이마에 깊은 주름을 새겼다.

(나) 내가 신문 바둑난을 꼼꼼히 들여다보고 있을 때였다. 대문 초인종이 길게 울렸다. 마루 끝에 앉아 껌을 씹으며 라디오 유행가를 듣던 종옥이가 대문께로 달려갔다. 초인종 소리로 보아 두 아들 녀석 같지 않았고 여편네가 또 뭘 빠뜨리고 나갔다 황망히 되돌아왔으려니 생각했다.

"누구세요?"

종옥이가 철문 쇠빗장을 달그랑거리며 물었다.

"김병국이라고, 이 집에 살지요?"

바깥의 무뚝뚝한 목소리였다.

종옥이 문을 열자, 장교와 사병이 집 안으로 들어섰다. 장교는 중위였고, 사병은 상등병이었다. 둘의 거동이 당당한 데다 사병은 총을 메고 위장망 씌운 철모를 쓰고 있었다. 내 가슴이 철렁했고 오른쪽 턱에 경련이 왔다. 전쟁 때 철원 전투에서 왼쪽 다리에 중상을 당한 뒤부터 놀랄 때나 흥분하면 부교감 신경의 실조증이 나타났다. 병국이가 제 어미에게 돈을 못 타내다 보니 내게 오천 원을 돌려 달라던 게 그저께였다. 내가 강 회장한테 돈을 빌려 애놈한테 주었는데 녀석이 그 돈으로 무슨 말썽을 피웠구나 하는 생각이 들었다. 나는 엉거주춤 마루로 나섰다. 이런 종류의 일은 올여름 들고 벌써 두 차례였다.

(다) 지난 여름 한창 더위가 찔 무렵이었다. 비(B) 공단 성창 비료 석교 공장 노무과장이 어깨 벌어진 젊은이 셋을 거느리고 느닷없이 집으로 들이닥친 일이 있었다. 그날은 종옥이가 시장에 가고 없어 나 홀로 집을 지키던 참이었다.

"김병국이란 작자가 누구요? 도대체 어떤 위인인지 상판이나 좀 봅시다."

젊은이 하나가 주먹을 내두르며 기세등등하게 말했다.

"내 아들놈인데 당신네는 누, 누구요?"

기세에 눌려 내 목소리가 더욱 더듬거렸다.

"당신 자식이라면 아직 마빡이 새파란 놈이겠군, 그 새끼 좀 봅시다."

다른 젊은이가 을박질렀다.

"아들이 지, 지금 입에 없소. 무슨 일인데 이러는 거요?"

"그 자식 간 데를 불어요. 당장 작살내고 말 테니."

또 다른 젊은이가 방문 열린 큰방과 건넌방을 기웃거리며 말했다. 마흔쯤 되어 보이는 노무과장이란 자가 내게 정중하게 인사했다.

"이거 소란을 피워 죄송합니다. 병국이란 자제분을 만날 수 없겠습니까?"

노무과장이 젊은이들을 제지시키곤 말했다.

"마루에라도 조, 좀 앉으십시오."

"앉고 자시고 할 시간이 없단 말이오!"
한 젊은이가 말했다.
"가만있자, 병국일 차, 찾으면………. 아무래도 힘들겠네요. 자정이나 돼야 돌아오니 나, 난들 행선지를 알 수 있어야죠."
"사실을 말씀드리자면 선생님 자제분이 우리 회사를 상대로 관계 요로에 진성서를 보냈습니다."
노무과장이 찾아온 이유를 설명했다.
"여기 시 보건과에 접수한 진정서 좀 보십시오."
노무과장은 마루에 걸터앉아 주머니에서 복사판 서류를 꺼냈다. 종이를 받아 든 내 손이 떨렸다. 방 안으로 들어가 돋보기안경을 찾아 낄 틈도 없이 희미한 글자를 대충 훑어보았다.
성창 비료 석교 공장은 연간 사십 억 규모의 흑자를 내고 있으면서도 폐기 처리 과정에 대한 근본적인 개선책이 전혀 없음이 입증되었다. 지난 8월 4일 새벽 2시 20분. 당 공장은 야음을 틈타 암모니아 가스를 다량으로 배출하여 그 가스가 폐수천(석교천)을 따라 안개처럼 덮쳐 와 동진강 하류로 확산된 바 있다. 이로 인하여 새벽 4시 10분 동진강 하류에서 오징어잡이에 출어하려던 어민 18명이 심한 두통과 구토증으로 실신한 사건이 있었다. 당사는 기계 밸브가 고장 나서 가스가 샜다고 변명하지만 이런 사건은 일주일을 주기로 이미 수십 차례 반복되었음을 입증하며(관계 자료 별첨), 이로 미루어 당사는 일부러 밸브를 틀어 못쓰게 된 가스를 배출하고 있음이 객관적으로 입증됨으로써…….
"정신병자가 쓴 낙선 뭐 더 읽을 필요도 없소."
하며 한 젊은이는 내가 읽던 진정서를 낚아챘다.
"아, 아들놈이 낸 진정서가 틀림없습니까?"
노무과장에게 내가 물었다.
"분명합니다. 알고 보니 자제분은 이 방면에 상습범이더군요. 지난 유월에는 풍천 화학을 상대로 진정서를 낸 바 있었습니다. 풍천 화학 역시 야음을 틈타 카드뮴·수은 등 중금속 물질을 다량 배출시켜 동진강 하류 삼각주 지대의 각종 새 삼백여 마리와 물고기를 떼죽음을 했다나요. 사람이 아닌 한갓 새나 물고기가 죽은 걸 두고 말입니다."
노무과장 목소리가 열을 띠더니 '새나 물고기'란 말을 힘주어 강조했다.
"기가 막혀서, 뭐 제 놈이 실신했다거나 가족이 떼죽음당했다면 또 몰라."
한 젊은이가 가소롭다는 듯 시큰둥 말했다.
"국민 소득 일천 달러 달성에, 오늘날 조국 근대화가 다 무엇으로 이루어진 성과인 줄 선생도 알지요?"
다른 젊은이가 내 눈을 찌를 듯 손가락질했다.
[A]"빈대 잡겠다고 초가삼간 태우겠다는 미친놈 짓거리를 이번으로 뿌릴 뽑아야 해!"
또 다른 젊은이가 말했다. 그들은 병국이 소재를 두고 다시 한차례 이구동성 삿대질하며, 그놈이 돌아올 자정까지라도 기다리겠다며 마루로 올라왔다.

(라) "선생님이 김병국의 부친 되십니까?"
중위가 정중한 목소리로 물었다.
"예, 예, 그렇습니다만……."
"보호자로서 저희 부대까지 동행을 좀 해주셔야겠어요."
"병국이는 지금 어, 어디 있습니까?"
"부대에서 보호 중입니다."
"보호중이라니. 녀석이 무, 무슨 사건을 저질렀나요?"
"아드님이 통금 시간에 우리 통제 구역 안으로 무단출입을 했어요. 선생님도 아시겠지만 그 시간에 무단출입자는 발포까지 할 권한이 있습니다."
"그럼 발포를 해서 병국이가 다, 다쳤나요?"
"그런 정도는 아닙니다만, 하여간 잠시 시간을 내셔야겠어요."

"부대가 어딘데요?"

"동남만 일대의 경비를 담당하고 있는 삼오칠오 부댑니다."

나는 방으로 들어가 외출복으로 갈아입었다. 해석을 달리하면 까다로운 사건일 수도 있으나 병국이의 경우를 따져 볼 때는 그리 큰 걱정은 안 해도 좋을 듯했다. 병국이가 해안선을 따라 남하해 온 간첩도 아니요, 부대 경계 배치 상황을 탐지하려는 첩자도 아닌 이상 무사히 풀려 나올 것임이 분명했다. 녀석은 새에 대한 무슨 조사를 목적으로, 아니면 공해와 관련하여 경계 지구 안으로 잠입했음이 틀림없었다.

(마) "그럼 혹 제 아들놈이 철새 휴식 장소나 그 은신처를 찾기 위해 통제 구역 안으로 들어간 게 아닌가요?"

"글쎄요……."

"아, 아니면 동진강 하류의 폐, 폐수 오염도를 조사할 목적으로?"

"둘 중의 하나겠죠."

중위는 알 만하다는 얼굴로 나를 보고 빙긋 웃었다.

"그럼 경찰서로 이첩되는 건가요?"

"가 보시면 만나겠지만 저희 파견 대장님은 무척 인간적이십니다."

나는 더 이상 물을 말이 없었다. 중위 어투로 보아 크게 걱정하지 않아도 되겠다고 안심했다. 어느덧 차는 시내를 빠져나와 석교천을 끼고 사면이 트인 해안 지대를 달렸다 나는 지프 차창으로 밖을 내다보았다. 황량한 공한지 멀리로 비(B) 공단 공장 굴뚝들이 보였다. 바다에서 불어오는 바람에 밀려 연기가 시내 쪽으로 날아갔다. 그중 삼영정유공장으로 짐작되는 굴뚝에 가스를 태우는 불꽃이 중동 유전 지대처럼 붉은 혀를 날름거렸다. 그 불꽃을 휩싼 검은 연기가 분진을 날리며 서쪽 하늘로 날아갔다. 삼각주 갈대밭과 해안 구릉 사이로 바다가 보이자, 지프는 휘어진 길을 따라 남쪽으로 꺾어 들었다. 나는 차창을 열었다. 소금 내 섞인 바닷바람을 마시자 뭉쳐 누웠던 희열이 내 몸을 달구었다. 나는 바다에 눈을 주었다. 가을 햇살 아래 바다의 잔물결이 반짝거렸다. 나는 바닷바람을 마시며 숨을 크게 내쉬었다.

– 김원일, 「도요새에 관한 명상」 –

01 [A]의 의미를 〈보기〉와 같이 파악할 때 ⓐ, ⓑ에 들어갈 말을 쓰시오.

보기

- 사소한 것을 해결하겠다고 일 전체를 망친다는 의미의 관용적 표현을 쓰고 있다.
- 인용한 속담 표현 중, (ⓐ)은/는 '사소한 것'을 의미하는 말로 문맥상의 원관념은 '새'나 '물고기'라 할 수 있고 (ⓑ)은/는 '근원'을 의미하는 말로 문맥상 '근대화', '산업화'를 뜻한다.
- 경제 성장을 우선시하는 사고방식을 알 수 있다.
- 문제의 근본 원인을 사전에 근절하겠다는 강한 의지가 드러난 말이다.

02 <도요새에 관한 명상>은 시점의 변화를 보이는 소설이다. 위 글과 <보기1>의 시점의 차이를, <보기2>를 활용하여 <조건>에 맞게 서술하시오.

보기 1

"박제하는 놈을 못 대겠어?" 병국이가 의자에서 일어나 아우 멱살을 틀어쥐었다. 주모가 달려와 둘 사이에 끼어들었다. 개시도 안 한 술집에서 웬 행패냐고 주모가 다그쳤다.

"난 못 불겠다. 그래, 고발 좋아한담 고발해 봐. 형 손에 아우가 쇠고랑 차지!" 병식이가 형 손목을 잡고 비틀어 꺾었다. "형도 구치소깨나 출입했으니 아운들 햇볕만 보란 법은 없으니깐.

"이 자식, 말이면 다야!" 순간 병국의 주먹이 아우 턱을 갈겼다. 병식이 머리가 뒷벽에 부딪히자 금세 입술 사이에 피가 비쳤다.

"쳐, 정말 형이 날 쳤어!" 병식이가 의자에서 벌떡 일어났다. 그리곤 의자와 술상 사이로 빠져나오더 형의 허리를 억세게 조여 안았다. 병국이의 몸이 마른 장작개비처럼 번쩍 들렸다. 병식은 형을 홀 바닥에 내동댕이치곤 의자를 치켜들었다. 형의 면상에다 의자를 내리찍으려 하다 손에 힘을 뽑더니 그만 내려놓았다. "형, 오늘은 내가 참는 거야. 내가 정말 다구리 탈 짓을 했담 형한테 얼마든지 맞아 주겠어. 그러나 내가 새를 죽인 것도 아니구, 족제비란 친구를 따라 심심풀이로 같이 다녔는데. 뭐 치사하게 동생을 고발해!"

병식은 백 원짜리 동전 세 개를 술상 위에 소리 나게 놓았다. 입술의 피를 닦았다. 가방을 들더니 재빨리 출입문을 열었다.

"병식아, 학관 끝나면 집으로 들어와!" 모잡이로 쓰러졌던 병국이가 상체를 일으키며 외쳤다. 그러나 병식이는 이미 술집을 나서 버린 뒤였다. 병국이는 허리가 결리는지 않은 자세 그대로 잠시 늘어져 있었다.

주모가 병국이를 일으켜 세우며 말했다. "봐요. 젊은이 안경알이 깨어졌군."

안경의 왼쪽 일이 가운데를 정점으로 방사선의 금을 긋고 있었다. 넘어질 때 아마 술상 모서리에 부딪힌 모양이었다. 병국은 술집을 나섰다. 가로의 건물이 길 가운데까지 긴 그림자를 던지고 있었다. 병국은 학관을 뒤져 족제비란 병식의 친구를 찾아낼까 하다가 그만두기로 했다,. 몇 번 본 얼굴이라 기억은 나지만 그가 학관에 다니는지, 또 지금 시간에 나왔을는지 어떤지를 알 수 없었다. 저녁에 병식이가 집으로 들어오면 그를 잘 구슬러 박제사의 거처를 알아내는 일이 쉬울 것 같았다.

보기 2

- 1인칭 주인공 시점
- 1인칭 관찰자 시점
- 3인칭 관찰자 시점
- 전지적 작가 시점

조건

'윗글의 시점은 (   )이고, <보기1>의 시점은 (   )이다.'는 문장 형식으로 쓸 것

03 김원일 작품 제목인 「도요새에 관한 명상」에 서도 드러나듯이, 이 작품의 가장 중요한 소재는 '(도요)새'라고 할 수 있다. 새에 관련한 인물의 심리와 행동에 의거하여, '나'(아버지)와 병국(아들)이 생각하고 있는 새의 의미에 대해 서술하시오. 300자 내외

[04~05] 다음 글을 읽고, 물음에 답하시오.

(가) 동진읍에 정착했던 그해 가을이던가, 전쟁 전 고향 땅에서 본 도요새 무리를 동진강 삼각주에서 발견했을 때, 나는 마치 헤어진 부모와 동기간과 약혼녀를 만난 듯 반가웠다. 너희들이 휴전선 위의 통천을 거쳐 여기로 날아왔으려니, 하고 대답 없는 물음을 던지면 울컥 사무쳐 오는 향수가 내 심사를 못 견디게 긁어 놓았다. 가져온 술병을 기울이며 나는 새 떼와 많은 대화를 나누었다. 내가 말하고 내가 새가 되어 대답하는 그런 대화를 아무도 이해할 수 없을 것이다. 새가 고향땅 부모님이 되고, 형제가 되고, 어떤 때는 약혼자가 되어 내게 들려주던 그 많은 이야기를 나는 기쁨에 들떠, 때때로 설움에 젖어 화답하는 그 시간만이 내게는 살아 있는 진정한 시간이었다. 세월의 부침 속에 고향에 대한 나의 향수도 차츰 식어 갔다. 이제 새 떼가 부쩍 줄어든 동진강 하구도 내 인생과 함께 황혼을 맞고 있었다. 동진강이 악취 풍기는 폐수로 변해 버렸기 때문이었다. 지금 보는 바다 역시 헤엄쳐 북상하면 며칠 내 고향에 도착할 수 있을 것 같던 거리가 까마득히 멀어 보였다. 철새나 나그네새는 휴전선을 넘어 자유로이 왕래하건만 나는 그곳으로 갈 수 없다는 안타까움만 해가 갈수록 내 이마에 깊은 주름을 새겼다.

(나) 담배 한 대를 피워 물고 나는 여느 날처럼 신문을 폈다. 특별한 읽을거리나 속 시원한 기사가 눈에 띌 리 없었다. 오전에는 별 할 일이 없으므로 일 면부터 팔 면까지 샅샅이 읽고 저녁 텔레비전 프로를 훑어보았다. 좋아하는 권투 중계는 없었다. 벽시계를 보았다. 이제 겨우 열 시였다. 지금 기원으로 나간다 해도 강 회장이 벌써부터 출근해 있을 리 없었다. 강 회장은 강원도 동진시 통천군 군민회 회장으로, 나와 십오 년 넘이 형제처럼 지내는 사이였다. 강 회장 고향은 부전령 아래 송화였고 나보다 칠 년 연상이었다. 흥남 철수 때 처와 자녀 둘을 고향에 두고 홀로 피란 내려와 구제품 따위를 파는 행상을 시작해선 육십 년대 초 이곳에 정착하여 상동 시장에서 포목점을 내었다. 동진읍이 시로 승격되자 강 회장이 사둔 잡종지의 지가가 뛰었고 점포가 부쩍 커졌다. 그러나 일 년 전 고혈압으로 쓰러졌다 일어난 뒤로 포목업도 남한에서 새 장가를 들어 얻은 여편네에게 넘기고 바둑으로 소일하고 지냈다.

(다) 지난여름, 한창 더위가 찔 무렵이었다. 비(B) 공단 성창 비료 서교 공장 노무과장이 어깨 벌어진 젊은이 셋을 거느리고 느닷없이 집으로 들이닥친 일이 있었다. 그날은 종옥이가 시장에 가고 없어 나 홀로 집을 지키던 참이었다.

"김병국이란 작자가 누구요? 도대체 어떤 위인인지 상판이나 좀 봅시다."

젊은이 하나가 주먹을 내두르며 기세등등하게 말했다.

"내 아들놈인데 당신네는 누, 누구요?"

기세에 눌려 내 목소리가 더욱 더듬거렸다.

"당신 자식이라면 아직 마빡이 새파란 놈이겠군, 그 새끼 좀 봅시다."

다른 젊은이가 윽박질렀다.

"아들이 지, 지금 입에 없소. 무슨 일인데 이러는 거요?"

"그 자식 간 데를 불어요. 당장 작살을 내고 말 테니."

또 다른 젊은이가 방문 열린 큰방과 건넌방을 기웃거리며 말했다. 마흔쯤 되어 보이는 노무과장이란 자가 내게 정중하게 인사했다.

"이거 소란을 피워 죄송합니다. 병국이란 자제분을 만날 수 없겠습니까?"

노무과장이 젊은이들을 제지시키곤 말했다.

"마루에라도 조, 좀 앉으십시오."

"앉구 자시구 할 시간이 없단 말이오!"

한 젊은이가 말했다.

"가만있자, 병국일 차, 찾으면………. 아무래도 힘들겠네요. 자정이나 돼야 돌아오니 나, 난들 행선지를 알 수 있어야죠."

"사실을 말씀드리자면 선생님 자제분이 우리 회사를 상대로 관계 요로에 진성서를 보냈습니다."

노무과장이 찾아온 이유를 설명했다.

"여기 시 보건과에 접수한 진정서 좀 보십시오." 노무과장은 마루에 걸터앉아 주머니에서 복사판 서류를 꺼냈다. 종이를 받아 든 내 손이 떨렸다. 방 안으로 들어가 돋보기안경을 찾아 낄 틈도 없이 희미한 글자를 대충 훑어보았다.

성창 비료 서교 공장은 연간 사십 억 규모의 흑자를 내고 있으면서도 폐기 처리 과정에 대한 근본적인 개선책이 전혀 없음이 입증되었다. 지난 8월 4일 새벽 2시 20분. 당 공장은 야음을 틈타 암모니아 가스를 다량으로 배출하여 그 가스가 폐교천(석교천)을 따라 안개처럼 덮쳐 와 동진강 하류로 확산된 바 있다. 이로 인하여 새벽 4시 10분 동진강 하류에서 오징어잡이에 출어하려던 어민 18명이 심한 두통과 구토증으로 실신한 사건이 있었다. 당사는 기계 밸브가 고장 나서 가스가 샜다고 변명하지만 이런 사건은 일주일을 주기로 이미 수십 차례 반복되었음을 입증하며(관계 자료 별첨), 이로 미루어 당사는 일부러 밸브를 틀어 못쓰게 된 가스를 배출하고 있음이 객관적으로 입증됨으로써…….

---

04 (가)와 (다)에서 아래 질문과 관련된 단어(둘 다 3음절)를 찾아 쓰시오.

(1) : (가)에서 '나'의 고향에 대한 그리움을 매개하고 '나'가 마치 두고 온 가족친지인 것처럼 생각하는 소재는?

(2) : (다)에서 병국의 활동 결과 생겨난 사물이자, 병국의 가치관을 드러내고, 공장 사람들이 찾아오는 사건의 계기가 되는 소재는?

05 윗글의 아버지와 병국 각각 다른 사회적 가치를 중시하고 있다. 두 사람이 각각 어떤 가치(어떤 문제)를 가장 중시하는지 서술하시오.(종결어미 '다'로 끝나는 문장을 쓰지 않으면 감점)

[06~07] 다음 글을 읽고, 물음에 답하시오.

나는 더 물을 말이 없었다. 중위 어투로 보아 크게 걱정하지 않아도 되겠다고 안심했다. 어느덧 차는 시내를 빠져나와 석교천을 끼고 사방이 트인 해안 지대를 달렸다. 나는 지프 차창으로 밖을 내다보았다. 황량한 공한지 멀리로 비(B) 공단 공장 굴뚝들이 보였다. 바다에서 불어오는 바람에 밀려 연기가 시내 쪽으로 날아갔다. 그 중 삼영 정유 공장으로 짐작되는 굴뚝에서 가스를 태우는 불꽃이 중동 유전 지대처럼 붉은 혀를 날름거렸다. 그 불꽃을 휩싼 검은 연기가 분진을 날리며 서쪽 하늘로 날아갔다. 삼각주 갈대밭과 해안 구릉 사이로 바다가 보이자, 지프는 휘어진 길을 따라 남쪽으로 꺾어 들었다. 나는 차창을 열었다. 소금 내 섞인 바닷바람을 마시자 뭉쳐 두었던 희열이 내 몸을 천천히 달구었다. 나는 바다에 눈을 주었다. 가을 햇살 아래 바다의 잔물결이 반짝거렸다. 나는 바닷바람을 마시며 숨을 크게 내쉬었다.

"어릴 적부터 병국이 그, 그놈은 바다를 무척이나 좋아했더랬지요."

중위를 돌아보며 내가 말했다.

"저도 고향이 인천입니다만, 소년들에게 바다는 늘 큰 꿈을 키워 주지요.

큰 꿈, 그렇다. 병국이는 어릴 적부터 바다를 보며 큰 꿈을 키웠더랬다. 두 녀석이 초등학교에 다닐 무렵, 일요일이면 자전거 뒤에 병국이를 앉히고 자전거 앞에 병식이를 태워 나는 곧잘 동진강 삼각주나, 동남만 남쪽 돌기에 자리 잡은 장진포까지 바다 구경을 나갔다. 병식은 장난질 심한 개구쟁이로만 기억에 남아 있지만, 병국이는 바다로 나오면 기선을 보는 게 소원이었다. 동남만이 공업화의 거센 물결을 타자 한갓 고래잡이 기지였던 장진포가 항만 준설 공사를 마쳐 이제 몇 만 톤 급 배까지 들어오게 되었지만, 그 당시는 고래잡이배가 큰 배였다.

"아버지, 저는 외국 깃발을 단 큰 기선이 보고 싶어요."

〈중략〉

"그래요. 아버지는 기선을 타 보셨나요?"

병국이가 조갑지를 주워 파도 위로 힘껏 내던졌다. 조갑지를 삼킨 큰 파도가 해안으로 밀려왔다. 빠져나가는 썰물이 파도의 뿌리를 밀쳤다. 큰 파도가 작은 파도로 기를 낮추어 발밑까지 따라왔다.

"나야 물론 여러 번 타 봤어. 부산서 일본 시, 시모노세키란 항구까지 배를 타고 건넜지."

내 목소리가 시무룩했다. 광복 전 나는 오사카에서 전문학교에 적을 두고 있었다. 태평양 전쟁 말기 조선인 강제 학병 제도가 실시되지 않았다면 나는 종전을 그곳에서 맞을 뻔했다. 1944년 여름, 나는 고향으로 돌아왔던 것이다. 해방은 금강산 유점사 말사인 마하연에서 맞이했다. 이듬해 봄, 나는 대학에 다시 다니려 서울로 갔다.

"아버지, 기선을 타면 거룻배보다 훨씬 기분이 좋겠죠?"

"배가 크니까, 요동이 어, 없어 방 속에 있는 기분이지."

"갑판이 학교 운동장만 하다면서요?"

"병국아, 통일되면 우리 그런 배 타고 아버지 고향으로 가자. 거기도 바닷가니 금강산 구경도 할 수 있거든. 내가 원산에서 중학교에 다닐 때 금강산에 수학여행을 갔더랬지. 또 광복되던 해는 일 년 가까이 징용을 피하느라 금강산의 기, 깊은 암자에서 숨어 살았어."

"금강산은 세계에서 가장 아름다운 산이라면서요?"

"무, 물론. 그림으로도 나는 금강산만큼 아름다운 산을 본 적 없어. 너도 들었지, 삐죽삐죽한 보, 봉우리가 일만 이천 개나 된다는 것 말이야. 차, 참 볼만하지. 내금강만 하더라도 젤 높은 비로봉이며 며, 명경대 · 동석동 · 망군대 · 백마봉 · 조양봉 · 시, 십이폭포 · 진주담이며 외, 외금강은 또 어떻구. 만물상 · 비봉폭포 · 연주담 · 집선봉 · 오, 옥류동, 구룡천의 구룡연폭포……."

"그만하세요. 아버진 언제 그걸 다 외웠나요?"

"어디 그, 그뿐인가. 해금강, 신금강은 또 어떠하고. 장안사 · 표, 표훈사 · 유점사, 그것 말고도 절은 또 얼마라고."

나는 신이 나서 입술에 침을 튀겨 가며 지껄였다.

〈중략〉

갈매기 두 마리가 해안선을 따라 북쪽으로 날아가고 있었다. 내 눈과 병국이 눈이 갈매기를 따라갔다.

"저 갈매기 타고 갈 수 있다면 내, 내일 아침쯤 그곳에 도착할 수 있을 거야."

내가 한숨 끝에 풀죽은 목소리로 말했다.

"아버지, '닐스의 이상한 여행'이란 동화책을 읽은 적 있어요?"

병국이 물었다.

"아니."

"그 책을 보면 닐스가 꼬마 요정 톰테를 못살게 굴다 요술에 걸려 키가 십 센티도 안 되는 난쟁이로 변하지요. 그래서 큰 거위를 타고 기러기 떼를 따라 정처 없는 여행을 떠나요."

"참 재, 재미있는 동화책이로구나. 나도 꼬마 요정 요술에나 걸렸으면 좋겠구나."

"그럼 아버지만 거위를 타고 고향으로 가 버리면 어떡해요?"

"아니지. 너희들을 태워 고향으로 떠, 떠나야지."

"야, 신난다. 정말 그런 요술이 동화가 아님 얼마나 좋을까."

---

06 '나'의 처지와 대비되는 존재이자 '나'의 향수를 환기하는 존재를 윗글에서 찾아 쓰시오.

07 윗글에서 현재에서 과거로 회상이 시작되는 부분을 찾아 처음 두 어절을 쓰시오.

내 유년의 울타리는 탱자나무였다.

– 나희덕 –

[서두] 어린 시절 내 손에는 으레 탱자 한두 개가 쥐어져 있고는 했다. 탱자가 물렁물렁해질 때까지 쥐고 다니는 버릇
과거 유년 시절의 추억에 대한 '회상'이 시작되는 부분
이 있어서 내 손에서는 늘 탱자 냄새가 났었다. 크고 노랗게 잘 익은 것은 먹기도 했지만, 아이들은 먹지도 못할 푸르스름한 탱자들을 일없이 따다가 아무 데나 던져 놓고는 했다. 나 역시 그런 아이들 중 하나였는데, 그렇게 따도 따도 탱자가 남아돌 만큼 내가 살던 마을에는 집집마다 탱자나무 울타리가 많았다.
아무런 까닭이나 실속 없이
탱자나무 울타리가 많았던 옛 고향의 모습
▶ 탱자나무 울타리가 많았던 고향의 기억

[본문] 지금도 고향, 하면 탱자의 시큼한 맛, 탱자처럼 노랗게 된 손바닥, 오래 남아 있던 탱자 냄새 같은 것이 먼저 떠오른다. 그리고 뾰족한 탱자 가시에 침을 발라 손바닥에도 붙이고 코에도 붙이고 놀던 생각이 난다. 가시를 붙인 손으로 악수하자고 해서 친구를 놀려 주던 놀이가 우리들 사이에 한창인 때도 있었다. 자그마한 소읍에서 자라나는 아이들이 할 수 있는 놀이란 고작 그런 것이었다.
다양한 감각적 심상(미각,시각,후각)을 통해 고향에 대한 기억을 생생하게 표현함
탱자 가시를 이용한 어린 시절의 놀이에 대한 추억

그래서 탱자 가시에 찔리곤 하는 것이 예사였는데, 한번은 가시 박힌 자리가 성이 나 손이 퉁퉁 부었던 적이 있다. 벌겋게 부어오른 상처를 보면서 나는 생각했다. 왜 탱자나무에는 가시가 있는 것일까. 그리고 찔레꽃, 장미꽃, 아카시아…… 가시를 가진 꽃이나 나무들을 차례로 꼽아 보았다. 그 가시들에는 아마 독이 들어 있을 거라고 혼자 멋대로 단정해 버리기도 했다.
탱자나무 가시에 찔린 경험을 겪은 후 제멋대로 가시에 대한 부정적인 판단을 내림

얼마 후에 아버지는 내게 가르쳐 주셨다. 가시에 독이 있는 것은 아니고, 그저 아름다운 꽃과 열매를 지키기 위해 그런 나무들에는 가시가 있는 거라고. 다른 나무들은 가시 대신 냄새가 지독한 것도 있고, 나뭇잎이 아주 써서 먹을 수 없거나 열매에 독성이 있는 것도 있고, 모습이 아주 흉하게 생긴 것도 있고…… 이렇게 살아 있는 생명에게는 자기를 지킬 수 있는 힘이 하나씩 주어져 있다고.
가시의 의미: 생명체를 지키고 보호하는 방어무기
'가시'의 존재 이유(효용)에 대한 아버지의 가르침으로 '가시'에 대한 부정적인 인식이 바뀌게 됨.: 많은 생명체는 자신의 생명을 보호하기 위한 무기를 지니고 있음

그러던 어느 날 탱자 꽃잎을 보다가 스스로의 가시에 찔린 흔적을 발견하게 되었다. 바람에 흔들리다가 제 가시에 쓸렸으리라. 스스로를 지키기 위해 주어진 가시가 때로는 스스로를 찌르기도 한다는 사실에 나는 알 수 없는 슬픔을 느꼈다. 그걸 어렴풋하게 느낄 무렵, 소읍에서의 내 유년은 끝나 가고 있었다.
역설적 상황
▶ 탱자나무의 '가시'에 얽힌 유년기의 경험

『언제부턴가 내 손에는 더 이상 둥글고 향긋한 탱자 열매가 들어 있지 않게 되었다. 그 손에는 무거운 책가방과 영어 단어장이, 그다음에는 누군가를 향해 던지는 돌멩이가, 때로는 술잔이 들려 있곤 했다. 친구나 애인의 따뜻한 손을 잡고 다니던 때도 없지는 않았지만, 그 후로 무거운 장바구니, 빨랫감, 행주나 걸레 같은 것을 들고 있을 때가 더 많았다.
「」: 유년기 이후 살아온 과정
대학입시에 몰두하던 학창 시절(중 · 고등학교)의 모습
친구들과 어울리던 대학 시절의 모습
친구를 만나거나 연인과 연애하던 모습
결혼 후 가족을 위해 헌신하던 생활인(여성)의 일상적인 모습

생활의 짐은 한번도 더 가벼워진 적이 없으며, 그러는 동안 내 속에는 날카로운 가시들이 자라나기 시작했다. 가시
생활의 부담(어려움, 고통)을 비유적으로 표현함
글쓴이의 경험을 일반화함
는 꽃과 나무에게만 있는 것이 아니었다. 세상에, 또는 스스로에게 수없이 찔리면서 사람은 누구나 제 속에 자라나는
삶의 고통 비유
삶 가운데서 수없이 고통을 느끼면서
사람들은 생활의 짐 때문에 마음속에 날카로운 가시를 가지게 됨
가시를 발견하게 된다. 한번 심어지고 나면 쉽게 뽑아낼 수 없는 탱자나무 같은 것이 마음에 자리 잡고 있다는 것을,
쉽게 극복할 수 없는, 고통스러운 삶의 짐
뽑아내려고 몸부림칠수록 가시는 더 아프게 자신을 찔러 댄다는 것을 알게 되었다. 그 후로 내내 크고 작은 가시들이
삶의 고통을 부정할수록 피할 수 없는 삶의 고통이 더욱 깊어진다는
삶의 고통을 겪으면서 정신적으로 성숙함
나를 키웠다.

▶ 성장하면서 생활의 짐 때문에 마음속의 가시를 갖게 됨

아무리 행복해 보이는 사람에게도 그를 괴롭히는 가시는 있기 마련이다. 어떤 사람에게는 용모나 육체적인 장애가
누구나 삶의 고통을 지니고 있음
가시가 되기도 하고, 『어떤 사람에게는 가난한 환경이 가시가 되기도 한다. 나약하고 내성적인 성격이 가시가 되기도
「」: 사람들이 지닌 가시의 구체적인 예를 열거함
하고, 원하는 재능이 없다는 것이 가시가 되기도 한다.』 그리고 그 가시 때문에 오래도록 괴로워하고 삶을 혐오하게
'가시'의 부정적인 역할
되기도 한다.

『로트레크라는 화가는 부유한 귀족의 아들이었지만 사고로 인해 두 다리를 차례로 다쳤다. 그로 인해 다른 사람보
「」: 마음속에 '가시'를 지닌 사람의 예
다 다리가 자유롭지 못했고 다리 한쪽이 좀 짧았다고 한다. 다리 때문에 비관한 그는 방탕한 생활 끝에 결국 불우한
생을 마감했다.』 그러나 그런 절망 속에서 그렸던 그림들은 아직까지 남아서 전해진다.
'가시'를 통해 이룬 것: 훌륭한 화가로서의 명성

"내 다리 한쪽이 짧지 않았더라면 나는 그림을 그리지 않았을 것이다."라고 그는 말한 적이 있다. 그에게 있어서
삶의 고통으로 인해 훌륭한 그림을 그릴 수 있었음(삶의 고통을 긍정적으로 승화시킴)
가시는 바로 남들보다 약간 짧은 다리 한쪽이었던 것이다.
육체적 장애

로트레크의 그림만이 아니라, 우리가 오래 고통받아 온 것이 오히려 존재를 들어 올리는 힘이 되곤 하는 것을 겪곤
'가시'의 긍정적 역할①–발전과 성숙의 원동력이 됨.(발전과 성숙을 위해서는 고통이 필요함)
한다. 그러니 가시 자체가 무엇인가 하는 것은 그리 중요한 문제가 아닐지도 모른다. 어차피 뺄 수 없는 삶의 가시라
살아가면서 겪을 수 밖에 없는(피할 수 없는) 삶의 고통
면 그것을 어떻게 받아들이고 다스려 나가느냐가 더 중요하지 않을까 싶다. 그것마저 없었다면 우리는 인생이라는
가시를 슬기롭게 극복해 나가는 것이 중요하다는 시각을 드러냄
잔을 얼마나 쉽게 마셔 버렸을 것인가. 인생의 소중함과 고통의 깊이를 채 알기도 전에 얼마나 웃자라 버렸을 것인
'가시'의 긍정적 역할②–인생의 소중함과 고통의 깊이를 알게 함
가.

실제로 너무 아름답거나 너무 부유하거나 너무 강하거나 너무 재능이 많은 것이 오히려 삶을 망가뜨리는 경우를
고통을 모른 채 자만에 빠질 수 있기 때문. 마음속의 가시가 없는 경우 오히려 불행해 질 수 있음을 보여주는 예
자주 보게 된다. 그런 점에서 사람에게 주어진 고통, 그 날카로운 가시야말로 그를 참으로 겸허하게 만들어 줄 선
'가시'의 긍정적 역할③–사람을 겸허하게 만들어 줌
물일 수도 있다. 그리고 뽑혀지기를 간절히 바라는 가시야말로 우리가 더 깊이 끌어안고 살아야 할 존재인지도 모
극한의 고통이 오히려 인생을 긍정적인 방향으로 이끌어 갈 수 있다는 역설적 인식
른다.

▶ 인생의 소중함을 일깨워 주는 가시의 의미

[끝] 가시 박힌 상처가 벌겋게 부어올라 마음이 쉽게 가라앉지 않는 날, 나는 고향의 탱자나무 울타리를 떠올리곤
삶의 고통으로 심한 상처를 입었을 때
한다. 둥근 탱자를 손에 쥐고 다니던 그때, 탱자 가시로 장난을 치곤 하던 그때, 내 삶에 이런 가시들이 돋아나리라고
성장 과정에서 형성된 삶의 고통
는 짐작조차 할 수 없었던 그때…… 그 평화롭던 유년의 울타리가 탱자나무로 되어 있었다는 사실이 내게는 어떤 전
누구나 유년기를 벗어나면 가시를 갖게 될 수밖에 없음(삶의 고통 속에 처하게 됨)을 비유적으로 표현함
언처럼 받아들여진다.

■

내게 열매와 꽃과 가시를 처음으로 가르쳐 준 나무. 내가 살아가면서 잃어버려야 할 것과 지켜 가야 할 것을 동시에 보여 준 나무. 그러면서 나와 함께 좁은 나이테를 늘려 가고 있을 탱자나무. 눈앞에 그 짙푸른 탱자나무를 떠올리고 있으면 부어오른 마음도 조금은 가라앉게 되는 것이다.

(탱자나무의 '가시'는 '꽃'과 '열매'를 지키고 보호하기 위한 것이라는 아버지의 말씀을 통해 '열매'를 얻기 위해서는 '가시'가 필요함을 깨달은 것을 말함 / 삶에 대한 불평과 원망 / 인생의 소중함에 대한 자각 / 가시로 인한 상처를 이겨내며 조금씩 성장해 가는 탱자나무 / 탱자나무를 떠올리며 삶의 고통을 성숙의 밑거름으로 삼으며 살아가다보면 고통으로 상처받은 마음이 가라앉는 경험을 함(삶의 고통을 치유해주는 탱자나무))

언젠가 탱자나무 울타리를 다시 지나게 된다면…… 아마도 나는 그사이에 더 굵어진 가시들을 조심조심 어루만지면서 무어라 중얼거릴 것이다. 그러고는 오래전에 잃어버린 탱자 한 알을 슬그머니 따서 주머니에 넣고는 그 푸른 울타리를 총총히 떠날 것이다. 만일 가시들 사이에서 키워 낸 그 향기로운 열매를 내게도 허락해 준다면.

(탱자나무 '가시'는 그 날카로움으로 스스로의 '꽃'을 상하게도 하지만 아름다운 '꽃'을 지키고 보호함으로써 결국 향기로운 '열매'를 맺게 함)

▸ 탱자나무를 통해 얻게 된 인생에 대한 깨달음

⊙ 핵심정리

갈래	경수필	성격	서정적, 회상적, 체험적, 교훈적
제재	탱자나무	성격	삶의 고통에 대한 인식의 변화와 깨달음
특징	• 구체적 사물에 빗대어 글의 주제를 제시함. • 일상적 경험으로부터 인생의 교훈을 이끌어 냄. • 소재의 의미를 구체화하기 위해 예시의 방법을 활용함.		

⊙ 어휘풀이

- **으레** 두말할 것 없이 당연히. 틀림없이 언제나.
- **탱자** 탱자나무의 열매. 향이 좋으며 약용하기도 한다.
- **소읍** 주민과 산물이 적고 땅이 작은 고을.
- **예사** 보통 있는 일.
- **웃자라** 쓸데없이 보통 이상으로 많이 자라 연약하게 되어.
- **겸허하게** 스스로 자신을 낮추고 비우는 태도가 있게.

확인학습

01 윗글은 유추의 방법을 통해 글의 주제를 제시한다. O□ X□

02 윗글은 글쓴이의 직접 서술을 통해 내용을 전개한다. O□ X□

03 우화를 제시하여 글쓴이가 처한 부정적 상황을 강조하고 있다. O□ X□

04 설의적 표현을 통해 글쓴이가 제시하려는 중심 소재의 가치를 강조하고 있다. O□ X□

05 사람들은 삶의 고통으로 인해 오래도록 괴로워하거나 삶 자체를 혐오하기도 한다. O□ X□

06 가시는 자기를 자키기 위해 생긴 것으로 그 가시로 남을 찔러 사람들로부터 외면당하는 고통을 겪기도 한다. O□ X□

07 글쓴이는 대상이 지닌 장단점을 대조하여 대상의 한계점을 분명히 지적하고 있다. O□ X□

08 글쓴이는 인생의 특별한 경험과 특이한 소재를 바탕으로 정서를 표현하고자 본인의 경험을 일반화하고 있다. O□ X□

09 글쓴이는 일상의 평범한 경험과 일상적인 소재를 바탕으로 깨달음을 얻어 일반화하고 있다. O□ X□

10 글쓴이는 고통을 겪으며 정신적으로 성장하게 된다고 말한다. O□ X□

객관식 기본문제

[01~04] 다음 글을 읽고 물음에 답하시오.

그러던 어느 날 탱자 꽃잎을 보다가 스스로의 가시에 찔린 흔적을 발견하게 되었다. 바람에 흔들리다가 제 가시에 쓸렸으리라. 스스로를 지키기 위해 주어진 가시가 때로는 스스로를 찌르기도 한다는 사실에 나는 알 수 없는 슬픔을 느꼈다. 그걸 어렴풋하게 느낄 무렵, 소읍에서의 내 유년은 끝나 가고 있었다. 〈중략〉

아무리 행복해 보이는 사람에게도 그를 괴롭히는 가시는 있기 마련이다. 어떤 사람에게는 용모나 육체적인 장애가 가시가 되기도 하고, 어떤 사람에게는 가난한 환경이 가시가 되기도 한다. 나약하고 내성적인 성격이 가시가 되기도 하고, 원하는 재능이 없다는 것이 가시가 되기도 한다. 그리고 그 가시 때문에 오래도록 괴로워하고 삶을 혐오하게 되기도 한다.

로트레크라는 화가는 부유한 귀족의 아들이었지만 사고로 인해 두 다리를 차례로 다쳤다. 그로 인해 다른 사람보다 다리가 자유롭지 못했고 다리 한쪽이 좀 짧았다고 한다. 다리 때문에 비관한 그는 방탕한 생활 끝에 결국 창녀촌에서 불우한 생을 마감했다. 그러나 그런 절망 속에서 그렸던 그림들은 아직까지 남아서 전해진다.

"내 다리 한쪽이 짧지 않았더라면 나는 그림을 그리지 않았을 것이다."라고 그는 말한 적이 있다. 그에게 있어서 가시는 바로 남들보다 약간 짧은 다리 한쪽이었던 것이다.

로트레크의 그림만이 아니라, 우리가 오래 고통 받아 온 것이 오히려 존재를 들어 올리는 힘이 되곤 하는 것을 겪곤 한다. 그러니 가시 자체가 무엇인가 하는 것은 그리 중요한 문제가 아닐지도 모른다. 어차피 뺄 수 없는 삶의 가시라면 그것을 어떻게 받아들이고 다스려 나가느냐가 더 중요하지 않을까 싶다. 그것마저 없었다면 우리는 인생이라는 잔을 얼마나 쉽게 마셔 버렸을 것인가. 인생의 소중함과 고통의 깊이를 채 알기도 전에 얼마나 웃자라 버렸을 것인가.

실제로 너무 아름답거나 너무 부유하거나 너무 강하거나 너무 재능이 많은 것이 오히려 삶을 망가뜨리는 경우를 자주 보게 된다. 그런 점에서 사람에게 주어진 고통, 그 날카로운 가시야말로 그를 참으로 겸허하게 만들어 줄 선물일 수도 있다. 그리고 뽑혀지기를 간절히 바라는 가시야말로 우리가 더 깊이 끌어안고 살아야 할 존재인지도 모른다.

㉠가시 박힌 상처가 벌겋게 부어올라 마음이 쉽게 가라앉지 않는 날, 나는 고향의 탱자나무 울타리를 떠올리곤 한다. 둥근 탱자를 손에 쥐고 다니던 그때, 탱자 가시로 장난을 치곤 하던 그때, 내 삶에 이런 가시들이 돋아나리라고는 짐작조차 할 수 없었던 그때……. ㉡그 평화롭던 유년의 울타리가 탱자나무로 되어 있었다는 사실이 내게는 어떤 전언처럼 받아들여진다.

내게 열매와 꽃과 가시를 처음으로 가르쳐 준 나무, 내가 살아가면서 ㉢잃어버려야 할 것과 ㉣지켜 가야 할 것을 동시에 보여 준 나무, 그러면서 나와 함께 좁은 나이테를 늘려가고 있을 탱자나무, ㉤눈앞에 그 짙푸른 탱자나무를 떠올리고 있으면 부어오른 마음도 조금은 가라앉게 되는 것이다.

01 윗글에 대한 설명으로 적절하지 않은 것은?

① 일상적 경험으로부터 인생의 교훈을 이끌어내고 있다.
② 두 대상의 속성을 대비하면서 글쓴이가 지향하는 가치를 드러내고 있다.
③ 주관적이고 개성적인 표현으로, 서술자가 작품 속에 명시적으로 드러나고 있다.
④ 역설적 표현을 통해 글쓴이가 제시하려는 중심 소재의 가치를 강조하고 있다.
⑤ 구체적인 사례를 제시하면서 글쓴이가 말하고자 하는 핵심 내용을 이끌어 내고 있다.

02 윗글에서 '가시'에 대한 글쓴이의 깨달음으로 적절하지 않은 것은?

① 사람을 겸허하게 만들어주는 존재
② 인생의 소중함을 알게 해 주는 대상
③ 아름답고 부유하고 재능이 많은 대상
④ 우리가 깊이 끌어안고 살아가야 할 존재
⑤ 성숙의 원동력이자 존재를 들어 올리는 힘

03 윗글을 읽고 난 학생의 반응으로 가장 적절한 것은?

① **우혁** : 글쓴이는 대상이 지닌 장단점을 대조하여 대상의 한계점을 분명히 지적하고 있어.
② **정용** : 글쓴이는 사람은 누구나 자신의 삶에 '가시'가 있어야만 행복한 삶을 누릴 수 있다고 말하고 있는 것 같아.
③ **수진** : 글쓴이는 인생의 특별한 경험과 특이한 소재를 바탕으로 정서를 표현하고자 본인의 경험을 일반화하고 있는 것 같아.
④ **민승** : 로트레크의 일화에서 그는 다리 때문에 불우한 생을 살았다고 했으므로 그는 결국 '가시'가 지닌 부정적 측면을 극복하지 못한 사람이야.
⑤ **희원** : 로트레크가 절망 속에서 그린 그림이 아직까지 남아 전해지는 것을 통해 삶의 고통을 긍정적으로 수용할 때 이것이 발전과 성숙의 원동력이 될 수 있다고 생각하고 있군.

04 ㉠~㉤에 대한 설명으로 적절하지 않은 것은?

① ㉠ : 삶의 고통으로 인해 심한 상처를 입었을 때를 비유적으로 표현하고 있다.
② ㉡ : 누구나 유년기를 벗어나면 가시를 갖게 될 수 밖에 없음을 역설적으로 표현하고 있다.
③ ㉢ : 삶에 대한 불평과 원망을 말한다.
④ ㉣ : 인생의 소중함에 대한 자각을 의미한다.
⑤ ㉤ : 탱자나무를 떠올리며 삶의 고통을 성숙의 밑거름으로 삼으며 살아가는 것을 의미한다.

[05~07] 다음 글을 읽고 물음에 답하시오.

지금도 고향, 하면 탱자의 시큼한 맛, 탱자처럼 노랗게 된 손바닥, 오래 남아 있던 탱자 냄새 같은 것이 먼저 떠오른다. 그리고 뾰족한 탱자 가시에 침을 발라 손바닥에도 붙이고 코에도 붙이고 놀던 생각이 난다. 가시를 붙인 손으로 악수하자고 해서 친구를 놀려 주던 놀이가 우리들 사이에 한창인 때도 있었다. 자그마한 소읍에서 자라나는 아이들이 할 수 있는 놀이란 고작 그런 것이었다.

그래서 탱자 가시에 찔리곤 하는 것이 예사였는데, 한 번은 가시 박힌 자리가 성이 나 손이 퉁퉁 부었던 적이 있다. 벌겋게 부어오른 상처를 보면서 나는 생각했다. 왜 탱자나무에는 가시가 있는 것일까. 그리고 찔레꽃, 장미꽃, 아카시아……. 가시를 가진 꽃이나 나무들을 차례로 꼽아 보았다. 그 가시들에는 아마 독이 들어 있을 거라고 혼자 멋대로 단정해 버리기도 했다.

얼마 후에 아버지는 내게 가르쳐 주셨다. 가시에 독이 있는 것은 아니고, 그저 아름다운 꽃과 열매를 지키기 위해 그런 나무들에는 가시가 있는 거라고. 다른 나무들은 가시 대신 냄새가 지독한 것도 있고, 나뭇잎이 아주 써서 먹을 수 없거나 열매에 독성이 있는 것도 있고, 모습이 아주 흉하게 생긴 것도 있고……. 이렇게 ㉠<u>살아 있는 생명에게는 자기를 지킬 수 있는 힘이 하나씩 주어져 있다고</u>.

㉡<u>그러던 어느 날 탱자 꽃잎을 보다가 스스로의 가시에 찔린 흔적을 발견하게 되었다</u>. 바람에 흔들리다가 제 가시에 쓸렸으리라. 스스로를 지키기 위해 주어진 가시가 때로는 스스로를 찌르기도 한다는 사실에 나는 알 수 없는 슬픔을 느꼈다. 그걸 어렴풋하게 느낄 무렵, 소읍에서의 내 유년은 끝나 가고 있었다.

언제부턴가 내 손에는 더 이상 둥글고 향긋한 탱자 열매가 들어있지 않게 되었다. 그 손에는 무거운 책가방과 영어 단어장이, 그 다음에는 누군가를 향해 던지는 돌멩이가, 때로는 술잔이 들려 있곤 했다. 친구나 애인의 따뜻한 손을 잡고 다니던 때도 없지는 않았지만, 그 후로 무거운 장바구니, 빨랫감, 행주나 걸레 같은 것을 들고 있을 때가 더 많았다.

생활의 짐은 한 번도 더 가벼워진 적이 없으며, 그러는 동안 내 속에는 날카로운 가시들이 자라나기 시작했다. 가시는 꽃과 나무에게만 있는 것이 아니었다. ㉢<u>세상에, 또는 스스로에게 수없이 찔리면서 사람은 누구나 제 속에 자라나는 가시를 발견하게 된다</u>. 한 번 심어지고 나면 쉽게 뽑아낼 수 없는 탱자나무 같은 것이 마음에 자리 잡고 있다는 것을, 뽑아내려고 몸부림칠수록 가시는 더 아프게 자신을 찔러 낸다는 것을 알게 되었다. 그 후로 내내 크고 작은 가시들이 나를 키웠다.

아무리 행복해 보이는 사람에게도 그를 괴롭히는 가시는 있기 마련이다. 어떤 사람에게는 용모나 육체적인 장애가 가시가 되기도 하고, 어떤 사람에게는 가난한 환경이 가시가 되기도 한다. 나약하고 내성적인 성격이 가시가 되기도 하고, 원하는 재능이 없다는 것이 가시가 되기도 한다. 그리고 그 가시 때문에 오래도록 괴로워하고 삶을 혐오하게 되기도 한다.

로트레크의 그림만이 아니라, 우리가 오래 고통 받아 온 것이 오히려 존재를 들어 올리는 힘이 되곤 하는 것을 겪곤 한다. 그러니 가시 자체가 무엇인가 하는 것은 그리 중요한 문제가 아닐지도 모른다. ㉣<u>어차피 뺄 수 없는 삶의 가시라면 그것을 어떻게 받아들이고 다스려 나가느냐가 더 중요하지 않을까 싶다</u>. 그것마저 없었다면 우리는 인생이라는 잔을 얼마나 쉽게 마셔 버렸을 것인가. 인생의 소중함과 고통의 깊이를 채 알기도 전에 얼마나 웃자라 버렸을 것인가.

실제로 너무 아름답거나 너무 부유하거나 너무 강하거나 너무 재능이 많은 것이 오히려 삶을 망가뜨리는 경우를 자주 보게 된다. 그런 점에서 사람에게 주어진 고통, 그 날카로운 가시야말로 그를 참으로 겸허하게 만들어 줄 선물일 수도 있다. 그리고 ㉤<u>뽑혀지기를 간절히 바라는 가시야말로 우리가 더 깊이 끌어안고 살아야 할 존재인지도 모른다</u>.

– 나희덕, 「내 유년의 울타리는 탱자나무였다」 –

05 윗글에 대한 설명으로 가장 적절한 것은?

① 대조의 방법을 통해 글의 주제를 제시한다.
② 글쓴이의 직접 서술을 통해 내용을 전개한다.
③ 분석적 통찰을 통해 현상의 의미를 밝힌다.
④ 반어적 진술을 통해 대상의 의미를 부각한다.
⑤ 단절의 이미지를 통해 화자의 내면을 드러낸다.

06 〈보기〉를 바탕으로 윗글을 이해한 내용으로 적절하지 않은 것은?

보기

윗글의 글쓴이는 일상생활 속에서 이루어지는 ⓐ사소한 경험을 ⓑ성찰의 계기로 만들어 삶에 대한 ⓒ깨달음을 얻고 있다.

① ⓐ는 글쓴이가 어린 시절에 탱자 가시를 가지고 놀다가 가시에 찔린 일화에서 출발한다.
② ⓐ는 성장기를 거치는 동안 삶의 과정에서 느끼는 고통의 문제로 확대되면서 ⓑ와 연결된다.
③ ⓑ의 과정에서 화자는 인간이 겪어야만 하는 보편적인 고통의 문제에 대한 사유를 드러낸다.
④ ⓑ를 거쳐 ⓒ에 도달하는 과정에서 화자는 고통에 대한 역설적 인식을 보여 준다.
⑤ ⓐ가 많으면 많을수록 ⓒ 또한 커진다.

07 〈보기〉는 윗글에 나타난 글쓴이의 사고 과정을 정리한 것이다. ㉠~㉤ 중, 빈칸에 들어갈 수 있는 내용끼리 바르게 묶인 것은?

보기

'가시'에 대한 새로운 인식
• 존재를 들어 올리는 힘이 됨 • 인생의 소중함과 고통의 깊이를 알게 함 • 사람을 겸허하게 만들어 줌

↓

바람직한 삶의 태도
• 교훈 : ____________________ ____________________

① ㉠, ㉡ ② ㉠, ㉢ ③ ㉡, ㉣ ④ ㉢, ㉣ ⑤ ㉣, ㉤

[08~11] 다음 글을 읽고 물음에 답하시오.

어린 시절 내 손에는 ⓐ으레 탱자 한두 개가 쥐어져 있고는 했다. 탱자가 물렁물렁해질 때까지 쥐고 다니는 버릇이 있어서 내 손에서는 늘 탱자 냄새가 났었다. 크고 노랗게 잘 익은 것은 먹기도 했지만, 아이들은 먹지도 못할 푸르스름한 탱자들을 일없이 따다가 아무 데나 던져 놓고는 했다. 나 역시 그런 아이들 중 하나였는데, 그렇게 따도 따도 탱자가 남아돌 만큼 내가 살던 마을에는 집집마다 탱자나무 울타리가 많았다.

지금도 고향, 하면 탱자의 시큼한 맛, 탱자처럼 노랗게 된 손바닥, 오래 남아 있던 탱자 냄새 같은 것이 먼저 떠오른다. 그리고 뾰족한 탱자 가시에 침을 발라 손바닥에도 붙이고 코에도 붙이고 놀던 생각이 난다. 가시를 붙인 손으로 악수하자고 해서 친구를 놀려 주던 놀이가 우리들 사이에 한창인 때도 있었다. 자그마한 소읍에서 자라나는 아이들이 할 수 있는 놀이란 고작 그런 것이었다.

그래서 탱자 가시에 찔리곤 하는 것이 예사였는데, 한 번은 가시 박힌 자리가 성이 나 손이 퉁퉁 부었던 적이 있다. 벌겋게 부어오른 상처를 보면서 나는 생각했다. 왜 탱자나무에는 가시가 있는 것일까. 그리고 찔레꽃, 장미꽃, 아카시아……. 가시를 가진 꽃이나 나무들을 차례로 꼽아 보았다. 그 가시들에는 아마 독이 들어 있을 거라고 혼자 멋대로 단정해 버리기도 했다.

얼마 후에 아버지는 내게 가르쳐 주셨다. 가시에 독이 있는 것은 아니고, 그저 아름다운 꽃과 열매를 지키기 위해 그런 나무들에는 ㉮가시가 있는 거라고. 다른 나무들은 가시 대신 냄새가 지독한 것도 있고, 나뭇잎이 아주 써서 먹을 수 없거나 열매에 독성이 있는 것도 있고, 모습이 아주 흉하게 생긴 것도 있고……. 이렇게 살아 있는 생명에게는 자기를 지킬 수 있는 힘이 하나씩 주어져 있다고.

그러던 어느 날 탱자 꽃잎을 보다가 스스로의 가시에 찔린 흔적을 발견하게 되었다. 바람에 흔들리다가 제 가시에 쓸렸으리라. 스스로를 지키기 위해 주어진 가시가 때로는 스스로를 찌르기도 한다는 사실에 나는 알 수 없는 슬픔을 느꼈다. 그걸 어렴풋하게 느낄 무렵, 소읍에서의 내 유년은 끝나 가고 있었다.

언제부턴가 내 손에는 더 이상 둥글고 향긋한 탱자 열매가 들어있지 않게 되었다. 그 손에는 무거운 책가방과 영어 단어장이, 그 다음에는 누군가를 향해 던지는 돌멩이가, 때로는 술잔이 들려 있곤 했다. 친구나 애인의 따뜻한 손을 잡고 다니던 때도 없지는 않았지만, 그 후로 무거운 장바구니, 빨랫감, 행주나 걸레 같은 것을 들고 있을 때가 더 많았다.

생활의 짐은 한 번도 더 가벼워진 적이 없으며, 그러는 동안 내 속에는 날카로운 가시들이 자라나기 시작했다. 가시는 꽃과 나무에게만 있는 것이 아니었다. 세상에, 또는 스스로에게 수없이 찔리면서 사람은 누구나 제 속에 자라나는 ㉯가시를 발견하게 된다. 한 번 심어지고 나면 쉽게 뽑아낼 수 없는 탱자나무 같은 것이 마음에 자리 잡고 있다는 것을, 뽑아내려고 몸부림칠수록 가시는 더 아프게 자신을 찔러 낸다는 것을 알게 되었다. 그 후로 내내 크고 작은 가시들이 나를 키웠다.

아무리 행복해 보이는 사람에게도 그를 괴롭히는 가시는 있기 마련이다. 어떤 사람에게는 용모나 육체적인 장애가 가시가 되기도 하고, 어떤 사람에게는 가난한 환경이 가시가 되기도 한다. 나약하고 내성적인 성격이 가시가 되기도 하고, 원하는 재능이 없다는 것이 가시가 되기도 한다. 그리고 그 가시 때문에 오래도록 괴로워하고 삶을 혐오하게 되기도 한다.

로트레크라는 화가는 부유한 귀족의 아들이었지만 사고로 인해 두 다리를 차례로 다쳤다. 그로 인해 다른 사람보다 다리가 자유롭지 못했고 다리 한쪽이 좀 짧았다고 한다. 다리 때문에 비관한 그는 방탕한 생활 끝에 결국 창녀촌에서 불우한 생을 마감했다. 그러나 그런 절망 속에서 그렸던 그림들은 아직까지 남아서 전해진다.

"내 다리 한쪽이 짧지 않았더라면 나는 그림을 그리지 않았을 것이다."라고 그는 말한 적이 있다. 그에게 있어서 가시는 바로 남들보다 약간 짧은 다리 한쪽이었던 것이다.

로트레크의 그림만이 아니라, 우리가 오래 고통받아 온 것이 오히려 존재를 들어 올리는 힘이 되곤 하는 것을 겪곤 한다. 그러니 가시 자체가 무엇인가 하는 것은 그리 중요한 문제가 아닐지도 모른다. 어차피 뺄 수 없는 삶의 가시라면 그것을 어떻게 받아들이고 다스려 나가느냐가 더 중요하지 않을까 싶다. 그것마저 없었다면 우리는 인생이라는 잔을 얼마나 쉽게 마셔 버렸을 것인가. 인생의 소중함과 고통의 깊이를 채 알기도 전에 얼마나 ⓑ웃자라 버렸을 것인가.

실제로 너무 아름답거나 너무 부유하거나 너무 강하거나 너무 재능이 많은 것이 오히려 삶을 망가뜨리는 경우를 자주 보게 된다. 그런 점에서 사람에게 주어진 고통, 그 날카로운 가시야말로 그를 참으로 ⓒ겸허하게 만들어 줄 선물일 수도 있다. 그리고 뽑혀지기를 간절히 바라는 가시야말로 우리가 더 깊이 끌어안고 살아야 할 존재인지도 모른다.

가시 박힌 상처가 벌겋게 부어올라 마음이 쉽게 가라앉지 않는 날, 나는 고향의 탱자나무 울타리를 떠올리곤 한다. 둥근 탱자를 손에 쥐고 다니던 그때, 탱자 가시로 장난을 치곤 하던 그때, 내 삶에 이런 가시들이 돋아나리라고는 짐작조차 할 수 없었던 그때……. 그 평화롭던 유년의 울타리가 탱자나무로 되어 있었다는 사실이 내게는 어떤 ⓓ전언처럼 받아들여진다.

내게 열매와 꽃과 가시를 처음으로 가르쳐 준 나무. 내가 살아가면서 잃어버려야 할 것과 지켜 가야 할 것을 동시에 보여준 나무. 그러면서 나와 함께 좁은 나이테를 늘려가고 있을 탱자나무. 눈앞에 그 짙푸른 탱자나무를 떠올리고 있으면 부어오른 마음도 조금은 가라앉게 되는 것이다.

언젠가 탱자나무 울타리를 다시 지나게 된다면……. 아마도 나는 그 사이에 더 굵어진 가시들을 조심조심 어루만지면서 무어라 중얼거릴 것이다. 그리고는 오래 전에 잃어버린 탱자 한 알을 슬그머니 따서 주머니에 넣고는 그 푸른 울타리를 ⓔ총총히 떠날 것이다. 만일 가시들 사이에서 키워 낸 그 향기로운 열매를 내게도 허락해 준다면.

---

08 윗글의 중심 내용으로 가장 적절한 것은?

① 삶의 여정에 따라 자연스럽게 쌓여진 경험과 성숙함
② 시련과 고통 속에서 깨달은 삶의 교훈
③ 성인이 되어서도 남아있는 유년의 고통과 상처
④ 성장 과정에서 새롭게 발견한 행복감
⑤ 어린 시절의 놀이를 통해 깨달은 삶의 의미

09 밑줄 친 ㉮, ㉯의 '가시'에 대한 설명으로 가장 적절한 것은?

① ㉮에는 '자기 방어'의 의미가, ㉯에는 '내적 시련'의 의미가 함축되어 있다.
② ㉮에는 '외적 공격 수단'의 의미가, ㉯에는 '정신적 성숙함'의 의미가 함축되어 ㅆ다.
③ ㉮에는 '자아 공격'의 의미가, ㉯에는 '자기 보호'의 의미가 함축되어 있다.
④ ㉮, ㉯ 모두에 '외적 시련'의 의미가 함축되어 있다.
⑤ ㉮, ㉯ 모두에 '정신적 성숙함'의 의미가 함축되어 있다.

10 윗글에 나타난 '고향'의 모습을 영상물로 제작한다고 할 때, 적절하지 않은 것은?

① 손이 노랗게 변하도록 잘 익은 탱자를 손에 쥐고 주무르며 노는 아이들
② 집집마다 탱자나무 울타리가 울창하게 쳐 있는 마을길을 오가는 아이들
③ 친구들과 목말을 타고 덜 익은 탱자를 따다가 가시에 찔려 손이 퉁퉁 부은 아이들
④ 탱자 가시에 침을 발라 몸의 군데군데에 붙이는 놀이에 몰두하는 아이들
⑤ 탱자 가시를 손에 감추고 장난기 어린 얼굴로 악수를 청하며 친구를 놀려 주는 아이들

11 ⓐ~ⓔ의 의미를 풀이한 것으로 적절하지 않은 것은?

① ⓐ으레 - 두말할 것 없이 당연히, 틀림없이 언제나
② ⓑ웃자라 - 철없이 웃으며 시간을 보냄
③ ⓒ겸허하게 - 스스로 자신을 낮추고 비우는 태도가 있게
④ ⓓ전언 - 전해주는 말
⑤ ⓔ총총히 - 바쁘게, 급하게

[12~15] 다음 글을 읽고 물음에 답하시오.

그래서 탱자 가시에 찔리곤 하는 것이 예사였는데, 한 번은 가시 박힌 자리가 성이 나 손이 퉁퉁 부었던 적이 있다. 벌겋게 부어오른 상처를 보면서 ㉠나는 생각했다. 왜 탱자나무에는 가시가 있는 것일까. 그리고 찔레꽃, 장미꽃, 아카시아……. 가시를 가진 꽃이나 나무들을 차례로 꼽아 보았다. 그 가시들에는 아마 독이 들어 있을 거라고 혼자 멋대로 단정해 버리기도 했다.

얼마 후에 아버지는 내게 가르쳐 주셨다. 가시에 독이 있는 것은 아니고, 그저 아름다운 꽃과 열매를 지키기 위해 그런 나무들에는 가시가 있는 거라고. 다른 나무들은 가시 대신 냄새가 지독한 것도 있고, 나뭇잎이 아주 써서 먹을 수 없거나 열매에 독성이 있는 것도 있고, 모습이 아주 흉하게 생긴 것도 있고……. 이렇게 살아 있는 생명에게는 자기를 지킬 수 있는 힘이 하나씩 주어져 있다고.

그러던 어느 날 탱자 꽃잎을 보다가 스스로의 가시에 찔린 흔적을 발견하게 되었다. 바람에 흔들리다가 제 가시에 쓸렸으리라. 스스로를 지키기 위해 주어진 가시가 때로는 스스로를 찌르기도 한다는 사실에 나는 알 수 없는 슬픔을 느꼈다. 그걸 어렴풋하게 느낄 무렵, 소읍에서의 내 유년은 끝나 가고 있었다.

언제부턴가 내 손에는 더 이상 둥글고 향긋한 탱자 열매가 들어있지 않게 되었다. 그 손에는 무거운 책가방과 영어 단어장이, 그 다음에는 누군가를 향해 던지는 돌멩이가, 때로는 술잔이 들려 있곤 했다. 친구나 애인의 따뜻한 손을 잡고 다니던 때도 없지는 않았지만, 그 후로 무거운 장바구니, 빨랫감, 행주나 걸레 같은 것을 들고 있을 때가 더 많았다.

생활의 짐은 한 번도 더 가벼워진 적이 없으며, 그러는 동안 내 속에는 날카로운 가시들이 자라나기 시작했다. 가시는 꽃과 나무에게만 있는 것이 아니었다. 세상에, 또는 스스로에게 수없이 찔리면서 사람은 누구나 제 속에 자라나는 가시를 발견하게 된다. 한 번 심어지고 나면 쉽게 뽑아낼 수 없는 탱자나무 같은 것이 마음에 자리 잡고 있다는 것을, 뽑아내려고 몸부림칠수록 가시는 더 아프게 자신을 찔러 낸다는 것을 알게 되었다. 그 후로 내내 크고 작은 가시들이 나를 키웠다.

아무리 행복해 보이는 사람에게도 그를 괴롭히는 가시는 있기 마련이다. 어떤 사람에게는 ⓐ용모나 육체적인 장애가 가시가 되기도 하고, 어떤 사람에게는 가난한 환경이 가시가 되기도 한다. 나약하고 내성적인 성격이 가시가 되기도 하고, ⓑ원하는 재능이 없다는 것이 가시가 되기도 한다. 그리고 그 가시 때문에 오래도록 괴로워하고 삶을 혐오하게 되기도 한다.

로트레크라는 화가는 부유한 귀족의 아들이었지만 사고로 인해 두 다리를 차례로 다쳤다. 그로 인해 다른 사람보다 ⓒ다리가 자유롭지 못했고 다리 한쪽이 좀 짧았다고 한다. 다리 때문에 비관한 그는 방탕한 생활 끝에 결국 불우한 생을 마감했다. 그러나 그런 절망 속에서 그렸던 그림들은 아직까지 남아서 전해진다.

"내 다리 한쪽이 짧지 않았더라면 나는 그림을 그리지 않았을 것이다." 라고 그는 말한 적이 있다. 그에게 있어서 가시는 바로 남들보다 약간 짧은 다리 한쪽이었던 것이다.

로트레크의 그림만이 아니라, ⓓ우리가 오래 고통받아 온 것이 오히려 존재를 들어 올리는 힘이 되곤 하는 것을 겪곤 한다. 그러니 가시 자체가 무엇인가 하는 것은 그리 중요한 문제가 아닐지도 모른다. 어차피 뺄 수 없는 삶의 가시라면 그것을 어떻게 받아들이고 다스려 나가느냐가 더 중요하지 않을까 싶다. 그것마저 없었다면 우리는 인생이라는 잔을 얼마나 쉽게 마셔 버렸을 것인가. 인생의 소중함과 고통의 깊이를 채 알기도 전에 얼마나 웃자라 버렸을 것인가.

ⓔ실제로 너무 아름답거나 너무 부유하거나 너무 강하거나 너무 재능이 많은 것이 오히려 삶을 망가뜨리는 경우를 자주 보게 된다. 그런 점에서 사람에게 주어진 고통, 그 날카로운 가시야말로 그를 참으로 겸허하게 만들어 줄 선물일 수도 있다. 그리고 뽑혀지기를 간절히 바라는 가시야말로 우리가 더 깊이 끌어안고 살아야 할 존재인지도 모른다.

12 작문 시 글쓴이가 고려한 사항이 아닌 것은?

① 대상에 대한 깨달음의 과정을 제시함
② 일상경험에서 삶의 교훈을 이끌어 냄
③ 장단점을 부각하여 대상의 의미를 다양화함
④ 구체적인 예를 통해 소재의 의미를 구체화함
⑤ 어린 시절 '가시'에 대한 기억을 바탕으로 전개함

13 밑줄 친 ㉠에 대한 설명으로 알맞은 것은?

① 허구적으로 창조해 낸 인물임
② 과거를 지향하며 현재를 부정적으로 인식함
③ 노년에 이르러 과거를 회상하며 향수에 젖어있음
④ 삶의 고통에 괴로워하며 삶에 대해 혐오하고 있음
⑤ 구체적인 삶의 경험을 통해 대상에 의미를 부여하고 있음

14 ⓐ~ⓔ 중 의미가 다른 것은?

① ⓐ ② ⓑ ③ ⓒ ④ ⓓ ⑤ ⓔ

15 이 글에 나타난 글쓴이의 생각으로 적절하지 않은 것은?

① 삶의 고통이 없는 사람이 더 성공할 수 있음
② 삶의 고통은 인생의 소중함을 알게 해 줌
③ 삶의 고통은 피하려고 할수록 더 깊어짐
④ 고통을 겪으며 정신적으로 성장하게 됨
⑤ 삶의 고통은 누구에게나 있음

객관식 심화문제

[01~04] 다음 글을 읽고 물음에 답하시오.

언제부턴가 내 손에는 더 이상 둥글고 향긋한 탱자 열매가 들어 있지 않게 되었다. 그 손에는 무거운 책가방과 영어 단어장이, 그다음에는 누군가를 향해 던지는 돌멩이가, 때로는 술잔이 들려 있곤 했다. 친구나 애인의 따뜻한 손을 잡고 다니던 때도 없지는 않았지만, 그 후로 무거운 장바구니, 빨랫감, 행주나 걸레 같은 것을 들고 있을 때가 더 많았다.

생활의 짐은 한 번도 더 가벼워진 적이 없으며, 그러는 동안 내 속에는 날카로운 가시들이 자라나기 시작했다. 가시는 꽃과 나무에게만 있는 것이 아니었다. 세상에, 또는 스스로에게 수없이 찔리면서 사람은 누구나 제 속에 자라나는 가시를 발견하게 된다. 한 번 심어지고 나면 쉽게 뽑아낼 수 없는 탱자나무 같은 것이 마음에 자리 잡고 있다는 것을, 뽑아내려고 몸부림칠수록 가시는 더 아프게 자신을 찔러 낸다는 것을 알게 되었다. 그 후로 내내 크고 작은 가시들이 나를 키웠다.

아무리 행복해 보이는 사람에게도 그를 괴롭히는 가시는 있기 마련이다. 어떤 사람에게는 용모나 육체적인 장애가 가시가 되기도 하고, 어떤 사람에게는 가난한 환경이 가시가 되기도 한다. 나약하고 내성적인 성격이 가시가 되기도 하고, 원하는 재능이 없다는 것이 가시가 되기도 한다. 그리고 그 가시 때문에 오래도록 괴로워하고 삶을 혐오하게 되기도 한다.

로트레크라는 화가는 부유한 귀족의 아들이었지만 사고로 인해 두 다리를 차례로 다쳤다. 그로 인해 다른 사람보다 다리가 자유롭지 못했고 다리 한쪽이 좀 짧았다고 한다. 다리 때문에 비관한 그는 방탕한 생활 끝에 결국 창녀촌에서 불우한 생을 마감했다. 그러나 그런 절망 속에서 그렸던 그림들은 아직까지 남아서 전해진다.

"내 다리 한쪽이 짧지 않았더라면 나는 그림을 그리지 않았을 것이다."라고 그는 말한 적이 있다. 그에게 있어서 가시는 바로 남들보다 약간 짧은 다리 한쪽이었던 것이다.

로트레크의 그림만이 아니라, ㉠<u>우리가 오래 고통받아 온 것이 오히려 존재를 들어 올리는 힘이 되곤 하는 것을 겪곤 한다</u>. 그러니 가시 자체가 무엇인가 하는 것은 그리 중요한 문제가 아닐지도 모른다. ㉡<u>어차피 뺄 수 없는 삶의 가시라면 그것을 어떻게 받아들이고 다스려 나가느냐가 더 중요하지 않을까 싶다</u>. 그것마저 없었다면 우리는 인생이라는 잔을 얼마나 쉽게 마셔 버렸을 것인가. 인생의 소중함과 고통의 깊이를 채 알기도 전에 얼마나 웃자라 버렸을 것인가.

실제로 너무 아름답거나 너무 부유하거나 너무 강하거나 너무 재능이 많은 것이 오히려 삶을 망가뜨리는 경우를 자주 보게 된다. 그런 점에서 사람에게 주어진 고통, 그 날카로운 가시야말로 ㉢<u>그를 참으로 겸허하게 만들어 줄 선물일 수도 있다</u>. 그리고 ㉣<u>뽑혀지기를 간절히 바라는 가시야말로 우리가 더 깊이 끌어안고 살아야 할 존재인지도 모른다</u>.

가시 박힌 상처가 벌겋게 부어올라 마음이 쉽게 가라앉지 않는 날, 나는 고향의 탱자나무 울타리를 떠올리곤 한다. 둥근 탱자를 손에 쥐고 다니던 그때, 탱자 가시로 장난을 치곤 하던 그때, 내 삶에 이런 가시들이 돋아나리라고는 짐작조차 할 수 없었던 그때……. ㉤<u>그 평화롭던 유년의 울타리가 탱자나무로 되어 있었다는 사실</u>이 내게는 어떤 전언처럼 받아들여진다.

내게 열매와 꽃과 가시를 처음으로 가르쳐 준 나무. 내가 살아가면서 잃어버려야 할 것과 지켜 가야 할 것을 동시에 보여준 나무. 그러면서 나와 함께 좁은 나이테를 늘려가고 있을 탱자나무. 눈앞에 그 짙푸른 탱자나무를 떠올리고 있으면 부어오른 마음도 조금은 가라앉게 되는 것이다.

언젠가 탱자나무 울타리를 다시 지나게 된다면……. 아마도 나는 그 사이에 더 굵어진 가시들을 조심조심 어루만지면서 무어라 중얼거릴 것이다. 그러고는 오래 전에 잃어버린 탱자 한 알을 슬그머니 따서 주머니에 넣고는 그 푸른 울타리를 총총히 떠날 것이다. 만일 가시들 사이에서 키워 낸 그 향기로운 열매를 내게도 허락해 준다면.

01 윗글에 대한 설명으로 적절한 것끼리 바르게 묶인 것은?

ㄱ. 우화를 제시하여 글쓴이가 처한 부정적 상황을 강조하고 있다.
ㄴ. 설의적 표현을 통해 글쓴이가 제시하려는 중심 소재의 가치를 강조하고 있다.
ㄷ. 대상들의 속성을 대비하면서 글쓴이가 지향하는 가치를 드러내고 있다.
ㄹ. 구체적인 사례를 제시하면서 글쓴이가 말하고자 하는 핵심 내용을 이끌어 내고 있다.
ㅁ. 객관적인 관찰을 바탕으로 글이 전개되고 있다.
ㅂ. 구체적인 사물에 빗대어 글의 주제를 제시하고 있다.

① ㄱ, ㄴ, ㄷ　② ㄱ, ㄷ, ㅁ　③ ㄴ, ㄹ, ㅂ　④ ㄴ, ㄷ, ㅂ　⑤ ㄷ, ㄹ, ㅁ

02 윗글을 읽고 〈보기〉의 글과 대조되는 특징에 대해 설명한 것으로 바른 것은?

보기

남도 여행길에 한적한 마을 울타리에서 만난 탱자나무는 내게 참 별스러운 나무였다. 이런 나무에 탱자가 열린다 생각하니 어딘가 어울리지 않는 느낌이었다. 우선 눈에 들어오는 것이 온몸을 감싸고 있는 가시들이었다. 집 주위를 빙 둘러싸고 있어 누군가를 방어하기에는 적당한 나무였다.

– 학생의 글 –

① 〈보기〉가 개인적 경험에 대한 성찰을 담고 있는 글이라면 윗글은 사회 · 문화적 상황에 대한 성질을 담고 있다.
② 〈보기〉가 일상의 경험에서 찾은 가치를, 윗글은 공동체의 사회 · 문화적 가치를 담아내고 있다.
③ 〈보기〉가 삶의 환경에 대한 비판적 인식을, 윗글은 삶의 환경에 대한 반성적 인식을 드러내고 있다.
④ 〈보기〉가 경험한 사실을 묘사를 통해 사실적으로 그려내었다면, 윗글은 묘사와 대화를 통해 사실감과 생동감을 드러내고 있다.
⑤ 〈보기〉가 경험한 내용을 사실적으로 전송하는 데 그쳤다면 윗글을 경험한 내용을 사실적인 진술에 그치지 않고 성찰을 바탕으로 얻은 깨달음을 드러내고 있다.

03 윗글에 나타난 글쓴이의 생각으로 적절하지 않은 것은?

① 일상적인 삶의 부담으로 마음속에 가시가 자라난다.
② 삶의 고통은 그것을 부정하면 부정할수록 더욱 피할 수 없는 고통으로 다가온다.
③ 사람들은 삶의 고통으로 인해 오래도록 괴로워하거나 삶 자체를 혐오하기도 한다.
④ 너무 많은 것을 갖추고 있어 고통을 전혀 모르고 살아가는 사람은 자만에 빠져 삶을 그르칠 수 있다.
⑤ 가시는 자기를 자키기 위해 생긴 것으로 그 가시로 남을 찔러 사람들로부터 외면당하는 고통을 겪기도 한다.

04 〈보기〉는 윗글에 나타난 글쓴이의 사고 과정을 정리한 것이다. ㉠~㉤ 중, 빈칸에 들어갈 수 있는 내용끼리 바르게 묶은 것은?

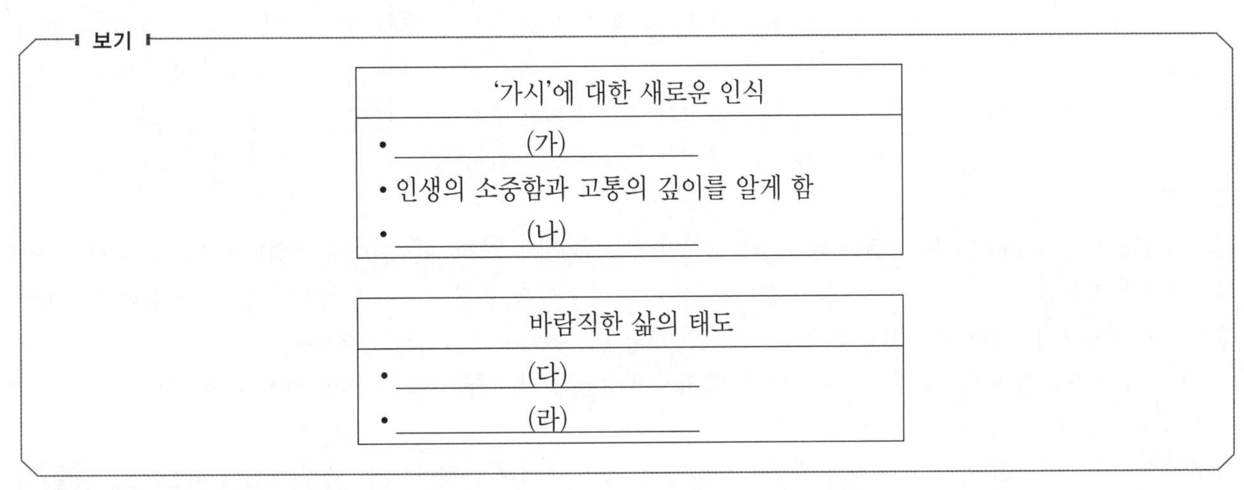
보기

'가시'에 대한 새로운 인식
• ______(가)______
• 인생의 소중함과 고통의 깊이를 알게 함
• ______(나)______

바람직한 삶의 태도
• ______(다)______
• ______(라)______

① (가)-㉠ (나)-㉡ (다)-㉢ (라)-㉣
② (가)-㉠ (나)-㉢ (다)-㉡ (라)-㉣
③ (가)-㉠ (나)-㉣ (다)-㉢ (라)-㉤
④ (가)-㉡ (나)-㉢ (다)-㉣ (라)-㉤
⑤ (가)-㉡ (나)-㉠ (다)-㉢ (라)-㉤

[05~08] 다음 글을 읽고 물음에 답하시오.

(가) 어린 시절 내 손에는 으레 탱자 한두 개가 쥐어져 있고는 했다. 탱자가 물렁물렁해질 때까지 쥐고 다니는 버릇이 있어서 내 손에서는 늘 탱자 냄새가 났었다. 크고 노랗게 잘 익은 것은 먹기도 했지만, 아이들은 먹지도 못할 푸르스름한 탱자들을 일없이 따다가 아무 데나 던져 놓고는 했다. 나 역시 그런 아이들 중 하나였는데, 그렇게 따도 따도 탱자가 남아돌 만큼 내가 살던 마을에는 집집마다 탱자나무 울타리가 많았다.

지금도 고향, 하면 탱자의 시큼한 맛, 탱자처럼 노랗게 된 손바닥, 오래 남아 있던 탱자 냄새 같은 것이 먼저 떠오른다. 그리고 뾰족한 탱자 가시에 침을 발라 손바닥에도 붙이고 코에도 붙이고 놀던 생각이 난다. 가시를 붙인 손으로 악수하자고 해서 친구를 놀려 주던 놀이가 우리들 사이에 한창인 때도 있었다. 자그마한 소읍에서 자라나는 아이들이 할 수 있는 놀이란 고작 그런 것이었다.

그래서 탱자 가시에 찔리곤 하는 것이 예사였는데, 한 번은 가시 박힌 자리가 성이 나 손이 퉁퉁 부었던 적이 있다. 벌겋게 부어오른 상처를 보면서 나는 생각했다. 왜 탱자나무에는 가시가 있는 것일까. 그리고 찔레꽃, 장미꽃, 아카시아……. 가시를 가진 꽃이나 나무들을 차례로 꼽아 보았다. 그 가시들에는 아마 독이 들어 있을 거라고 혼자 멋대로 단정해 버리기도 했다.

얼마 후에 아버지는 내게 가르쳐 주셨다. 가시에 독이 있는 것은 아니고, 그저 아름다운 꽃과 열매를 지키기 위해 그런 나무들에는 가시가 있는 거라고. 다른 나무들은 가시 대신 냄새가 지독한 것도 있고, 나뭇잎이 아주 써서 먹을 수 없거나 열매에 독성이 있는 것도 있고, 모습이 아주 흉하게 생긴 것도 있고……. 이렇게 살아 있는 생명에게는 자기를 지킬 수 있는 힘이 하나씩 주어져 있다고.

그러던 어느 날 탱자 꽃잎을 보다가 스스로의 가시에 찔린 흔적을 발견하게 되었다. 바람에 흔들리다가 제 가시에 쓸렸으리라. 스스로를 지키기 위해 주어진 가시가 때로는 스스로를 찌르기도 한다는 사실에 나는 알 수 없는 슬픔을 느꼈다. 그걸 어렴풋하게 느낄 무렵, 소읍에서의 내 유년은 끝나 가고 있었다.

언제부턴가 내 손에는 더 이상 둥글고 향긋한 탱자 열매가 들어있지 않게 되었다. 그 손에는 무거운 책가방과 영어 단어장이, 그 다음에는 누군가를 향해 던지는 돌멩이가, 때로는 술잔이 들려 있곤 했다. 친구나 애인의 따뜻한 손을 잡고 다니던 때도 없지는 않았지만, 그 후로 무거운 장바구니, 빨랫감, 행주나 걸레 같은 것을 들고 있을 때가 더 많았다.

생활의 짐은 한 번도 더 가벼워진 적이 없으며, 그러는 동안 내 속에는 날카로운 가시들이 자라나기 시작했다. 가시는 꽃과 나무에게만 있는 것이 아니었다. 세상에, 또는 스스로에게 수없이 찔리면서 사람은 누구나 제 속에 자라나는 가시를 발견하게 된다. 한 번 심어지고 나면 쉽게 뽑아낼 수 없는 탱자나무 같은 것이 마음에 자리 잡고 있다는 것을, 뽑아내려고 몸부림칠수록 가시는 더 아프게 자신을 찔러 낸다는 것을 알게 되었다. 그 후로 내내 크고 작은 가시들이 나를 키웠다.

아무리 행복해 보이는 사람에게도 그를 괴롭히는 가시는 있기 마련이다. 어떤 사람에게는 ⓐ<u>용모나 육체적인 장애</u>가 가시가 되기도 하고, 어떤 사람에게는 ⓑ<u>가난한 환경</u>이 가시가 되기도 한다. ⓒ<u>나약하고 내성적인 성격</u>이 가시가 되기도 하고, ⓓ<u>원하는 재능이 없다는 것</u>이 가시가 되기도 한다. 그리고 그 가시 때문에 오래도록 괴로워하고 삶을 혐오하게 되기도 한다.

로트레크라는 화가는 ⓔ<u>부유한 귀족의 아들</u>이었지만 사고로 인해 두 다리를 차례로 다쳤다. 그로 인해 다른 사람보다 다리가 자유롭지 못했고 다리 한쪽이 좀 짧았다고 한다. 다리 때문에 비관한 그는 방탕한 생활 끝에 결국 창녀촌에서 불우한 생을 마감했다. 그러나 그런 절망 속에서 그렸던 그림들은 아직까지 남아서 전해진다.

"내 다리 한쪽이 짧지 않았더라면 나는 그림을 그리지 않았을 것이다."라고 그는 말한 적이 있다. 그에게 있어서 가시는 바로 남들보다 약간 짧은 다리 한쪽이었던 것이다.

로트레크의 그림만이 아니라, 우리가 오래 고통받아 온 것이 오히려 존재를 들어 올리는 힘이 되곤 하는 것을 겪곤 한다. 그러니 가시 자체가 무엇인가 하는 것은 그리 중요한 문제가 아닐지도 모른다. 어차피 뺄 수 없는 삶의 가시라면 그것을 어떻게 받아들이고 다스려 나가느냐가 더 중요하지 않을까 싶다. 그것마저 없었다면 우리는 인생이라는 잔을 얼마나 쉽게 마셔 버렸을 것인가. 인생의 소중함과 고통의 깊이를 채 알기도 전에 얼마나 웃자라 버렸을 것인가.

실제로 너무 아름답거나 너무 부유하거나 너무 강하거나 너무 재능이 많은 것이 오히려 삶을 망가뜨리는 경우를 자주 보게 된다. 그런 점에서 사람에게 주어진 고통, 그 날카로운 가시야말로 그를 참으로 겸허하게 만들어 줄 선물일 수도 있다. 그리고 뽑혀지기를 간절히 바라는 가시야말로 우리가 더 깊이 끌어안고 살아야 할 존재인지도 모른다.

가시 박힌 상처가 벌겋게 부어올라 마음이 쉽게 가라앉지 않는 날, 나는 고향의 탱자나무 울타리를 떠올리곤 한다. 둥근 탱자를 손에 쥐고 다니던 그때, 탱자 가시로 장난을 치곤 하던 그때, 내 삶에 이런 가시들이 돋아나리라고는 짐작조차 할 수 없었던 그때……. 그 평화롭던 유년의 울타리가 탱자나무로 되어 있었다는 사실이 내게는 어떤 전언처럼 받아들여진다.

내게 열매와 꽃과 가시를 처음으로 가르쳐 준 나무. 내가 살아가면서 잃어버려야 할 것과 지켜 가야 할 것을 동시에 보여준 나무. 그러면서 나와 함께 좁은 나이테를 늘려가고 있을 탱자나무. 눈앞에 그 짙푸른 탱자나무를 떠올리고 있으면 부어오른 마음도 조금은 가라앉게 되는 것이다.

언젠가 탱자나무 울타리를 다시 지나게 된다면……. 아마도 나는 그 사이에 더 굵어진 가시들을 조심조심 어루만지면서 무어라 중얼거릴 것이다. 그리고는 오래 전에 잃어버린 탱자 한 알을 슬그머니 따서 주머니에 넣고는 그 푸른 울타리를 총총히 떠날 것이다. 만일 가시들 사이에서 키워 낸 그 향기로운 열매를 내게도 허락해 준다면.

(나)
늦은 밤 선잠에서 깨어
현관문 열리는 소리에
부시시한 얼굴
아들, 밥은 먹었느냐

피곤하니 쉬어야겠다며
짜증 섞인 말투로
방문 휙 닫고 나면
들고 오는 과일 한 접시

엄마도 소녀일 때가
엄마도 나만할 때가
엄마도 아리따웠던 때가 있었겠지

그 모든 걸 다 버리고
세상에서 가장 강한 존재
엄마,
엄마로 산다는 것은
아프지 말거라, 그거면 됐다

– 이설아, 「엄마로 산다는 것은」 –

05 위의 (가)와 (나) 글의 공통점으로 옳은 것은?

① 추상적인 생각을 구체화하여 표현한다.
② 글쓴이가 일상적인 경험에서 깨달은 것을 표현한다.
③ 비교적 무거운 주제를 쉽게 표현하고 있다.
④ 글쓴이가 알고 있는 것을 독자들에게 이해시킨다.
⑤ 글 전체의 구성이 체계적이고 문장이 명료하다.

06 글 (가)에 대한 설명으로 적절하지 않은 것은?

① 글쓴이가 자신이 직접 체험한 일을 자유롭게 썼다.
② 소재에 의미를 부여하기 위해 예시의 방법을 사용했다.
③ 과거의 체험을 회상하면서 서정적인 문체를 사용했다.
④ 추상적인 대상에 비유하여 글의 주제를 제시했다.
⑤ 글쓴이가 성장하면서 '가시'에 대한 인식이 바뀌었다.

07 (가) 글의 밑줄 친 ⓐ~ⓔ 중에서 가장 다른 성격을 지닌 것은?

① ⓐ 용모나 육체적인 장애
② ⓑ 가난한 환경
③ ⓒ 나약하고 내성적인 성격
④ ⓓ 원하는 재능이 없다는 것
⑤ ⓔ 부유한 귀족의 아들

08 글쓴이가 예를 들고 있는 로트레크의 일화를 읽은 독자의 반응으로 적절하지 않은 것은?

① 사고로 인해 다친 다리로 인해 로트레크는 괴로운 생활을 했다고 볼 수 있겠군.
② 글쓴이가 독자에게 로트레트의 일화를 소개한 것은 고통을 부정적인 측면으로만 인식하지 않게 하기 위함이겠군.
③ 글쓴이가 로트레트의 일화를 사례로 든 이유는 위대한 예술가가 되기 위해서는 육체적인 장애를 가져야 한다는 것이겠군.
④ 글쓴이가 볼 때 로트레트의 육체적 장애가 바로 '가시'와 같은 여러 겹의 의미를 지닌 것이겠군.
⑤ 결국 로트레트는 자신의 고통을 예술적으로 승화시켜 오늘날에도 많은 사람들에게 귀감이 되는 것이로군.

[09~11] 다음 글을 읽고 물음에 답하시오.

지금도 고향, 하면 탱자의 시큼한 맛, 탱자처럼 노랗게 된 손바닥, 오래 남아 있던 탱자 냄새 같은 것이 먼저 떠오른다. 그리고 뾰족한 탱자 가시에 침을 발라 손바닥에도 붙이고 코에도 붙이고 놀던 생각이 난다. 가시를 붙인 손으로 악수하자고 해서 친구를 놀려 주던 놀이가 우리들 사이에 한창인 때도 있었다. 자그마한 소읍에서 자라나는 아이들이 할 수 있는 놀이란 고작 그런 것이었다.

그래서 탱자 가시에 찔리곤 하는 것이 예사였는데, 한 번은 가시 박힌 자리가 성이 나 손이 퉁퉁 부었던 적이 있다. 벌겋게 부어오른 상처를 보면서 나는 생각했다. 왜 탱자나무에는 가시가 있는 것일까. 그리고 찔레꽃, 장미꽃, 아카시아……. 가시를 가진 꽃이나 나무들을 차례로 꼽아 보았다. 그 가시들에는 아마 독이 들어 있을 거라고 혼자 멋대로 단정해 버리기도 했다.

얼마 후에 아버지는 내게 가르쳐 주셨다. 가시에 독이 있는 것은 아니고, 그저 아름다운 꽃과 열매를 지키기 위해 그런 나무들에는 가시가 있는 거라고. 다른 나무들은 가시 대신 냄새가 지독한 것도 있고, 나뭇잎이 아주 써서 먹을 수 없거나 열매에 독성이 있는 것도 있고, 모습이 아주 흉하게 생긴 것도 있고……. 이렇게 살아 있는 생명에게는 자기를 지킬 수 있는 힘이 하나씩 주어져 있다고.

그러던 어느 날 탱자 꽃잎을 보다가 스스로의 가시에 찔린 흔적을 발견하게 되었다. 바람에 흔들리다가 제 가시에 쓸렸으리라. 스스로를 지키기 위해 주어진 가시가 때로는 스스로를 찌르기도 한다는 사실에 나는 알 수 없는 슬픔을 느꼈다. 그걸 어렴풋하게 느낄 무렵, 소읍에서의 내 유년은 끝나 가고 있었다.

언제부턴가 내 손에는 더 이상 둥글고 향긋한 탱자 열매가 들어있지 않게 되었다. 그 손에는 무거운 책가방과 영어 단어장이, 그 다음에는 누군가를 향해 던지는 돌멩이가, 때로는 술잔이 들려 있곤 했다. 친구나 애인의 따뜻한 손을 잡고 다니던 때도 없지는 않았지만, 그 후로 무거운 장바구니, 빨랫감, 행주나 걸레 같은 것을 들고 있을 때가 더 많았다.

생활의 짐은 한 번도 더 가벼워진 적이 없으며, 그러는 동안 내 속에는 날카로운 가시들이 자라나기 시작했다. 가시는 꽃과 나무에게만 있는 것이 아니었다. 세상에, 또는 스스로에게 수없이 찔리면서 사람은 누구나 제 속에 자라나는 가시를 발견하게 된다. 한 번 심어지고 나면 쉽게 뽑아낼 수 없는 탱자나무 같은 것이 마음에 자리 잡고 있다는 것을, 뽑아내려고 몸부림칠수록 가시는 더 아프게 자신을 찔러 낸다는 것을 알게 되었다. 그 후로 내내 크고 작은 가시들이 나를 키웠다.

아무리 행복해 보이는 사람에게도 그를 괴롭히는 가시는 있기 마련이다. 어떤 사람에게는 용모나 육체적인 장애가 가시가 되기도 하고, 어떤 사람에게는 가난한 환경이 가시가 되기도 한다. 나약하고 내성적인 성격이 가시가 되기도 하고, 원하는 재능이 없다는 것이 가시가 되기도 한다. 그리고 그 가시 때문에 오래도록 괴로워하고 삶을 혐오하게 되기도 한다.

〈중략〉

실제로 ㉠<u>너무 아름답거나 너무 부유하거나 너무 강하거나 너무 재능이 많은 것이 오히려 삶을 망가뜨리는 경우를 자주 보게 된다</u>. 그런 점에서 사람에게 주어진 고통, 그 날카로운 가시야말로 그를 참으로 겸허하게 만들어 줄 선물일 수도 있다. 그리고 뽑혀지기를 간절히 바라는 가시야말로 우리가 더 깊이 끌어안고 살아야 할 존재인지도 모른다.

가시 박힌 상처가 벌겋게 부어올라 마음이 쉽게 가라앉지 않는 날, 나는 고향의 탱자나무 울타리를 떠올리곤 한다. 둥근 탱자를 손에 쥐고 다니던 그때, 탱자 가시로 장난을 치곤 하던 그때, 내 삶에 이런 가시들이 돋아나리라고는 짐작조차 할 수 없었던 그때……. 그 평화롭던 유년의 울타리가 탱자나무로 되어 있었다는 사실이 내게는 어떤 전언처럼 받아들여진다.

내게 열매와 꽃과 가시를 처음으로 가르쳐 준 나무. 내가 살아가면서 잃어버려야 할 것과 지켜 가야 할 것을 동시에 보여준 나무. 그러면서 나와 함께 좁은 나이테를 늘려가고 있을 탱자나무. 눈앞에 그 짙푸른 탱자나무를 떠올리고 있으면 부어오른 마음도 조금은 가라앉게 되는 것이다.

언젠가 탱자나무 울타리를 다시 지나게 된다면……. 아마도 나는 그 사이에 더 굵어진 가시들을 조심조심 어루만지면서 무어라 중얼거릴 것이다. 그러고는 오래전에 잃어버린 탱자 한 알을 슬그머니 따서 주머니에 넣고는 그 푸른 울타리를 총총히 떠날 것이다. 만일 가시들 사이에서 키워 낸 그 향기로운 열매를 내게도 허락해 준다면.

– 나희덕, 「내 유년의 울타리는 탱자나무였다」 –

09 〈보기〉처럼 글쓴이의 경험과 깨달음을 정리하였을 때, 적절하지 않은 것은?

보기

〈경험〉

I. 유년기의 경험

1. 탱자 가시를 가지고 놀이를 함 …… ①
2. 탱자 가시에 찔려 퉁퉁 부은 후 가시에 독이 있을 거라 여김
3. 아버지에게 탱자 가시는 꽃과 열매를 지키기 위한 것이라는 가르침을 받음
4. 탱자 꽃잎이 스스로의 가시에 찔린 흔적을 발견함 …… ②

II. 유년기 이후의 경험

1. 학창시절, 대학시절, 결혼생활을 하면서 무거운 생활의 짐을 짐
2. 생활의 짐 때문에 마음 속에 날카로운 가시가 자라남

…… ③

〈깨달음〉

'가시'와 같은 고통이 발전의 원동력이 되기도 한다는 것을 깨달음 …… ④

'가시'는 그것을 어떻게 받아들이고 다스려 나가느냐가 중요함을 깨달음

'가시'가 인생의 소중함과 고통의 깊이를 알게 하며 남을 이해하는 데 도움이 됨을 깨달음 …… ⑤

10 〈보기〉에서 윗글에 대한 설명으로 적절한 것을 모두 고른 것은?

보기

ⓐ 구체적인 사물에 빗대어 글의 주제를 제시하고 있다.
ⓑ 대조의 방법을 통하여 대상의 한계점을 지적하고 있다.
ⓒ 소재의 의미를 구체화하기 위해 예시의 방법을 사용하고 있다.
ⓓ 부정적으로 인식되는 대상으로부터 긍정적인 면을 도출하고 있다.
ⓔ 차분하게 이야기를 전개하기 위해 순행적으로 내용을 전개하고 있다.

① ⓐ, ⓑ, ⓒ ② ⓐ, ⓑ, ⓓ ③ ⓐ, ⓒ, ⓓ ④ ⓐ, ⓒ, ⓔ ⑤ ⓒ, ⓓ, ⓔ

11 ㉠에 해당하는 것은?

① 순망치한(脣亡齒寒) ② 다다익선(多多益善) ③ 과유불급(過猶不及)
④ 점입가경(漸入佳境) ⑤ 동상이몽(同床異夢)

[12~14] 다음 글을 읽고 물음에 답하시오.

어린 시절 내 손에는 으레 탱자 한두 개가 쥐어져 있고는 했다. 탱자가 물렁물렁해질 때까지 쥐고 다니는 버릇이 있어서 내 손에서는 늘 탱자 냄새가 났었다. 크고 노랗게 잘 익은 것은 먹기도 했지만, 아이들은 먹지도 못할 푸르스름한 탱자들을 일없이 따다가 아무 데나 던져 놓고는 했다. 나 역시 그런 아이들 중 하나였는데, 그렇게 따도 따도 탱자가 남아돌 만큼 내가 살던 마을에는 집집마다 탱자나무 울타리가 많았다.

지금도 고향, 하면 탱자의 시큼한 맛, 탱자처럼 노랗게 된 손바닥, 오래 남아 있던 탱자 냄새 같은 것이 먼저 떠오른다. 그리고 뾰족한 탱자 가시에 침을 발라 손바닥에도 붙이고 코에도 붙이고 놀던 생각이 난다. 가시를 붙인 손으로 악수하자고 해서 친구를 놀려 주던 놀이가 우리들 사이에 한창인 때도 있었다. 자그마한 소읍에서 자라나는 아이들이 할 수 있는 놀이란 고작 그런 것이었다.

그래서 탱자 가시에 찔리곤 하는 것이 예사였는데, 한 번은 가시 박힌 자리가 성이 나 손이 퉁퉁 부었던 적이 있다. 벌겋게 부어오른 상처를 보면서 나는 생각했다. 왜 탱자나무에는 가시가 있는 것일까. 그리고 찔레꽃, 장미꽃, 아카시아……. 가시를 가진 꽃이나 나무들을 차례로 꼽아 보았다. 그 가시들에는 아마 독이 들어 있을 거라고 혼자 멋대로 단정해 버리기도 했다.

얼마 후에 아버지는 내게 가르쳐 주셨다. 가시에 독이 있는 것은 아니고, 그저 아름다운 꽃과 열매를 지키기 위해 그런 나무들에는 가시가 있는 거라고. 다른 나무들은 가시 대신 냄새가 지독한 것도 있고, 나뭇잎이 아주 써서 먹을 수 없거나 열매에 독성이 있는 것도 있고, 모습이 아주 흉하게 생긴 것도 있고……. 이렇게 살아 있는 생명에게는 자기를 지킬 수 있는 힘이 하나씩 주어져 있다고.

그러던 어느 날 탱자 꽃잎을 보다가 스스로의 가시에 찔린 흔적을 발견하게 되었다. 바람에 흔들리다가 제 가시에 쓸렸으리라. 스스로를 지키기 위해 주어진 가시가 때로는 스스로를 찌르기도 한다는 사실에 나는 알 수 없는 슬픔을 느꼈다. 그걸 어렴풋하게 느낄 무렵, 소읍에서의 내 유년은 끝나 가고 있었다.

언제부턴가 내 손에는 더 이상 둥글고 향긋한 탱자 열매가 들어있지 않게 되었다. 그 손에는 무거운 책가방과 영어 단어장이, 그 다음에는 누군가를 향해 던지는 돌멩이가, 때로는 술잔이 들려 있곤 했다. 친구나 애인의 따뜻한 손을 잡고 다니던 때도 없지는 않았지만, 그 후로 무거운 장바구니, 빨랫감, 행주나 걸레 같은 것을 들고 있을 때가 더 많았다.

생활의 짐은 한 번도 더 가벼워진 적이 없으며, 그러는 동안 내 속에는 날카로운 가시들이 자라나기 시작했다. 가시는 꽃과 나무에게만 있는 것이 아니었다. 세상에, 또는 스스로에게 수없이 찔리면서 사람은 누구나 제 속에 자라나는 가시를 발견하게 된다. 한 번 심어지고 나면 쉽게 뽑아낼 수 없는 탱자나무 같은 것이 마음에 자리 잡고 있다는 것을, 뽑아내려고 몸부림칠수록 가시는 더 아프게 자신을 찔러 낸다는 것을 알게 되었다. 그 후로 내내 크고 작은 가시들이 나를 키웠다.

아무리 행복해 보이는 사람에게도 그를 괴롭히는 가시는 있기 마련이다. 어떤 사람에게는 용모나 육체적인 장애가 가시가 되기도 하고, 어떤 사람에게는 가난한 환경이 가시가 되기도 한다. 나약하고 내성적인 성격이 가시가 되기도 하고, 원하는 재능이 없다는 것이 가시가 되기도 한다. 그리고 그 가시 때문에 오래도록 괴로워하고 삶을 혐오하게 되기도 한다.

로트레크라는 화가는 부유한 귀족의 아들이었지만 사고로 인해 두 다리를 차례로 다쳤다. 그로 인해 다른 사람보다 다리가 자유롭지 못했고 다리 한쪽이 좀 짧았다고 한다. 다리 때문에 비관한 그는 방탕한 생활 끝에 결국 창녀촌에서 불우한 생을 마감했다. 그러나 그런 절망 속에서 그렸던 그림들은 아직까지 남아서 전해진다.

"내 다리 한쪽이 짧지 않았더라면 나는 그림을 그리지 않았을 것이다."라고 그는 말한 적이 있다. 그에게 있어서 가시는 바로 남들보다 약간 짧은 다리 한쪽이었던 것이다.

로트레크의 그림만이 아니라, 우리가 오래 고통받아 온 것이 오히려 존재를 들어 올리는 힘이 되곤 하는 것을 겪곤 한다. 그러니 가시 자체가 무엇인가 하는 것은 그리 중요한 문제가 아닐지도 모른다. 어차피 뺄 수 없는 삶의 가시라면 그것을 어떻게 받아들이고 다스려 나가느냐가 더 중요하지 않을까 싶다. 그것마저 없었다면 우리는 인생이라는 잔을 얼마나 쉽게 마셔 버렸을 것인가. 인생의 소중함과 고통의 깊이를 채 알기도 전에 얼마나 웃자라 버렸을 것인가.

실제로 너무 아름답거나 너무 부유하거나 너무 강하거나 너무 재능이 많은 것이 오히려 삶을 망가뜨리는 경우를 자주 보게 된다. 그런 점에서 사람에게 주어진 고통, 그 날카로운 가시야말로 그를 참으로 겸허하게 만들어 줄 선물일 수도 있다. 그리고 뽑혀지기를 간절히 바라는 가시야말로 우리가 더 깊이 끌어안고 살아야 할 존재인지도 모른다.

가시 박힌 상처가 벌겋게 부어올라 마음이 쉽게 가라앉지 않는 날, 나는 고향의 탱자나무 울타리를 떠올리곤 한다. 둥근 탱자를 손에 쥐고 다니던 그때, 탱자 가시로 장난을 치곤 하던 그때, 내 삶에 이런 가시들이 돋아나리라고는 짐작조차 할 수 없었던 그때……. 그 평화롭던 유년의 울타리가 탱자나무로 되어 있었다는 사실이 내게는 어떤 전언처럼 받아들여진다.

내게 열매와 꽃과 가시를 처음으로 가르쳐 준 나무. 내가 살아가면서 잃어버려야 할 것과 지켜 가야 할 것을 동시에 보여준 나무. 그러면서 나와 함께 좁은 나이테를 늘려가고 있을 탱자나무. 눈앞에 그 짙푸른 탱자나무를 떠올리고 있으면 부어오른 마음도 조금은 가라앉게 되는 것이다.

언젠가 탱자나무 울타리를 다시 지나게 된다면……. 아마도 나는 그 사이에 더 굵어진 가시들을 조심조심 어루만지면서 무어라 중얼거릴 것이다. 그리고는 오래 전에 잃어버린 탱자 한 알을 슬그머니 따서 주머니에 넣고는 그 푸른 울타리를 총총히 떠날 것이다. 만일 가시들 사이에서 키워 낸 그 향기로운 열매를 내게도 허락해 준다면.

---

12 윗글의 서술상 특징에 대한 설명으로 적절하지 않은 것은?

① 가시라는 구체적인 사물에 빗대어 글의 의미를 전달한다.
② 주요 소재인 가시의 의미가 변해가는 과정을 제시한다.
③ 외부 대상을 관찰하면서 객관적으로 서술하고 있다.
④ 예시의 방식을 활용하여 소재의 의미를 구체화하고 있다.
⑤ 지은이 자신이 경험한 구체적 경험을 삶의 의미로 확장시키고 있다.

13 다음 〈보기〉는 윗글의 가시에 얽힌 유년기의 경험 회상 과정을 압축, 정리한 것이다. ⓐ~ⓔ의 올바른 순서는?

보기

ⓐ 가시의 존재 이유에 대한 아버지의 가르침을 회상함
ⓑ 탱자 가시에 찔린 경험을 떠올림.
ⓒ 모든 가시에는 독이 있을 거라고 혼자 멋대로 생각함.
ⓓ 스스로의 가시에 찔린 탱자 꽃잎의 흔적을 보고 슬픔을 느낌.
ⓔ 어린 시절 탱자 가시를 이용한 놀이를 회상함.

① ⓐ→ⓑ→ⓒ→ⓔ→ⓓ
② ⓑ→ⓔ→ⓒ→ⓐ→ⓓ
③ ⓒ→ⓑ→ⓔ→ⓐ→ⓓ
④ ⓓ→ⓑ→ⓔ→ⓐ→ⓒ
⑤ ⓔ→ⓑ→ⓒ→ⓐ→ⓓ

14 윗글을 감상한 내용으로 적절하지 않은 것은?

① 탱자나무의 가시는 자신을 지키기 위해 존재하지만 때로는 스스로를 찌르기도 한다.
② 인간은 누구나 저마다의 가시를 가질 수밖에 없는 존재다.
③ 가시의 크기가 크고 날카로울수록 위대한 인간이 될 수 있다.
④ 가시는 인생의 고통의 깊이와 소중함을 알게 해준다.
⑤ 글쓴이는 자신의 상처를 받아들이고 잘 다스려 삶을 긍정적으로 발전시켜 나가야한다는 메시지를 던진다.

[15~17] 다음 글을 읽고 물음에 답하시오.

(가) 한번은 가시 박힌 자리가 성이 나 손이 퉁퉁 부었던 적이 있다. 벌겋게 부어오른 상처를 보면서 나는 생각했다. 왜 탱자나무에는 가시가 있는 것일까. 그리고 찔레꽃, 장미꽃, 아카시아……. 가시를 가진 꽃이나 나무들을 차례로 꼽아 보았다. 그 가시들에는 아마 독이 들어 있을 거라고 혼자 멋대로 단정해 버리기도 했다.

얼마 후에 아버지는 내게 가르쳐 주셨다. 가시에 독이 있는 것은 아니고, 그저 아름다운 꽃과 열매를 지키기 위해 그런 나무들에는 가시가 있는 거라고. 다른 나무들은 가시 대신 냄새가 지독한 것도 있고, 나뭇잎이 아주 써서 먹을 수 없거나 열매에 독성이 있는 것도 있고, 모습이 아주 흉하게 생긴 것도 있고……. 이렇게 살아 있는 생명에게는 자기를 지킬 수 있는 힘이 하나씩 주어져 있다고.

그러던 어느 날 탱자 꽃잎을 보다가 스스로의 가시에 찔린 흔적을 발견하게 되었다. 바람에 흔들리다가 제 가시에 쓸렸으리라. 스스로를 지키기 위해 주어진 가시가 때로는 스스로를 찌르기도 한다는 사실에 나는 알 수 없는 슬픔을 느꼈다. 그걸 어렴풋하게 느낄 무렵, 소읍에서의 내 유년은 끝나 가고 있었다.

언제부턴가 내 손에는 더 이상 둥글고 향긋한 탱자 열매가 들어있지 않게 되었다. 그 손에는 무거운 책가방과 영어 단어장이, 그 다음에는 누군가를 향해 던지는 돌맹이가, 때로는 술잔이 들려 있곤 했다. 친구나 애인의 따뜻한 손을 잡고 다니던 때도 없지는 않았지만, 그 후로 무거운 장바구니, 빨랫감, 행주나 걸레 같은 것을 들고 있을 때가 더 많았다. 생활의 짐은 한 번도 더 가벼워진 적이 없으며, 그러는 동안 내 속에는 날카로운 가시들이 자라나기 시작했다. 가시는 꽃과 나무에게만 있는 것이 아니었다. 세상에, 또는 스스로에게 수없이 찔리면서 사람은 누구나 제 속에 자라나는 가시를 발견하게 된다. 한 번 심어지고 나면 쉽게 뽑아낼 수 없는 탱자나무 같은 것이 마음에 자리 잡고 있다는 것을, 뽑아내려고 몸부림칠수록 가시는 더 아프게 자신을 찔러 낸다는 것을 알게 되었다. 그 후로 내내 크고 작은 가시들이 나를 키웠다.

아무리 행복해 보이는 사람에게도 그를 괴롭히는 가시는 있기 마련이다. 어떤 사람에게는 용모나 육체적인 장애가 가시가 되기도 하고, 어떤 사람에게는 가난한 환경이 가시가 되기도 한다. 나약하고 내성적인 성격이 가시가 되기도 하고, 원하는 재능이 없다는 것이 가시가 되기도 한다. 그리고 그 가시 때문에 오래도록 괴로워하고 삶을 혐오하게 되기도 한다.

하지만 우리가 오래 고통 받아 온 것이 오히려 존재를 들어 올리는 힘이 되곤 하는 것을 겪곤 한다. 그러니 가시 자체가 무엇인가 하는 것은 그리 중요한 문제가 아닐지도 모른다. 어차피 뺄 수 없는 삶의 가시라면 그것을 어떻게 받아들이고 다스려 나가느냐가 더 중요하지 않을까 싶다. 그것마저 없었다면 우리는 인생이라는 잔을 얼마나 쉽게 마셔 버렸을 것인가. 인생의 소중함과 고통의 깊이를 채 알기도 전에 얼마나 웃자라 버렸을 것인가. 실제로 너무 아름답거나 너무 부유하거나 너무 강하거나 너무 재능이 많은 것이 오히려 삶을 망가뜨리는 경우를 자주 보게 된다. 그런 점에서 사람에게 주어진 고통, 그 날카로운 가시야말로 그를 참으로 겸허하게 만들어 줄 선물일 수도 있다. 그리고 뽑혀지기를 간절히 바라는 가시야말로 우리가 더 깊이 끌어안고 살아야 할 존재인지도 모른다.

가시 박힌 상처가 벌겋게 부어올라 마음이 쉽게 가라앉지 않는 날, 나는 고향의 탱자나무 울타리를 떠올리곤 한다. 둥근 탱자를 손에 쥐고 다니던 그때, 탱자 가시로 장난을 치곤 하던 그때, 내 삶에 이런 가시들이 돋아나리라고는 짐작조차 할 수 없었던 그때……. 그 평화롭던 유년의 울타리가 탱자나무로 되어 있었다는 사실이 내게는 어떤 전언처럼 받아들여진다.

– 나희덕, 「내 유년의 울타리는 탱자나무였다」 –

(나) 나는 저녁마다 물에 탈색제 한 알을 풀어 세수했고 저녁이면 내가 얼마나 하얘졌나 보려고 거울 앞으로 달려갔다. 푸른 새벽 공기 속에서 하얗게 각질이 일어난 내 얼굴을 볼 때면 가슴이 설레었다. 내가 바라는 건 미국 사람처럼 되는 게 아니었다. 그냥 한국 사람만큼만 하얗게, 아니 노랗게 되기를 바랐다. 여름 숲의 뱀처럼, 가을 낙엽 밑의 나방처럼 나에게도 보호색이 필요했다. 남의 눈에 띄지 않고 조용히 살아갈 수 있도록, 비비총을 새로 산 남자애들의 첫 번째 표적이 되지 않고, 적이 필요한 아이들의 왕따가 되지 않고, 달리기를 할 때 뒤에서 밀치고 싶은 까만 방해물로 비치지 않도록, 나는 하루도 거르지 않고 탈색제를 썼다. 그러던 어느 날, 세수를 하고 있는데 누군가 내 세숫대야의 물을 거칠게 쏟아 버렸다. 고개를 들어 보니 아버지였다. 아버지는 탈색제가 든 비닐봉지를 수돗가에 내동댕이쳤다. 나는 뒷덜미를 잡힌 채 방으로 질질 끌려 들어가 멍이 시퍼렇게 들도록 종아리를 맞았다. 그날 밤, 오랜만에 술 냄새를 풍기며 자정이 다 되어 돌아온 아버지는 주머니에서 베이비 로션을 꺼냈다. 그러고는 붉은 실핏줄이 보일 만큼 껍질이 벗겨진 내 얼굴에 로션을 잔뜩 발라 주었다. 투박하고 거친 손바닥으로 뺨을 아프도록 쓰다듬으면서. 그러고 나서 아버지는 이불을 머리끝까지 뒤집어쓰더니 잠들기 직전까지 흐느꼈다. 가끔 뜻을 알 수 없는 네팔 말을, 몹시 지친 목소리로 중얼거리며.

– 김재영, 「코끼리」 –

15 〈보기〉가 (가)의 글쓴이가 세운 글쓰기 계획이라고 할 때, (가) 글에 반영되지 않은 것은?

보기

- 수필을 쓰기 위해 내가 실제로 경험했던 유년 시절의 경험을 글감으로 삼아야겠어. ············ ①
- 과거와 현재를 대비하면 내가 전달하고자 하는 교훈을 입체적 관점에서 전달할 수 있겠어. ············ ②
- '가시'에 비유적 의미를 부여하여 삶에서 느끼는 고통에 대한 나의 성찰과 깨달음을 전달해야겠어. ···· ③
- 내가 바람직하다고 생각하는 삶의 자세를 역설적으로 표현한다면 독자에게 더 인상적으로 전달되겠지? ············ ④
- '가시'에 대해 인식이 변하게 된 계기를 드러냄으로써 대상이 지닌 긍정적 측면도 생각해 보도록 유도해야겠어. ············ ⑤

16 (가) 글의 글쓴이가 글의 표현 효과를 높이기 위해 시를 인용하려 한다. 주제를 고려할 때 가장 어울리는 시는?

① 어제를 동여맨 편지를 받았다 / 늘 그대 뒤를 따르던 / 길 문득 사라지고 / 길 아닌 것들도 사라지고 / 여기저기서 어린 날 / 우리와 놀아주던 돌돌이 / 얼굴을 가리고 박혀 있다.
② 젖지 않고 피는 꽃이 어디 있으랴 / 이 세상 그 어떤 빛나는 꽃들도 / 다 젖으며 젖으며 피었나니 / 바람에 비에 젖으며 꽃잎 따뜻하게 피웠나니 / 젖지 않고 가는 삶이 어디 있으랴
③ 서로가 모른 체 등을 돌리고 있는 모래 / 모래를 서로 손잡게 하려고 / 신이 모래밭에 하루 종일 봄비를 뿌린다 / 하지만 뿌리면 뿌리는 그대로 모래 밑으로 모조리 새나가 버리는 봄비
④ 삶은 언제나 / 은총의 돌층계의 어디쯤이다 / 사랑도 매양 / 섭리의 자갈밭의 어디쯤이다 // 이제까지는 말로써 풀던 마음 / 말없이 삭이고 / 얼마 더 너그러워져서 이 생명을 살자 / 황송한 측연이라 알고 한 세상을 누리자
⑤ 너의 노오란 우산깃 아래 서 있으면 / 아름다움이 세상을 덮으리라던 / 늙은 러시아 문호의 눈망울이 생각난다 // 수천만 황인족의 얼굴 같은 너의 / 노오란 우산깃 아래 서 있으면 / 희망 또한 불타는 형상으로 우리 가슴에 적힐 것이다

17 (가)를 쓴 글쓴이가 (나) 글을 읽고 보일 수 있는 반응으로 적절한 것은?

① (나)의 '나'에게 가시는 가정폭력을 휘두르는 아버지라고 볼 수 있어.
② (나)의 '나'에게 탈색제는 자신의 존재를 들어 올리는 힘으로 기능하고 있어.
③ (나)의 '나'에게 까만 피부색은 '나'의 삶을 망가뜨리는 원인으로 작용하고 있어.
④ (나)의 '나'가 가시를 뽑아내려 몸부림치면 칠수록 친구들의 괴롭힘이 더 심해지고 있어.
⑤ (나)의 '나'는 자신의 가시로 인해 인생의 소중함과 고통의 깊이를 이해하며 자라게 될 거야.

[18~20] 다음 글을 읽고 물음에 답하시오.

(가) ㉠지금도 고향, 하면 탱자의 시큼한 맛, 탱자처럼 노랗게 된 손바닥, 오래 남아 있던 탱자 냄새 같은 것이 먼저 떠오른다. 그리고 뾰족한 탱자 가시에 침을 발라 손바닥에도 붙이고 코에도 붙이고 놀던 생각이 난다.〈중략〉

그래서 탱자 가시에 찔리곤 하는 것이 예사였는데, 한 번은 가시 박힌 자리가 성이 나 손이 퉁퉁 부었던 적이 있다. 벌겋게 부어오른 상처를 보면서 나는 생각했다. 왜 탱자나무에는 가시가 있는 것일까. 〈중략〉

얼마 후에 아버지는 내게 가르쳐 주셨다. 가시에 독이 있는 것은 아니고, 그저 아름다운 꽃과 열매를 지키기 위해 그런 나무들에는 ⓐ가시가 있는 거라고. 다른 나무들은 가시 대신 ⓑ냄새가 지독한 것도 있고, ⓒ나뭇잎이 아주 써서 먹을 수 없거나 열매에 독성이 있는 것도 있고, ⓓ모습이 아주 흉하게 생긴 것도 있고……. 이렇게 살아 있는 생명에게는 자기를 지킬 수 있는 힘이 하나씩 주어져 있다고. 〈중략〉

생활의 짐은 한 번도 더 가벼워진 적이 없으며, 그러는 동안 내 속에는 날카로운 가시들이 자라나기 시작했다. 가시는 꽃과 나무에게만 있는 것이 아니었다. 세상에, 또는 스스로에게 수없이 찔리면서 사람은 누구나 제 속에 자라나는 가시를 발견하게 된다. 한 번 심어지고 나면 쉽게 뽑아낼 수 없는 탱자나무 같은 것이 마음에 자리 잡고 있다는 것을, 뽑아내려고 몸부림칠수록 가시는 더 아프게 자신을 찔러 낸다는 것을 알게 되었다. 그 후로 내내 크고 작은 가시들이 나를 키웠다.

아무리 행복해 보이는 사람에게도 그를 괴롭히는 가시는 있기 마련이다. 어떤 사람에게는 용모나 육체적인 장애가 가시가 되기도 하고, 어떤 사람에게는 가난한 환경이 가시가 되기도 한다. 나약하고 내성적인 성격이 가시가 되기도 하고, 원하는 재능이 없다는 것이 가시가 되기도 한다. 그리고 그 가시 때문에 오래도록 괴로워하고 삶을 혐오하게 되기도 한다. 〈중략〉

㉡실제로 너무 아름답거나 너무 부유하거나 너무 강하거나 너무 재능이 많은 것이 오히려 삶을 망가뜨리는 경우를 자주 보게 된다. 그런 점에서 사람에게 주어진 고통, 그 날카로운 가시야말로 그를 참으로 겸허하게 만들어 줄 선물일 수도 있다. 그리고 뽑혀지기를 간절히 바라는 가시야말로 우리가 더 깊이 끌어안고 살아야 할 존재인지도 모른다.

가시 박힌 상처가 벌겋게 부어올라 마음이 쉽게 가라앉지 않는 날, 나는 고향의 탱자나무 울타리를 떠올리곤 한다. 둥근 탱자를 손에 쥐고 다니던 그때, 탱자 가시로 장난을 치곤 하던 그때, 내 삶에 이런 가시들이 돋아나리라고는 짐작조차 할 수 없었던 그때……. ㉢그 평화롭던 유년의 울타리가 탱자나무로 되어 있었다는 사실이 내게는 어떤 전언처럼 받아들여진다.

내게 열매와 꽃과 가시를 처음으로 가르쳐 준 나무. 내가 살아가면서 잃어버려야 할 것과 지켜 가야 할 것을 동시에 보여준 나무. 그러면서 ㉣나와 함께 좁은 나이테를 늘려 가고 있을 탱자나무. 눈앞에 그 짙푸른 탱자나무를 떠올리고 있으면 부어오른 마음도 조금은 가라앉게 되는 것이다.

언젠가 탱자나무 울타리를 다시 지나게 된다면……. ㉤아마도 나는 그 사이에 더 굵어진 가시들을 조심조심 어루만지면서 무어라 중얼거릴 것이다. 그리고는 오래 전에 잃어버린 탱자 한 알을 슬그머니 따서 주머니에 넣고는 그 푸른 울타리를 총총히 떠날 것이다. 만일 가시들 사이에서 키워 낸 그 향기로운 열매를 내게도 허락해 준다면.

– 나희덕, 「내 유년의 울타리는 탱자나무였다」 –

18 (가)에 대한 설명으로 적절하지 않은 것은?

① 글쓴이의 자전적인 이야기를 서술하고 있다.
② 개인적이고 신변잡기적인 일을 다루고 있다.
③ 일상적 경험에서 얻은 삶의 교훈을 전달하고 있다.
④ 더불어 살아가는 삶의 고통과 아름다움을 동시에 드러내고 있다.
⑤ 주제를 전달하기 위해 구체적인 사물을 통한 비유를 사용하고 있다.

19 (가)의 ㉠~㉤에 대한 설명으로 적절하지 않은 것을 모두 고른 것은?

보기

㉠ : 고향에 대한 기억을 다양한 공감각적 심상을 통해 생생하게 표현하고 있다.
㉡ : 좋은 조건들도 삶의 고통의 한 종류로서 인생을 불행하게 만드는 경우가 있다는 의미이다.
㉢ : 평화로운 유년기를 벗어나면 삶의 고통을 갖게 된다는 것을 역설적으로 표현하고 있다.
㉣ : 나와 탱자나무가 고통으로 인한 상처를 이겨 내며 조금씩 성장해 간다는 의미이다.
㉤ : 나에게 깨달음을 준 탱자나무와의 진실된 교감을 표현하고 있다.

① ㉠, ㉡ ② ㉡, ㉢ ③ ㉠, ㉡, ㉢ ④ ㉠, ㉢, ㉤ ⑤ ㉠, ㉣, ㉤

20 (가)를 쓴 글쓴이의 견해를 추론한 것으로 적절하지 않은 것 두 가지는?

① '가시'가 없는 삶이 오히려 불행할 수 있다.
② 자신의 고통이 무엇이냐에 따라 극복 가능성이 달라지기도 한다.
③ 외적인 환경뿐만 아니라 내면적인 것에 의해서도 고통을 받을 수 있다.
④ '가시'를 슬기롭게 받아들여 삶의 자양분으로 삼을 수 있다.
⑤ '가시'가 날카로울수록 행복하고 완전한 삶을 살 수 있다.

서술형 심화문제

[01~05] 다음 글을 읽고 물음에 답하시오.

지금도 고향, 하면 탱자의 시큼한 맛, 탱자처럼 노랗게 된 손바닥, 오래 남아 있던 탱자 냄새 같은 것이 먼저 떠오른다. 그리고 뾰족한 탱자 가시에 침을 발라 손바닥에도 붙이고 코에도 붙이고 놀던 생각이 난다. 가시를 붙인 손으로 악수하자고 해서 친구를 놀려 주던 놀이가 우리들 사이에 한창인 때도 있었다. 자그마한 소읍에서 자라나는 아이들이 할 수 있는 놀이란 고작 그런 것이었다.

그래서 탱자 가시에 찔리곤 하는 것이 예사였는데, 한 번은 가시 박힌 자리가 성이 나 손이 퉁퉁 부었던 적이 있다. 벌겋게 부어오른 상처를 보면서 나는 생각했다. 왜 탱자나무에는 가시가 있는 것일까. 그리고 찔레꽃, 장미꽃, 아카시아……. 가시를 가진 꽃이나 나무들을 차례로 꼽아 보았다. 그 가시들에는 아마 독이 들어 있을 거라고 혼자 멋대로 단정해 버리기도 했다.

얼마 후에 아버지는 내게 가르쳐 주셨다. 가시에 독이 있는 것은 아니고, 그저 아름다운 꽃과 열매를 지키기 위해 그런 나무들에는 ⓐ가시가 있는 거라고. 다른 나무들은 가시 대신 ⓑ냄새가 지독한 것도 있고, ⓒ나뭇잎이 아주 써서 먹을 수 없거나 열매에 독성이 있는 것도 있고, ⓓ모습이 아주 흉하게 생긴 것도 있고……. 이렇게 살아 있는 생명에게는 자기를 지킬 수 있는 힘이 하나씩 주어져 있다고.

그러던 어느 날 탱자 꽃잎을 보다가 스스로의 가시에 찔린 흔적을 발견하게 되었다. 바람에 흔들리다가 제 가시에 쓸렸으리라. 스스로를 지키기 위해 주어진 가시가 때로는 스스로를 찌르기도 한다는 사실에 나는 알 수 없는 슬픔을 느꼈다. 그걸 어렴풋하게 느낄 무렵, 소읍에서의 내 유년은 끝나 가고 있었다.

언제부턴가 내 손에는 더 이상 둥글고 향긋한 탱자 열매가 들어있지 않게 되었다. 그 손에는 무거운 책가방과 영어 단어장이, 그 다음에는 누군가를 향해 던지는 돌멩이가, 때로는 술잔이 들려 있곤 했다. 친구나 애인의 따뜻한 손을 잡고 다니던 때도 없지는 않았지만, 그 후로 무거운 장바구니, 빨랫감, 행주나 걸레 같은 것을 들고 있을 때가 더 많았다.

생활의 짐은 한 번도 더 가벼워진 적이 없으며, 그러는 동안 내 속에는 날카로운 가시들이 자라나기 시작했다. 가시는 꽃과 나무에게만 있는 것이 아니었다. 세상에, 또는 스스로에게 수없이 찔리면서 사람은 누구나 제 속에 자라나는 가시를 발견하게 된다. 한 번 심어지고 나면 쉽게 뽑아낼 수 없는 탱자나무 같은 것이 마음에 자리 잡고 있다는 것을, 뽑아내려고 몸부림칠수록 가시는 더 아프게 자신을 찔러 낸다는 것을 알게 되었다. 그 후로 내내 크고 작은 가시들이 나를 키웠다.

아무리 행복해 보이는 사람에게도 그를 괴롭히는 가시는 있기 마련이다. 어떤 사람에게는 용모나 육체적인 장애가 가시가 되기도 하고, 어떤 사람에게는 가난한 환경이 가시가 되기도 한다. 나약하고 내성적인 성격이 가시가 되기도 하고, 원하는 재능이 없다는 것이 가시가 되기도 한다. 그리고 그 가시 때문에 오래도록 괴로워하고 삶을 혐오하게 되기도 한다.

로트레크의 그림만이 아니라, 우리가 오래 고통 받아 온 것이 오히려 존재를 들어 올리는 힘이 되곤 하는 것을 겪곤 한다. 그러니 가시 자체가 무엇인가 하는 것은 그리 중요한 문제가 아닐지도 모른다. 어차피 뺄 수 없는 삶의 가시라면 그것을 어떻게 받아들이고 다스려 나가느냐가 더 중요하지 않을까 싶다. 그것마저 없었다면 우리는 인생이라는 잔을 얼마나 쉽게 마셔 버렸을 것인가. 인생의 소중함과 고통의 깊이를 채 알기도 전에 얼마나 웃자라 버렸을 것인가.

실제로 너무 아름답거나 너무 부유하거나 너무 강하거나 너무 재능이 많은 것이 오히려 삶을 망가뜨리는 경우를 자주 보게 된다. 그런 점에서 사람에게 주어진 고통, 그 날카로운 가시야말로 그를 참으로 겸허하게 만들어 줄 선물일 수도 있다. 그리고 뽑혀지기를 간절히 바라는 가시야말로 우리가 더 깊이 끌어안고 살아야 할 존재인지도 모른다.

– 나희덕, 「내 유년의 울타리는 탱자나무였다」 –

01 윗글에서 '삶의 고통'을 비유적으로 표현한 부분과 역설적 상황이 드러난 문장을 찾아 쓰시오.

조건

- '삶의 고통'을 비유적으로 표현한 단어 혹은 구절을 2가지 찾아 쓸 것
- 역설적 상황이 드러난 문장은 본문에서 첫 어절과 끝 어절을 찾아 쓸 것

02 로트레크에게 '가시'는 어떤 의미였는지 쓰시오.

조건
- 부정적인 측면과 긍정적인 측면으로 나누어 쓰시오.
- 띄어쓰기를 포함하여 50자 내외(±10자)로 쓸 것

03 윗글에서 '가시'에 대한 글쓴이의 태도가 드러난 문장을 직접 인용하여, 글쓴이가 추구하는 삶에 대한 태도가 무엇인지 쓰시오. (200자 내외)

04 본문에 '열거'의 방법을 사용하여 인간의 삶 속에서 자라는 '가시'의 예를 든 것을 찾아 4개 적으시오. (인물의 사례는 적지 말 것.)

05 '가시'의 긍정적인 기능을 비유적으로 표현한 단어를 찾아 쓰시오.

06 ⓐ~ⓓ의 공통점에 해당하는 내용이 포함되어 있는 문장 하나를 (가)에 찾아 옮겨 쓰시오.

단원 종합평가

[01~04] 다음 글을 읽고, 물음에 답하시오.

(가) 동진읍에 정착했던 그해 가을이던가, 전쟁 전 고향 땅에서 본 도요새 무리를 동진강 삼각주에서 발견했을 때, 나는 마치 헤어진 부모와 동기간과 약혼녀를 만난 듯 반가웠다. 너희들이 휴전선 위의 통천을 거쳐 여기로 날아왔으려니, 하고 대답 없는 물음을 던지면 울컥 사무쳐 오는 향수가 내 심사를 못 견디게 긁어 놓았다. 가져온 술병을 기울이며 나는 새 떼와 많은 대화를 나누었다. ㉠내가 말하고 내가 새가 되어 대답하는 그런 대화를 아무도 이해할 수 없을 것이다. 새가 고향 땅 부모님이 되고, 형제가 되고, 어떤 때는 약혼자가 되어 내게 들려주던 그 많은 이야기를 나는 기쁨에 들떠, 때때로 설움에 젖어 화답하는 그 시간만이 내게는 살아 있는 진정한 시간이었다. 세월의 부침 속에 고향에 대한 나의 향수도 차츰 식어 갔다. 이제 새 떼가 부쩍 줄어든 동진강 하구도 내 인생과 함께 황혼을 맞고 있었다. 동진강이 악취 풍기는 폐수로 변해 버렸기 때문이었다. ㉡지금 보는 바다 역시 헤엄쳐 북상하면 며칠 내 고향에 도착할 수 있을 것 같던 거리가 까마득히 멀어 보였다. 철새나 나그네새는 휴전선을 넘어 자유로이 왕래하건만 나는 그곳으로 갈 수 없다는 안타까움만 해가 갈수록 내 이마에 깊은 주름을 새겼다.

(나) 담배 한 대를 피워 물고 나는 여느 날처럼 신문을 폈다. 특별한 읽을거리나 속 시원한 기사가 눈에 띌 리 없었다. ㉢오전에는 별 할 일이 없으므로 일 면부터 팔 면까지 샅샅이 읽고 저녁 텔레비전 프로를 훑어보았다. 좋아하는 권투 중계는 없었다. 벽시계를 보았다. 이제 겨우 열 시였다. 지금 기원으로 나간다 해도 강 회장이 벌써부터 출근해 있을 리 없었다. 강 회장은 강원도 동진시 통천군 군민회 회장으로, 나와 십오 년 넘이 형제처럼 지내는 사이였다. 강 회장 고향은 부전령 아래 송화였고 나보다 칠 년 연상이었다. 홍남 철수 때 처와 자녀 둘을 고향에 두고 홀로 피란 내려와 구제품 따위를 파는 행상을 시작해선 육십 년대 초 이곳에 정착하여 상동 시장에서 포목점을 내었다. 동진읍이 시로 승격되자 강 회장이 사둔 잡종지의 지가가 뛰었고 점포가 부쩍 커졌다. 그러나 일 년 전 고혈압으로 쓰러졌다 일어난 뒤로 포목업도 남한에서 새 장가를 들어 얻은 여편네에게 넘기고 바둑으로 소일하고 지냈다.

(다) ㉣지난여름, 한창 더위가 찔 무렵이었다. 비(B) 공단 성창 비료 서교 공장 노무과장이 어깨 벌어진 젊은이 셋을 거느리고 느닷없이 집으로 들이닥친 일이 있었다. 그날은 종옥이가 시장에 가고 없어 나 홀로 집을 지키던 참이었다.

"김병국이란 ⓐ작자가 누구요? 도대체 어떤 위인인지 상판이나 좀 봅시다."

젊은이 하나가 주먹을 내두르며 기세등등하게 말했다.

"내 아들놈인데 당신네는 누, 누구요?"

기세에 눌려 내 목소리가 더욱 더듬거렸다.

"당신 자식이라면 아직 마빡이 새파란 ⓑ놈이겠군, 그 ⓒ새끼 좀 봅시다."

다른 젊은이가 윽박질렀다.

"아들이 지, 지금 입에 없소. 무슨 일인데 이러는 거요?"

"그 ⓓ자식 간 데를 불어요. 당장 작살을 내고 말 테니."

또 다른 젊은이가 방문 열린 큰방과 건넌방을 기웃거리며 말했다. 마흔쯤 되어 보이는 노무과장이란 자가 내게 정중하게 인사했다.

"이거 소란을 피워 죄송합니다. 병국이란 ⓔ자제분을 만날 수 없겠습니까?"

노무과장이 젊은이들을 제지시키곤 말했다.

"마루에라도 조, 좀 앉으십시오."

"앉구 자시구 할 시간이 없단 말이오!"

한 젊은이가 말했다.

"가만있자, 병국일 차, 찾으면………. 아무래도 힘들겠네요. 자정이나 돼야 돌아오니 나, 난들 행선지를 알 수 있어야죠."

"사실을 말씀드리자면 선생님 자제분이 우리 회사를 상대로 관계 요로에 진성서를 보냈습니다."

노무과장이 찾아온 이유를 설명했다.

"여기 시 보건과에 접수한 진정서 좀 보십시오." 노무과장은 마루에 걸터앉아 주머니에서 복사판 서류를 꺼냈다. 종이를 받아 든 내 손이 떨렸다. ⓜ방 안으로 들어가 돋보기안경을 찾아 낄 틈도 없이 희미한 글자를 대충 훑어보았다.

(A) 성창 비료 서교 공장은 연간 사십 억 규모의 흑자를 내고 있으면서도 폐기 처리 과정에 대한 근본적인 개선책이 전혀 없음이 입증되었다. 지난 8월 4일 새벽 2시 20분. 당 공장은 야음을 틈타 암모니아 가스를 다량으로 배출하여 그 가스가 폐교천(석교천)을 따라 안개처럼 덮쳐 와 동진강 하류로 확산된 바 있다. 이로 인하여 새벽 4시 10분 동진강 하류에서 오징어잡이에 출어하려던 어민 18명이 심한 두통과 구토증으로 실신한 사건이 있었다. 당사는 기계 밸브가 고장 나서 가스가 샜다고 변명하지만 이런 사건은 일주일을 주기로 이미 수십 차례 반복되었음을 입증하며(관계 자료 별첨), 이로 미루어 당사는 일부러 밸브를 틀어 못쓰게 된 가스를 배출하고 있음이 객관적으로 입증됨으로써…….

01 밑줄 친 어휘 ⓐ~ⓔ 중에서 가리키는 대상에 대한 태도가 다른 것은?

① ⓐ ② ⓑ ③ ⓒ ④ ⓓ ⑤ ⓔ

02 밑줄 친 부분에 대한 설명으로 옳지 않은 것은?

① ㉠'나'가 '자문자답'을 한 것과 관련된 내용이다.
② ㉡'나'가 체험한 물리적 거리의 변화에 대해 언급하고 있다.
③ ㉢'나'의 일상이 그리 바쁘지 않음을 보여준다.
④ ㉣과거의 사건 회상으로 들어가는 부분이다.
⑤ ㉤'나'의 초조한 감정이 급한 행동으로 나타난 부분이다.

03 (가)에 대해 설명한 것으로 옳지 않은 것은?

① '나'가 처한 상황과 삶의 내력이 나타나 있는 부분이다.
② 현재의 삶에서 만족과 보람을 느끼지 못하는 '나'의 정서가 드러나 있다.
③ 정서를 집약적으로 표현하기 위해 특정 시간대의 상황만 서술하고 있다.
④ 1인칭 서술자 '나'가 자신의 내면 심리를 드러내고 있다.
⑤ 본격적인 사건이 발생하기 전에 주요 인물에 대해 알려주는 부분이다.

04 윗글에 대한 설명으로 옳지 않은 것은?

① (나)와 (다)에 등장하는 인물들의 성격은 공통적으로 직접 제시(말하기 telling)방식으로 드러난다.
② (나)에서는 강회장의 삶을 요약적으로 제시하고 있다.
③ (다)는 인물들의 대화와 행동을 통해 사건을 나타내는 '장면적 제시' 방법이 쓰였다.
④ (가)에서는 공간적 배경을 (나)에서는 인물을 소개하고 있다.
⑤ (다)의 「(A)」 부분은 병국이 작성한 서류로 공적 상황에 어울리는 문체를 쓰고 있다.

[05~08] 다음 글을 읽고 물음에 답하시오.

지금도 고향, 하면 탱자의 시큼한 맛, 탱자처럼 노랗게 된 손바닥, 오래 남아 있던 탱자 냄새 같은 것이 먼저 떠오른다. 그리고 뾰족한 탱자 가시에 침을 발라 손바닥에도 붙이고 코에도 붙이고 놀던 생각이 난다. 가시를 붙인 손으로 악수하자고 해서 친구들을 놀려 주던 놀이가 우리들 사이에 한창인 때도 있었다. 자그마한 소읍에서 자라나는 아이들이 할 수 있는 놀이란 고작 그런 것이었다.

그래서 탱자 가시에 찔리곤 하는 것이 예사였는데, 한번은 가시 박힌 자리가 성이 나 손이 퉁퉁 부었던 적이 있다. 벌겋게 부어오른 상처를 보면서 나는 생각했다. 왜 탱자나무에는 가시가 있는 것일까. 그리고 찔레꽃, 장미꽃, 아카시아…… 가시를 가진 꽃이나 나무들을 차례로 꼽아 보았다. 그 가시들에는 아마 독이 들어 있을 거라고 혼자 멋대로 단정해 버리기도 했다.

얼마 후에 아버지는 내게 가르쳐 주셨다. 가시에 독이 있는 것은 아니고, 그저 아름다운 꽃과 열매를 지키기 위해 그런 나무들에는 가시가 있는 거라고. 다른 나무들은 가시 대신 냄새가 지독한 것도 있고, 나뭇잎이 아주 써서 먹을 수 없거나 열매에 독성이 있는 것도 있고, 모습이 아주 흉하게 생긴 것도 있고…… 이렇게 살아 있는 생명에게는 자기를 지킬 수 있는 힘이 하나씩 주어져 있다고.

그러던 어느 날 탱자 꽃잎을 보다가 스스로의 가시에 찔린 흔적을 발견하게 되었다. 바람에 흔들리다가 제 가시에 쓸렸으리라. 스스로를 지키기 위해 주어진 가시가 때로는 스스로를 찌르기도 한다는 사실에 나는 알 수 없는 슬픔을 느꼈다. 그걸 어렴풋하게 느낄 무렵, 소읍에서의 내 유년은 끝나 가고 있었다.

언제부턴가 내 손에는 더 이상 둥글고 향긋한 탱자 열매가 들어있지 않게 되었다. 그 손에는 무거운 책가방과 영어 단어장이, 그 다음에는 누군가를 향해 던지는 돌멩이가, 때로는 술잔이 들려 있곤 했다. 친구나 애인의 따뜻한 손을 잡고 다니던 때도 없지는 않았지만, 그 후로 무거운 장바구니, 빨랫감, 행주나 걸레 같은 것을 들고 있을 때가 더 많았다.

㉠생활의 짐은 한 번도 더 가벼워진 적이 없으며, 그러는 동안 내 속에는 날카로운 가시들이 자라나기 시작했다. 가시는 꽃과 나무에게만 있는 것이 아니었다. 세상에, 또는 스스로에게 수없이 찔리면서 사람은 누구나 제 속에 자라나는 가시를 발견하게 된다. 한번 심어지고 나면 쉽게 뽑아낼 수 없는 탱자나무 같은 것이 마음에 자리 잡고 있다는 것을, ㉡뽑아내려고 몸부림칠수록 가시는 더 아프게 자신을 찔러 낸다는 것을 알게 되었다. 그 후로 내내 크고 작은 가시들이 나를 키웠다.

아무리 행복해 보이는 사람에게도 그를 괴롭히는 가시는 있기 마련이다. 어떤 사람에게는 용모나 육체적인 장애가 가시가 되기도 하고, 어떤 사람에게는 가난한 환경이 가시가 되기도 한다. 나약하고 내성적인 성격이 가시가 되기도 하고, 원하는 재능이 없다는 것이 가시가 되기도 한다. 그리고 그 가시 때문에 오래도록 괴로워하고 삶을 혐오하게 되기도 한다.

로트레크라는 화가는 부유한 귀족의 아들이었지만 사고로 인해 두 다리를 차례로 다쳤다. 그로 인해 다른 사람보다 다리가 자유롭지 못했고 다리 한쪽이 좀 짧았다고 한다. 다리 때문에 비관한 그는 방탕한 생활 끝에 결국 창녀촌에서 불우한 생을 마감했다. 그러나 그런 절망 속에서 그렸던 그림들은 아직까지 남아서 전해진다.

㉢"내 다리 한쪽이 짧지 않았더라면 나는 그림을 그리지 않았을 것이다."라고 그는 말한 적이 있다. 그에게 있어서 가시는 바로 남들보다 약간 짧은 다리 한쪽이었던 것이다.

로트레크의 그림만이 아니라, 우리가 오래 고통받아 온 것이 오히려 존재를 들어 올리는 힘이 되곤 하는 것을 겪곤 한다. 그러니 가시 자체가 무엇인가 하는 것은 그리 중요한 문제가 아닐지도 모른다. 어차피 뺄 수 없는 삶의 가시라면 그것을 어떻게 받아들이고 다스려 나가느냐가 더 중요하지 않을까 싶다. 그것마저 없었다면 우리는 인생이라는 잔을 얼마나 쉽게 마셔 버렸을 것인가. 인생의 소중함과 고통의 깊이를 채 알기도 전에 얼마나 웃자라 버렸을 것인가.

㉣실제로 너무 아름답거나 너무 부유하거나 너무 강하거나 너무 재능이 많은 것이 오히려 삶을 망가뜨리는 경우를 자주 보게 된다. 그런 점에서 사람에게 주어진 고통, 그 날카로운 가시야말로 그를 참으로 겸허하게 만들어 줄 선물일 수도 있다. 그리고 뽑혀지기를 간절히 바라는 가시야말로 우리가 더 깊이 끌어안고 살아야 할 존재인지도 모른다.

가시 박힌 상처가 벌겋게 부어올라 마음이 쉽게 가라앉지 않는 날, 나는 고향의 탱자나무 울타리를 떠올리곤 한다. 둥근 탱자를 손에 쥐고 다니던 그때, 탱자 가시로 장난을 치곤 하던 그때, 내 삶에 이런 가시들이 돋아나리라고는 짐작조차 할 수 없었던 그때……. ㉤그 평화롭던 유년의 울타리가 탱자나무로 되어 있었다는 사실이 내게는 어떤 전언처럼 받아들여진다.

내게 열매와 꽃과 가시를 처음으로 가르쳐 준 나무. 내가 살아가면서 잃어버려야 할 것과 지켜 가야 할 것을 동시에 보여준 나무. 그러면서 나와 함께 좁은 나이테를 늘려가고 있을 탱자나무. 눈앞에 그 짙푸른 탱자나무를 떠올리고 있으면 부어오른 마음도 조금은 가라앉게 되는 것이다.

언젠가 탱자나무 울타리를 다시 지나게 된다면……. 아마도 나는 그 사이에 더 굵어진 가시들을 조심조심 어루만지면서 무어라 중얼거릴 것이다. 그리고는 오래 전에 잃어버린 탱자 한 알을 슬그머니 따서 주머니에 넣고는 그 푸른 울타리를 총총히 떠날 것이다. 만일 가시들 사이에서 키워 낸 그 향기로운 열매를 내게도 허락해 준다면.

– 나희덕, 「내 유년의 울타리는 탱자나무였다」 –

05 윗글에 대한 설명으로 적절하지 않은 것은?

① 구체적 사물에 빗대어 글의 주제를 제시하고 있다.
② 일상적 경험으로 인생의 교훈을 이끌어 내고 있다.
③ 전문가의 견해를 인용하여 자신의 견해를 수정하고 있다.
④ 소재의 의미를 구체화하기 위해 예시의 방법을 사용하고 있다.
⑤ 다양한 감각적 이미지를 활용하여 대상을 생생하게 표현하고 있다.

06 ㉠~㉤에 대한 이해로 적절하지 않은 것은?

① ㉠ : 힘겨운 삶의 현실 속에서 고통을 겪었다는 말이군.
② ㉡ : 삶의 고통을 부정할수록 그 고통이 더 크게 다가온다는 말이군.
③ ㉢ : 삶의 고통을 자기 나름대로 긍정적으로 승화시켰다는 말이군.
④ ㉣ : 부족함이 없는 인생도 불행해질 수 있다는 말이군.
⑤ ㉤ : 유년기에 이미 인생에 고통이 있다는 사실을 깨달았다는 말이군.

07 윗글에서 말하는 '가시'의 역할로 적절하지 않은 것은?

① 자기를 느낄 수 있는 힘
② 자긍심을 느끼게 하는 것
③ 스스로를 아프게 하는 것
④ 성장과 발전의 원동력
⑤ 겸허하게 만들어 주는 것

08 윗글과 주제의식 면에서 가장 유사한 것은?

① 헤어지자
섬세한 손길을 흔들며
하롱하롱 꽃잎이 지는 어느 날,

나의 사랑, 나의 결별
샘 터에 물 고이듯
성숙하는 내 영혼의 슬픈 눈

– 이형기, 「낙화」 –

② 이렇게 정다운
너 하나 나 하나는
어디서 무엇이 되어
다시 만나랴

– 김광섭, 「저녁에」 –

③ 우리들은 모두 무엇이 되고 싶다.
너는 나에게 나는 너에게
잊혀지지 않는 하나의 눈짓이 되고 싶다.

– 김춘수, 「꽃」 –

④ 밤에 홀로 유리를 닦는 것은
외로운 황홀한 심사이어니
고운 폐혈관이 찢어진 채로
아아, 늬는 산새처럼 날아갔구나!

– 정지용, 「유리창」 –

⑤ 구름이 꼬인다 갈리 있고
새 노래는 공으로 들으랴오

왜 사냐건
웃지요

– 김상용, 「남으로 창을 내겠소」 –

7

매듭을 푸는 말과 글

차별받지 않을 권리

– 김두식 –

모든 국민은 법 앞에 평등한가

불과 십수 년 전만 해도 신입 사원을 뽑는 기업체의 공고에 '25세 미만' 같은 조건이 붙어 있는 경우를 흔히 볼 수 있었다. 이 공고에 따르면 이제 막 26세가 된 사람은 아무리 탁월한 기량을 지니고 있더라도 지원조차 할 수 없는 셈이다. 최근 들어 이런 제한이 많이 사라지긴 했지만 '대학을 졸업한 지 1년 이내인 자'처럼 변형된 조건을 내세우는 곳이 아직 많다. 이처럼 '합리적인 이유가 없는 차별'은 능력 있는 많은 사람에게서 취업의 기회를 근원적으로 박탈하고 있다.

대학 졸업 시기도 연령과 대체로 관련이 있을 수밖에 없으므로 졸업 시기의 제한은 연령 제한의 변형임

▶ 연령에 따른 취업 자격 제한이라는 사회적 차별

비단 나이에 따른 차별만이 문제인 것은 아니다. 성별이나 신체 장애, 종교로 인한 차별이 있는가 하면, 단지 비형 간염 바이러스 보균자라는 이유만으로 취업을 거부당한 사람도 있다. 이처럼 각종 차별이 일상화되다 보면 우리도 모르게 이런 문제에 무감각해질 위험이 있다.

▶ 다양한 차별이 일상화된 현실과 이로 인한 위험성

제도의 차원에서 이러한 차별의 예방이나 교정에 실효적 기능을 담당하는 것은 '법'이라고 할 수 있다. 아직 충분하지는 않지만 우리도 그런 법 조항을 갖고 있다. 우리나라의 헌법 제11조 제1항에는 "모든 국민은 법 앞에 평등하다. 누구든지 성별, 종교, 또는 사회적 신분에 의하여 정치적 · 경제적 · 사회적 · 문화적 생활의 모든 영역에 있어서 차별을 받지 아니한다."라고 명시되어 있다. 여기서 말하는 '성별, 종교, 또는 사회적 신분'은 수많은 차별 사례 중 몇 가지만을 예로 든 것이다. 국가인권위원회법에서도 차별 금지에 관한 상당히 넓은 범위의 영역을 이미 규정해 놓고 있는데도 차별은 쉽게 사라지지 않고 있다. 왜 그럴까? 차별을 막는 법 조항이 있음에도 차별이 존재하는 이유는 그 법을 해석, 적용, 시행하는 과정에 다음과 같은 문제점이 있기 때문이다.

포괄적 차별 금지에까지 이르지는 못하고 원론 수준의 법 조항이 존재하는 것에 불과하지만

차별의 사유가 될 수 없는 것이 이 몇 가지뿐은 아니라는 의미임

▶ 헌법이 보장하는 차별받지 않을 권리에도 불구하고 차별이 엄존하는 현실

첫 번째 문제점은 '성별, 종교, 장애, 나이, 사회적 신분, 출신 지역, 출신 국가, 출신 민족, 용모 등 신체 조건, 혼인 여부, 임신 또는 출산, 가족 형태 또는 가족 상황, 인종, 피부색, 사상 또는 정치적 의견, 형의 효력을 잃은 전과, 성적(性的) 지향, 학력, 병력(病歷)' 등을 이유로 한 차별 현상의 상당 부분이 사적 생활 영역에서 일어난다는 점과 관련이 있다.

다양한 사회적 차별의 이유들

▶ 사회적 차별이 사라지지 않는 첫 번째 이유 - 차별 주체의 문제

우리 사회의 민주화가 진척되어 감에 따라, 국가 권력에 의한 차별보다는 오히려 고용주, 서비스 공급자 같은 사적 생활 관계의 주체들에 의한 차별이 만연하기 시작했다. 그런데 공적 영역에서 일어나는 차별은 헌법상의 차별 금지 조항이 직접 적용되는 데 반해, 사적 영역에서 발생한 차별은 모호하다. 가해자가 국가이고 피해자가 시민일 때는 피해자가 헌법 조항을 근거로 시정 조치를 국가에 직접 요구할 수 있지만 가해자와 피해자 모두 개인이면 이런 요구가 쉽지 않다는 것이다. 예컨대 내가 목욕탕에 갔다가 장애인이라는 이유로 입장을 거부당했다고 하자. 이런 상황에서 헌법을 기초로 그 목

사회가 민주화됨에 따라, 국가 원력에 의한 부당한 차별에는 시민들이 문제는 제기하고 저항하는 분위기가 어느 정도 정착되었지만, 사적 관계의 주체들 간에 발생하는 차별은 그러지 못했다는 의미임.

서비스 공급자에 의한 불합리한 차별 사례

욕탕 주인에게 시정을 요구할 뾰족한 방법은 없다. 별도의 입법 조치가 없는 한, 현재로서는 그 목욕탕 주인에게 불법 행위에 따른 손해 배상을 청구하는 일만 할 수 있다. 개인과 개인의 관계는 공법(公法)이 아닌 사법(私法)으로 해결해야 한다는 원칙이 우리 법체계의 바탕을 이루고 있기 때문이다. ▶ 사적 생활 관계의 주체들에 의한 차별이 만연한 이유

두 번째로, 차별 행위에 따른 민사상의 손해 배상액이 너무 적다는 문제가 있다. 차별을 당한 사람이 독하게 마음 먹고 민사 소송을 제기해서 승소해도 마음의 상처를 치유하기에 턱없이 부족한 배상액을 받는 경우가 많다. 소송을 제대로 수행하려면 변호사 비용만 수백만 원이 드는데 그 결과물인 배상액이 기껏해야 수십만 원이라면 누구라도 소송을 포기할 것이다. ▶ 사회적 차별이 사라지지 않는 두 번째 이유 - 손해 배상액의 문제

세 번째로, 불법 행위에 따른 손해 발생과 인과 관계 등의 입증 책임을 모두 차별당한 사람이 지게 되어 있는 것도 문제이다. 우리 사법의 기본 원칙상 입증 책임은 원고의 몫이기 때문이다. 하지만 차별 행위가 있었다는 사실을 법정에서 입증하는 것은 결코 쉬운 일이 아니다. 예컨대 어떤 회사에 입사하지 못한 기혼 여성이 채용 과정에서 차별이 있었음을 주장하며 소송을 한다고 할 때, 오로지 기혼 여성이라는 이유로 회사가 자신을 떨어뜨렸다는 사실을 입증해 내지 못하면 패소한다. 이처럼 차별을 당한 개인이 소송에서 이기기란 매우 어렵다. ▶ 사회적 차별이 사라지지 않는 세 번째 이유 - 입증 책임의 문제

확인학습

01 이 글은 구체적인 예를 들어 중심 화제에 대한 독자의 이해를 돕고 있다. O☐ X☐

02 이 글은 중심 화제에 대한 다양한 관점들을 소개하고 있다. O☐ X☐

03 분류의 방법을 활용하여 문제의 원인을 체계적으로 제시하고 있다. O☐ X☐

04 차별을 당한 개인이 차별 관련 소송에서 차별 행위의 존재와 그로 인한 손해 발생을 입증하는 일은 어렵다. O☐ X☐

05 각종 차별의 일상화는 차별 자체에 대한 무감각화를 초래할 수 있다. O☐ X☐

06 현재는 차별 행위에 따른 민사상 손해 배상액이 과다하게 부과되는 실정이다. O☐ X☐

07 국가가 개인에게 차별 행위를 했을 때 시정을 요구할 수 있는 법적 근거가 되는 것은? (　　　　)

08 부당한 차별을 한 서비스 공급자에게 현재 법체계 안에서 피해자가 할 수 있는 일은? (　　　　)

⊙ 어휘풀이

- **보균자(保菌者)** 병의 증상은 보이지 않으나 병원균을 몸 안에 지니고 있어 다른 사람에게 병원균을 옮길 가능성이 있는 사람.
- **교정(敎正)** 가르쳐서 바르게 함.
- **실효적(實效的)** 실제로 효과가 있는.
- **병력(病歷)** 지금까지 앓은 병의 종류, 그 원인 및 병의 진행 결과와 치료 과정 따위를 이르는 말.
- **만연(蔓延)** 식물의 줄기가 널리 뻗는다는 뜻으로, 전염병이나 나쁜 현상이 널리 퍼짐을 비유적으로 이르는 말.
- **입법(立法)** 법률을 제정함.
- **손해 배상** 법률에 따라 남에게 끼친 손해를 물어 주는 일. 또는 그런 돈이나 물건.
- **청구(請求)** 상대편에 대하여 일정한 행위나 급부(채권의 목적이 되는, 채무자가 하여야 할 행위.)를 요구하는 일.
- **공법(公法)** 국가나 공공 단체 상호 간의 관계나 이들과 개인의 관계를 규정하는 법률.
- **사법(私法)** 개인 사이의 재산, 신분 따위에 관한 법률관계를 규정한 법. 민법, 상법 따위가 있음.
- **민사 소송(民事訴訟)** 사법(司法) 기관이 개인의 요구에 따라 사법적(私法的)인 권리관계의 다툼을 해결하고 조정하기 위하여 행하는 재판 절차.
- **승소(勝訴)** 소송에서 이기는 일. 소송 당사자의 한 편이 자기에게 유리한 판결을 받는 일을 가리킴.
- **입증(立證)** 어떤 증거 따위를 내세워 증명함.
- **패소(敗訴)** 소송에서 짐.

■

차별 철폐를 위해 우선 할 수 있는 일

우리나라의 경우 사회 전체가 다양화의 길을 걷기 시작한 1990년대 이후에서야 차별의 문제가 본격적으로 논의되었다. 논의 기간이 짧은 만큼 차별을 방지할 만한 뚜렷한 대책이 마련되지 못했다. 고작해야 국민 의식 개혁이나 각종 위원회 설치처럼 다분히 추상적이고 형식적인 수준이다. 물론 차별 문제를 단번에 해결할 묘책을 찾기는 쉽지 않다. 그러나 생각의 방향을 조금만 바꾸어도 꽤 손쉬운 실마리를 찾을 수 있다.

매우 복잡하고 광범위한 사회 문제이기 때문에

▶ 차별 방지 대책이 마땅치 않은 우리 사회의 현실

나는 차별 금지 소송의 증가가 우리 의식 개혁의 중요한 출발점이 될 수 있다고 생각한다. 차별 행위가 있을 때마다 피해자들이 소송을 하고, 단돈 십만 원이라 할지라도 손해 배상금을 받아 내는 일이 이어진다면 서서히 의미 있는 변화가 나타날 것이다. 그런데 소송을 하려면 큰돈이 들고 귀찮은 일도 많아서 현재의 우리 법 제도에서 차별 철폐 관련 소송이 활성화되기는 몹시 어렵다. 지금까지 그나마 몇 건의 차별 철폐 관련 소송들이 주목받을 수 있었던 것은 공익 문제에 관심이 있는 소수의 변호사가 신념을 가지고 적극적으로 변호해 주었기 때문이었다. 그러나 아무래도 영리를 추구할 수밖에 없는 변호사들에게 계속 선의만을 기대할 수는 없다. 나는 바로 이 부분이야말로 국가가 개입해야 할 지점이라고 본다. 차별받는 이웃과, 그들을 위해 일하고 싶은 변호사들 사이를 가로막는 벽은 다름 아닌 '돈'이며, 그 벽을 무너뜨리는 역할은 국가의 몫이라고 생각한다.

사회적 차별 문제의 해결에 관한 필자의 핵심 주장이 드러난 부분

개인의 힘으로 해결하기엔 부담스러운 공적인 차원의 문제이므로

비용 때문에 차별 관련 소송을 진행하지 못하는 경우가 없게 하는 일

▶ 국가가 차별 금지 소송의 활성화를 위해 노력해야 한다는 주장

우리나라에는 차별 문제에 적극적으로 개입하려는 의지를 지닌 국가인권위원회가 이미 존재한다. 하지만 현재 그 권한은 차별 행위를 조사하고 권고하는 정도로 제한되어 있다. 국가인권위원회가 차별 철폐와 시민권 보호의 진정한 보루 역할을 하려면 단순히 '조사'하고 '권고'하는 정도를 넘어, 피해자를 대리해서 직접 소송을 할 수 있는 권한과 예산을 가져야 한다. 인권을 위해 싸우도록 훈련된 변호사들이 차별 관련 소송을 대리하는 일에 매진할 수 있는 기반이 조성되어야 하기 때문이다.

국가인권위원회가 지닌 권한의 한계

▶ 국가인권위원회의 권환과 예산 확대의 필요성

차별 철폐와 관련된 소송들이 계속되면 저력 있는 우리 시민들은 차별 금지와 평등의 의의를 빠르게 학습할 것이다. 이를 통해, 말뿐인 의식 개혁이 아니라 생활 속에서 자연스럽게 배워 나가는 의식 개혁이 이루어질 수 있다. 또한 차별 철폐 소송을 하는 전문 변호사들이 앞서 언급한 바와 같이 기존 법체계의 한계에 자꾸 부딪히면 이를 해결할 새로운 법률의 제정을 준비하게 될 것이고, 그 새로운 법을 만드는 과정에서 시민들의 의식은 더욱 향상될 것이다. 새 법을 시행해 나가다가 다른 한계에 부딪히면 또 새로운 법률 제정 운동이 나타날 것이다. 이런 건전한 순환 구조 안에서 시민의 삶과 우리의 법체계는 함께 발전할 수 있다. 국가 권력을 견제하는 소극적인 역할을 넘어 시민의 권리를 적극적으로 옹호하는 법의 새로운 역할은 이러한 노력에서 태동할 것이다.

의식 개혁 → 한계 절감 → 새로운 법률 제정 → 의식 향상 → 또 다른 한계 절감 → 새로운 법률 제정

▶ 건전한 순환 수조를 통해 시민의 권리를 적극 옹호하는 법의 역할에 대한 기대

－『헌법의 풍경』－

⊙ 핵심정리

갈래	논설문
성격	비판적, 논리적, 설득적
제재	불합리한 사회적 차별
주제	사회적 차별이 사라지지 않는 원인과 차별 철폐를 위한 대책
특징	• 문제 상황의 원인을 분석한 후에 해결 방안을 제시하여 내용을 논리적으로 전개함. • 구체적 법 조항을 근거로 활용하여 내용의 정확성과 주장의 신뢰성을 높임. • 일상생활에서 발생할 수 있는 사례들을 활용하여 독자의 이해를 도움.

확인학습

01 현재 우리 사회의 차별 문제는 국가 권력에 의해 발생하는 경우가 대부분이다. O□ X□

02 개인과 개인의 관계는 원칙적으로 공법이 아닌 사법으로 해결하도록 되어 있다. O□ X□

03 차별 행위에 따른 민사상의 손해 배상액은 대체로 과다 책정되어 있다. O□ X□

04 이 글의 필자는 차별 금지 소송의 활성화가 차별 문제를 해결하는 데 도움이 될 것이라고 본다. O□ X□

05 국가인권위원회는 조사를 통해 누군가의 차별 행위가 밝혀지면 그를 직접 처벌할 수 있다. O□ X□

06 차별 문제에 관하여 국가인권위 원회가 현재 갖고 있는 권한은? (   )

07 필자가 생각하는 법의 역할들은? (   )

08 이 글은 공익 문제에 관심을 가진 변호사들의 차별 관련 소송에 대한 적극적인 역할을 강조하고 있다. O□ X□

09 이 글은 법의 새로운 역할을 통한 긍정적 변화들을 예상하고 있다. O□ X□

10 현재 우리의 법체계는 차별 금지의 실효적 기능을 하기에는 충분치 못하다. O□ X□

⊙ 어휘풀이

- **보루(堡壘)** 지켜야 할 대상을 비유적으로 이르는 말.
- **저력(底力)** 속에 간직하고 있는 든든한 힘.
- **태동(胎動)** 어떤 일이 생기려는 기운이 싹틈.

객관식 기본문제

[01~03] 다음 글을 읽고 물음에 답하시오.

제도의 차원에서 이러한 차별의 예방이나 교정에 실효적 기능을 담당하는 것은 '법'이라고 할 수 있다. 아직 충분하지는 않지만 우리도 그런 법 조항을 갖고 있다. 우리나라의 헌법 제11조 제1항에는 "모든 국민은 법 앞에 평등하다. 누구든지 성별, 종교, 또는 사회적 신분에 의하여 정치적 · 사회적 · 문화적 생활의 모든 영역에 있어서 차별을 받지 아니한다."라고 명시되어 있다. 여기서 말하는 '성별, 종교, 또는 사회적 신분'은 수많은 차별 사례 중 몇 가지만을 예로 든 것이다. 국가인권위원회법에서도 차별 금지에 관한 상당히 넓은 범위의 영역을 이미 규정해 놓고 있는데도 차별은 쉽게 사라지지 않고 있다. 왜 그럴까? (㉠)

첫 번째 문제점은 '성별, 종교, 장애, 나이, 사회적 신분, 출신 지역, 출신 국가, 출신 민족, 용모 등 신체 조건, 혼인 여부, 임신 또는 출산, 가족 형태 또는 가족 상황, 인종, 피부색, 사상 또는 정치적 의견, 형의 효력을 잃은 전과, 성적(性的) 지향, 학력, 병력(病歷)' 등을 이유로 한 차별 현상의 상당 부분이 사적 생활 영역에서 일어난다는 점과 관련이 있다.

우리 사회의 민주화가 진척되어 감에 따라, 국가 권력에 의한 차별보다는 오히려 고용주, 서비스 공급자 같은 사적 생활 관계의 주체들에 의한 차별이 만연하기 시작했다. 그런데 공적 영역에서 일어나는 차별은 헌법상의 차별 금지 조항이 직접 적용되는 데 반해, 사적 영역에서 발생한 차별은 모호하다. 가해자가 국가이고 피해자가 시민일 때는 피해자가 헌법 조항을 근거로 시정 조치를 국가에 직접 요구할 수 있지만 가해자와 피해자가 모두 개인이면 이런 요구가 쉽지 않다는 것이다. 예컨대 내가 목욕탕에 갔다가 장애인이라는 이유로 입장을 거부당했다고 하자. 이런 상황에서 헌법을 기초로 그 목욕탕 주인에게 시정을 요구할 뾰족한 방법은 없다. 별도의 입법 조치가 없는 한, 현재로서는 그 목욕탕 주인에게 불법 행위에 따른 손해 배상을 청구하는 일만 할 수 있다. 개인과 개인의 관계는 공법(公法)이 아닌 사법(私法)으로 해결해야 한다는 원칙이 우리 법체계의 바탕을 이루고 있기 때문이다.

두 번째로, 차별 행위에 따른 민사상의 손해 배상액이 너무 적다는 문제가 있다. 차별을 당한 사람이 독하게 마음먹고 민사 소송을 제기해서 승소해도 마음의 상처를 치유하기에 턱없이 부족한 배상액을 받는 경우가 많다. 소송을 제대로 수행하려면 변호사 비용만 수백만 원이 드는데 그 결과물인 배상액이 기껏해야 수십만 원이라면 누구라도 소송을 포기할 것이다.

세 번째로, 불법 행위에 따른 손해 발생과 인과 관계 등의 입증 책임을 모두 차별당한 사람이 지게 되어 있는 것도 문제이다. 우리 사법의 기본 원칙상 입증 책임은 원고의 몫이기 때문이다. 하지만 차별 행위가 있었다는 사실을 법정에서 입증하는 것은 결코 쉬운 일이 아니다.

〈중략〉

차별 철폐와 관련된 소송들이 계속되면 저력 있는 우리 시민들은 차별 금지와 평등의 의의를 빠르게 학습할 것이다. 이를 통해, 말뿐인 의식 개혁이 아니라 생활 속에서 자연스럽게 배워 나가는 의식 개혁이 이루어질 수 있다. 또한 차별 철폐 소송을 하는 전문 변호사들이 앞서 언급한 바와 같이 기존 법체계의 한계에 자꾸 부딪히면 이를 해결할 새로운 법률의 제정을 준비하게 될 것이고, 그 새로운 법을 만드는 과정에서 시민들의 의식은 더욱 향상될 것이다. 새 법을 시행해 나가다가 다른 한계에 부딪히면 또 새로운 법률 제정 운동이 나타날 것이다. 이런 ㉡<u>건전한 순환 구조</u> 안에서 시민의 삶과 우리의 법체계는 함께 발전할 수 있다.

01 윗글에 대한 설명으로 적절한 것을 〈보기〉에서 있는 대로 고른 것은?

보기

가. 권위 있는 학자의 견해를 인용하여 자신의 주장을 뒷받침하고 있다.
나. 일상생활에서 발생할 수 있는 사례들을 활용하여 독자의 이해를 돕고 있다.
다. 문제 상황의 원인을 분석하고 분류의 방법을 활용하여 체계적으로 제시하고 있다.
라. 구체적인 법 조항을 근거로 활용하여 내용의 정확성과 주장의 신뢰성을 높이고 있다.

① 가, 나　② 가, 다　③ 가, 나, 다　④ 나, 다, 라　⑤ 가, 나, 다, 라

02 문맥상 ㉠에 들어갈 문장으로 가장 적절한 것은?

① 차별 관련 법을 해석, 작용, 시행하는 과정에 문제점이 있기 때문이다.
② 차별의 현실과 문제에 대한 국민들의 소극적인 시민의식 때문이다.
③ 기존 법체계의 한계를 발견해야 하는 변호사들이 부족하기 때문이다.
④ 성별, 종교, 사회적 신분은 인간의 사적인 영역 중에서도 가장 중요하기 때문이다.
⑤ 국가인권위원회가 국민의 인권 신장을 위해 최선을 다할 수 없는 환경이기 때문이다.

03 〈보기〉에서 ㉡의 순서로 가장 적절한 것은?

보기

가. 시민의 의식 개혁　다. 시민의 의식 향상
나. 기존 법체계의 한계 절감　라. 새로운 법률 제정

① 가 - 나 - 다 - 라　② 가 - 나 - 라 - 다　③ 가 - 라 - 나 - 다
④ 나 - 가 - 라 - 다　⑤ 라 - 나 - 가 - 다

[04~06] 다음 글을 읽고 물음에 답하시오.

(가) 제도의 차원에서 이러한 차별의 예방이나 교정에 실효적 기능을 담당하는 것은 '법'이라고 할 수 있다. 아직 충분하지는 않지만 우리도 그런 법 조항을 갖고 있다. 우리나라의 헌법 제11조 제1항에는 "모든 국민은 법 앞에 평등하다. 누구든지 성별, 종교, 또는 사회적 신분에 의하여 정치적 · 사회적 · 문화적 생활의 모든 영역에 있어서 차별을 받지 아니한다."라고 명시되어 있다. 여기서 말하는 '성별, 종교, 또는 사회적 신분'은 수많은 차별 사례 중 몇 가지만을 예로 든 것이다. (㉠) 국가인권위원회법에서도 차별 금지에 관한 상당히 넓은 범위의 영역을 이미 규정해 놓고 있는데도 차별은 쉽게 사라지지 않고 있다.

(나) 우리나라의 경우 사회 전체가 다양화의 길을 걷기 시작한 1990년대 이후에서야 차별의 문제가 본격적으로 논의되었다. 논의 기간이 짧은 만큼 차별을 방지할 만한 뚜렷한 대책이 마련되지 못했다. 고작해야 국민 의식 개혁이나 각종 위원회 설치처럼 다분히 추상적이고 형식적인 수준이다. 물론 차별 문제를 단번에 해결할 묘책을 찾기는 쉽지 않다. 그러나 생각의 방향을 조금만 바꾸어도 꽤 손쉬운 실마리를 찾을 수 있다.

(다) 나는 차별 금지 소송의 증가가 우리 의식 개혁의 중요한 출발점이 될 수 있다고 생각한다. 차별 행위가 있을 때마다 피해자들이 소송을 하든, 단돈 십만 원이라 할지라도 손해 배상금을 받아 내는 일이 이어진다면 서서히 의미 있는 변화가 나타날 것이다. 그런데 소송을 하려면 큰돈이 들고 귀찮은 일도 많아서 현재의 우리 법 제도에서 차별 철폐 관련 소송이 활성화되기는 몹시 어렵다. 지금까지 그나마 몇 건의 차별 철폐 관련 소송들이 주목받을 수 있었던 것은 공익 문제에 관심이 있는 소수의 변호사가 신념을 가지고 적극적으로 변호해 주었기 때문이었다. 그러나 아무래도 영리를 추구할 수밖에 없는 변호사들에게 계속 선의만을 기대할 수는 없다. 나는 바로 이 부분이야말로 국가가 개입해야 할 지점이라고 본다. 차별받는 이웃과, 그들을 위해 일하고 싶은 변호사들 사이를 가로막는 벽은 다름 아닌 '돈'이며, 그 벽을 무너뜨리는 역할은 국가의 몫이라고 생각한다.

(라) 우리나라에는 차별 문제에 적극적으로 개입하려는 의지를 지닌 국가인권위원회가 이미 존재한다. 하지만 현재 그 권한은 차별 행위를 조사하고 권고하는 정도로 제한되어 있다. 국가인권위원회가 차별 철폐와 시민권 보호의 진정한 보루 역할을 하려면 단순히 '조사'하고 '권고'하는 정도를 넘어, 피해자를 대리해서 직접 소송을 할 수 있는 권한과 예산을 가져야 한다. 인권을 위해 싸우도록 훈련된 변호사들이 차별 관련 소송을 대리하는 일에 매진할 수 있는 기반이 조성되어야하기 때문이다.

(마) 차별 철폐와 관련된 소송들이 계속되면 저력 있는 우리 시민들은 차별 금지와 평등의 의의를 빠르게 학습할 것이다. 이를 통해, 말뿐인 의식 개혁이 아니라 생활 속에서 자연스럽게 배워 나가는 의식 개혁이 이루어질 수 있다. 또한 차별 철폐 소송을 하는 전문 변호사들이 앞서 언급한 바와 같이 기존 법체계의 한계에 자꾸 부딪히면 이를 해결할 새로운 법률의 제정을 준비하게 될 것이고, 그 새로운 법을 만드는 과정에서 시민들의 의식은 더욱 향상될 것이다. 새 법을 시행해 나가다가 다른 한계에 부딪히면 또 새로운 법률 제정 운동이 나타날 것이다. 이런 건전한 순환 구조 안에서 시민의 삶과 우리의 법체계는 함께 발전할 수 있다. 국가 권력을 견제하는 소극적인 역할을 넘어 시민의 권리를 적극적으로 옹호하는 법의 새로운 역할은 이러한 노력에서 태동할 것이다.

– 김두식, 「차별받지 않을 권리」 –

04 (가)~(마)에 대한 설명으로 적절하지 않은 것은?

① (가) : 차별과 관련된 우리의 법 조항을 소개하고 있다.
② (나) : 차별 문제를 해결할 뚜렷한 대책이 없는 우리 사회의 현실을 지적하고 있다.
③ (다) : 공익 문제에 관심을 가진 변호사들의 차별 관련 소송에 대한 적극적인 역할을 강조하고 있다.
④ (라) : 국가인권위원회를 활용하여 차별 관련 소송을 활성할 것을 제안하고 있다.
⑤ (마) : 법의 새로운 역할을 통한 긍정적 변화들을 예상하고 있다.

05 윗글을 통해 알 수 있는 내용으로 적절한 것은?

① 지금까지는 차별 철폐 관련 소송이 사회적으로 주목을 받은 적이 없었다.
② 우리 법 제도는 차별 철폐 소송을 제기하는 당사자를 적극 지원하고 있다.
③ 현재 우리의 법체계는 차별 금지의 실효적 기능을 하기에는 충분치 못하다.
④ 국가인권위원회는 차별 행위를 조사하고 피해자를 대신해 직접 소송을 할 수 있다.
⑤ 국가인권위원회에 관한 법에는 아직 광범위한 차별 행위에 대한 규정이 없다.

06 문맥으로 볼 때 ㉠에 들어갈 수 있는 문장으로 가장 적절한 것은?

① 국가인권위원회는 국민의 인권 신장을 위해 최선을 다해야만 한다.
② 성별, 종교, 사회적 신분은 인간의 사적인 영역 중에서도 가장 중요하다.
③ 성별이 종교와 달리 사회적 신분은 현대 사회에서는 큰 문제가 되지 않는다.
④ 불합리한 차별 범주에 해당하는 것은 비단 성별, 종교, 사회적 신분만이 아니다.
⑤ 차별 관련 법안의 내용은 성별, 종교, 사회적 신분에 관한 것으로만 한정되어야 한다.

[07~08] 다음 글을 읽고 물음에 답하시오.

(가) 제도의 차원에서 이러한 차별의 예방이나 ⓐ교정에 실효적 기능을 담당하는 것은 '법'이라고 할 수 있다. 아직 충분하지는 않지만 우리도 그런 법 조항을 갖고 있다. 우리나라의 헌법 제11조 제1항에는 "모든 국민은 법 앞에 평등하다. 누구든지 성별, 종교, 또는 사회적 신분에 의하여 정치적 · 사회적 · 문화적 생활의 모든 영역에 있어서 차별을 받지 아니한다."라고 명시되어 있다. 여기서 말하는 '성별, 종교, 또는 사회적 신분'은 수많은 차별 사례 중 몇 가지만을 예로 든 것이다. 국가인권위원회법에서도 차별 금지에 관한 상당히 넓은 범위의 영역을 이미 규정해 놓고 있는데도 차별은 쉽게 사라지지 않고 있다. 왜 그럴까? 차별을 막는 법 조항이 있음에도 차별이 존재하는 이유는 그 법을 해석, 적용, 시행하는 과정에 다음과 같은 문제점이 있기 때문이다.

(나) 첫 번째 문제점은 '성별, 종교, 장애, 나이, 사회적 신분, 출신 지역, 출신 국가, 출신 민족, 용모 등 신체 조건, 혼인 여부, 임신 또는 출산, 가족 형태 또는 가족 상황, 인종, 피부색, 사상 또는 정치적 의견, 형의 효력을 잃은 전과, 성적(性的) 지향, 학력, ⓑ병력(病歷)' 등을 이유로 한 차별 현상의 상당 부분이 사적 생활 영역에서 일어난다는 점과 관련이 있다.

(다) 우리 사회의 민주화가 진척되어 감에 따라, 국가 권력에 의한 차별보다는 오히려 고용주, 서비스 공급자 같은 사적 생활 관계의 주체들에 의한 차별이 만연하기 시작했다. 그런데 공적 영역에서 일어나는 차별은 헌법상의 차별 금지 조항이 직접 적용되는 데 반해, 사적 영역에서 발생한 차별은 모호하다. 가해자가 국가이고 피해자가 시민일 때는 피해자가 헌법 조항을 근거로 시정 조치를 국가에 직접 요구할 수 있지만 가해자와 피해자가 모두 개인이면 이런 요구가 쉽지 않다는 것이다. 예컨대 내가 목욕탕에 갔다가 장애인이라는 이유로 입장을 거부당했다고 하자. 이런 상황에서 헌법을 기초로 그 목욕탕 주인에게 시정을 요구할 뾰족한 방법은 없다. 별도의 ⓒ입법 조치가 없는 한, 현재로서는 그 목욕탕 주인에게 불법 행위에 따른 손해 배상을 청구하는 일만 할 수 있다. 개인과 개인의 관계는 공법(公法)이 아닌 사법(私法)으로 해결해야 한다는 원칙이 우리 법체계의 바탕을 이루고 있기 때문이다.

(라) 두 번째로, 차별 행위에 따른 민사상의 손해 배상액이 너무 적다는 문제가 있다. 차별을 당한 사람이 독하게 마음먹고 민사 소송을 제기해서 ⓓ승소해도 마음의 상처를 치유하기에 턱없이 부족한 배상액을 받는 경우가 많다. 소송을 제대로 수행하려면 변호사 비용만 수백만 원이 드는데 그 결과물인 배상액이 기껏해야 수십만 원이라면 누구라도 소송을 포기할 것이다.

(마) 세 번째로, 불법 행위에 따른 손해 발생과 인과 관계 등의 입증 책임을 모두 차별당한 사람이 지게 되어 있는 것도 문제이다. 우리 사법의 기본 원칙상 ⓔ입증 책임은 원고의 몫이기 때문이다. 하지만 차별 행위가 있었다는 사실을 법정에서 입증하는 것은 결코 쉬운 일이 아니다. 예컨대 어떤 회사에 입사하지 못한 기혼 여성이 채용 과정에서 차별이 있었음을 주장하며 소송을 한다고 할 때, 오로지 기혼 여성이라는 이유로 회사가 자신을 떨어뜨렸다는 사실을 입증해 내지 못하면 패소한다. 이처럼 차별을 당한 개인이 소송에서 이기기란 매우 어렵다.

07 (가)~(마)에 대한 설명으로 적절하지 않은 것은?

① (가) : 우리나라의 헌법에는 차별을 방지하는 법 조항이 없어 사회적 차별이 엄존하고 있다.
② (나) : 사회적 차별이 사라지지 않는 이유는 차별 현상이 사적 생활 영역에서 많이 일어나기 때문이다.
③ (다) : 공적 영역에서 일어나는 차별과 달리 사적 영역에서 발생한 차별은 헌법상의 차별 금지 조항이 직접 적용되기가 어렵다.
④ (라) : 차별 행위에 따른 민사상의 손해 배상액이 너무 적기 때문에 사회적 차별이 사라지지 않는다.
⑤ (마) : 불법 행위에 따른 손해 배상과 인과 관계 등의 입증 책임을 모두 차별당한 사람이 지게 되기 때문에 사회적 차별이 존재한다.

08 ⓐ~ⓔ의 사전적 의미로 적절하지 않은 것은?

① ⓐ : 가르쳐서 바르게 함
② ⓑ : 전에 있던 제도 따위를 걷어치워서 없앰
③ ⓒ : 법률을 제정함
④ ⓓ : 소송에서 이기는 일
⑤ ⓔ : 어떤 증거 따위를 내세워 증명함

[09~12] 다음 글을 읽고 물음에 답하시오.

(가) 불과 십수 년 전만 해도 신입 사원을 뽑는 기업체의 공고에 '25세 미만' 같은 조건이 붙어 있는 경우를 흔히 볼 수 있었다. 이 공고에 따르면 이제 막 26세가 된 사람은 아무리 탁월한 기량을 지니고 있더라도 지원조차 할 수 없는 셈이다. 최근 들어 이런 제한이 많이 사라지긴 했지만 '대학을 졸업한 지 1년 이내인 자'처럼 변형된 조건을 내세우는 곳이 아직 많다. 이처럼 '합리적인 이유가 없는 차별'은 능력 있는 많은 사람에게서 취업의 기회를 근원적으로 박탈하고 있다. 비단 나이에 따른 차별만이 문제인 것은 아니다. 성별이나 신체 장애, 종교로 인한 차별이 있는가 하면, 단지 비형 간염 바이러스 보균자라는 이유만으로 취업을 거부당한 사람도 있다. 이처럼 각종 차별이 일상화되다 보면 우리도 모르게 이런 문제에 무감각해질 위험이 있다.

제도의 차원에서 이러한 차별의 예방이나 교정에 실효적 기능을 담당하는 것은 '법'이라고 할 수 있다. 아직 충분하지는 않지만 우리도 그런 법 조항을 갖고 있다. 우리나라의 헌법 제11조 제1항에는 "모든 국민은 법 앞에 평등하다. 누구든지 성별, 종교, 또는 사회적 신분에 의하여 정치적 · 경제적 · 사회적 · 문화적 생활의 모든 영역에 있어서 차별을 받지 아니한다."라고 명시되어 있다. 여기서 말하는 '성별, 종교, 또는 사회적 신분'은 수많은 차별 사례 중 몇 가지만을 예로 든 것이다. 국가인권위원회법에서도 차별 금지에 관한 상당히 넓은 범위의 영역을 이미 규정해 놓고 있는데도 차별은 쉽게 사라지지 않고 있다. 왜 그럴까? 차별을 막는 법 조항이 있음에도 차별이 존재하는 이유는 그 법을 해석, 적용, 시행하는 과정에 다음과 같은 문제점이 있기 때문이다.

(나) 첫 번째 문제점은 '성별, 종교, 장애, 나이, 사회적 신분, 출신 지역, 출신 국가, 출신 민족, 용모 등 신체 조건, 혼인 여부, 임신 또는 출산, 가족 형태 또는 가족 상황, 인종, 피부색, 사상 또는 정치적 의견, 형의 효력을 잃은 전과, 성적(性的) 지향, 학력, 병력(病歷)' 등을 이유로 한 차별 현상의 상당 부분이 사적 생활 영역에서 일어난다는 점과 관련이 있다.

우리 사회의 민주화가 진척되어 감에 따라, 국가 권력에 의한 차별보다는 오히려 고용주, 서비스 공급자 같은 사적 생활 관계의 주체들에 의한 차별이 만연하기 시작했다. 그런데 공적 영역에서 일어나는 차별은 헌법상의 차별 금지 조항이 직접 적용되는 데 반해, 사적 영역에서 발생한 차별은 모호하다. 가해자가 국가이고 피해자가 시민일 때는 피해자가 헌법 조항을 근거로 시정 조치를 국가에 직접 요구할 수 있지만 가해자와 피해자 모두 개인이면 이런 요구가 쉽지 않다는 것이다. 예컨대 내가 목욕탕에 갔다가 장애인이라는 이유로 입장을 거부당했다고 하자. 이런 상황에서 헌법을 기초로 그 목욕탕 주인에게 시정을 요구할 뾰족한 방법은 없다. 별도의 입법 조치가 없는 한, 현재로서는 그 목욕탕 주인에게 불법 행위에 따른 손해 배상을 청구하는 일만 할 수 있다. 개인과 개인의 관계는 공법(公法)이 아닌 사법(私法)으로 해결해야 한다는 원칙이 우리 법체계의 바탕을 이루고 있기 때문이다.

(다) 두 번째로, 차별 행위에 따른 민사상의 손해 배상액이 너무 적다는 문제가 있다. 차별을 당한 사람이 독하게 마음먹고 민사 소송을 제기해서 승소해도 마음의 상처를 치유하기에 턱없이 부족한 배상액을 받는 경우가 많다. 소송을 제대로 수행하려면 변호사 비용만 수백만 원이 드는데 그 결과물인 배상액이 기껏해야 수십만 원이라면 누구라도 소송을 포기할 것이다.

세 번째로, 불법 행위에 따른 손해 발생과 인과 관계의 입증 책임을 모두 차별당한 사람이 지게 되어 있는 것도 문제이다. 우리 사법의 기본 원칙상 입증 책임은 원고의 몫이기 때문이다. 하지만 차별 행위가 있었다는 사실을 법정에서 입증하는 것은 결코 쉬운 일이 아니다. 예컨대 어떤 회사에 입사하지 못한 기혼 여성이 채용 과정에서 차별이 있었음을 주장하며 소송을 한다고 할 때, 오로지 기혼 여성이라는 이유로 회사가 자신을 떨어뜨렸다는 사실을 입증해 내지 못하면 패소한다. 이처럼 차별을 당한 개인이 소송에서 이기기란 매우 어렵다.

(라) 분배 정책이 강화되어 개인이 노력한 결과가 당사자에게 직접 돌아오지 않는다면, 열심히 일해야 한다는 유인이 줄어든다. 또 분배를 강조함으로써 복지 정책을 강화하면 소득 불균형이 더욱 심해질 수 있다. 복지 정책이 강화될 때는 정부의 간섭이 증가하여 경제 성장이 둔화되기 때문이다. 경제 성장이 둔화되면 실업이 증가한다. 일반적으로 실업이 증가할 경우 피해를 보는 계층은 전문직과 숙련 노동자가 아닌 비숙련 노동자이다. 그들이 가장 먼저 직장을 잃을 수밖에 없다. 그래서 소득 격차가 더욱 심해지는 것이다. 소득의 균형을 이루기 위해서는 분배 정책보다 시장 경제 체제가 더욱 효과적이다.

(마) 개인들 간의 불평등과 지위 격차는 '보이지 않는 손'이나 자연적, 사회적 우연에 의해 조절되지 않는다면 자유 경쟁의 과정에서 점점 더 심화되고, 법으로 정당화되는 상속으로 인하여 제도화된다. 사회 불평등이 제도화되면 결과를 놓고 개인들이 자유롭게 다툰다는 자유 경쟁의 본래 의미는 상실되고, 자유 경쟁 체제는 실제로는 강자가 지배하는 독점 체제 내지는 사회 불평등을 재생산하는 제도로 전락한다. 따라서 자유 경쟁 체제가 극단적인 강자의 논리나 불평등 재생산 체제로 변질되지 않기 위해서는 적절한 사회 통제가 꼭 필요하다.

---

09 윗글 (가)~(다)에 대한 설명으로 적절하지 <u>않은</u> 것은?

① 사회 문제에 대한 필자의 생각이나 의견을 독자가 수긍할 수 있도록 서술한 글이다.
② 독자를 설득하기 위해서는 주장이 명료하고 공정해야 한다.
③ 필자는 주제를 선정하고 예상되는 독자를 분석하여 글을 쓴다.
④ 필자는 예상 독자의 감정에 호소하여 주장을 관철시켜야 한다.
⑤ 필자는 주장에 대한 구체적인 근거를 논리적으로 서술한다.

10 윗글 (가)~(다)의 내용을 통해 이해한 것으로 가장 적절하지 않은 것은?

① 우리의 법체계는 개인과 개인의 관계에 문제가 생길 경우에 공법(公法)으로 해결해야 한다는 원칙을 적용하고 있다.
② 민주화가 진행되면서 개인들 간의 이해 충돌과 차별이 만연해졌다.
③ 종교, 사회적 신분, 성별 등 합리적인 이유 없이 차별당하는 경우가 많다.
④ 엄격한 나이 제한을 두어 취업의 기회를 박탈당한 사례가 있다.
⑤ 1990년대 이전에는 주로 개인 간의 차별 문제보다는 국가 권력에 의한 공적 영역에서의 표면화된 차별이 심각했다.

11 윗글의 (가)~(마)에 대한 설명으로 가장 적절하지 않은 것은?

① (가)는 구체적인 사례를 통해 차별에 대한 문제를 환기시킨다.
② (가)는 법 조항을 근거로 들어 주장의 신뢰성을 높인다.
③ (나)는 가정을 통해 일상에서 일어날 수 있는 차별의 부당함과 그 원인에 대해 설명한다.
④ (다)는 차별을 법으로 해결하고자 할 때의 현실적 어려움을 고찰한다.
⑤ (라)와 (마)는 모두 주장의 신뢰성을 위해 예상 반론을 예측하고 그것에 반박하고 있다.

12 윗글 (라)와 (마)에 대한 설명으로 적절하지 않은 것은?

① (라)의 필자는 소득 균형을 이루기 위해서는 시장 경제 체제가 효과적이라고 본다.
② (라)는 자유 경쟁 체제는 성장의 동력을 저해한다고 생각한다.
③ (마)는 자유 경쟁 체제가 강자의 논리나 불평등 재생산 체제로 변질되지 않아야 한다고 생각한다.
④ (마)는 시장 경쟁 체제라 할지라도 정부의 적극적인 개입이 필요하다고 본다.
⑤ (라)는 (마)의 견해와 달리 시장 경쟁 체제가 소득의 균형을 이루는 데 적절하다고 본다.

[13~15] 다음 글을 읽고 물음에 답하시오.

제도의 차원에서 이러한 차별의 예방이나 교정에 실효적 기능을 담당하는 것은 '법'이라고 할 수 있다. 아직 충분하지는 않지만 우리도 그런 법 조항을 갖고 있다. 우리나라의 헌법 제11조 제1항에는 "모든 국민은 법 앞에 평등하다. 누구든지 성별, 종교, 또는 사회적 신분에 의하여 정치적 · 경제적 · 사회적 · 문화적 생활의 모든 영역에 있어서 차별을 받지 아니한다."라고 명시되어 있다. 여기서 말하는 '성별, 종교, 또는 사회적 신분'은 수많은 차별 사례 중 몇 가지만을 예로 든 것이다. 국가인권위원회법에서도 차별 금지에 관한 상당히 넓은 범위의 영역을 이미 규정해 놓고 있는데도 차별은 쉽게 사라지지 않고 있다.

우리나라의 경우 사회 전체가 다양화의 길을 걷기 시작한 1990년대 이후에서야 차별의 문제가 본격적으로 논의되었다. 논의 기간이 짧은 만큼 차별을 방지할 만한 뚜렷한 대책이 마련되지 못했다. 고작해야 국민 의식 개혁이나 각종 위원회 설치처럼 다분히 추상적이고 형식적인 수준이다. 물론 차별 문제를 단번에 해결할 묘책을 찾기는 쉽지 않다. 그러나 생각의 방향을 조금만 바꾸어도 꽤 손쉬운 실마리를 찾을 수 있다.

나는 차별 금지 소송의 증가가 우리 의식 개혁의 중요한 출발점이 될 수 있다고 생각합니다. 차별 행위가 있을 때마다 피해자들이 소송을 하고, 단돈 십만 원이라 할지라도 손해 배상금을 받아 내는 일이 이어진다면 서서히 의미 있는 변화가 나타날 것이다. 그런데 소송을 하려면 큰돈이 들고 귀찮은 일도 많아서 현재의 우리 법 제도에서 차별 철폐 관련 소송이 활성화되기는 몹시 어렵다. 지금까지 그나마 몇 건의 차별 철폐 관련 소송들이 주목받을 수 있었던 것은 공익 문제에 관심이 있는 소수의 변화사가 신념을 가지고 적극적으로 변호해 주었기 때문이었다. 그러나 아무래도 영리를 추구할 수밖에 없는 변호사들에게 계속 선의만을 기대할 수는 없다. 나는 바로 이 부분이야말로 국가가 개입해야 할 지점이라고 본다. 차별받는 이웃과, 그들을 위해 일하고 싶은 변호사들 사이를 가로막는 벽은 다름 아닌 '돈'이며, 그 벽을 무너뜨리는 역할은 국가의 몫이라고 생각한다.

우리나라에는 차별 문제에 적극적으로 개입하려는 의지를 지닌 국가인권위원회가 이미 존재한다. 하지만 현재 그 권한은 차별 행위를 조사하고 권고하는 정도로 제한되어 있다. ⓐ<u>국가인권위원회</u>가 차별 철폐와 시민권 보호의 진정한 보루 역할을 하려면 단순히 '조사'하고 '권고'하는 정도를 넘어, 피해자를 대리해서 직접 소송을 할 수 있는 권한과 예산을 가져야 한다. 인권을 위해 싸우도록 훈련된 변호사들이 차별 관련 소송을 대리하는 일에 매진할 수 있는 기반이 조성되어야 하기 때문이다.

차별 철폐와 관련된 소송들이 계속되면 저력 있는 우리 시민들은 차별 금지와 평등의 의의를 빠르게 학습할 것이다. 이를 통해, 말뿐인 의식 개혁이 아니라 생활 속에서 자연스럽게 배워나가는 의식 개혁이 이루어질 수 있다. 또한 차별 철폐 소송을 하는 전문 변호사들이 앞서 언급한 바와 같이 기존 법체계의 한계에 자꾸 부딪히면 이를 해결할 새로운 법률의 제정을 준비하게 될 것이고, 그 새로운 법을 만드는 과정에서 시민들의 의식은 더욱 향상될 것이다. 새 법을 시행해 나가다가 다른 한계에 부딪히면 또 새로운 법률 제정 운동이 나타날 것이다. 이런 전전한 순환 구조 안에서 시민의 삶과 우리의 법체계는 함께 발전할 수 있다. 국가권력을 견제하는 소극적인 역할을 넘어 시민의 권리를 적극적으로 옹호하는 법의 새로운 역할은 이러한 노력에서 태동할 것이다.

13 윗글을 바탕으로 〈보기〉를 이해한 내용으로 적절하지 않은 것은?

보기

기혼 여성 A씨는 B회사에 입사하기 위해 신입 사원 모집에 지원했다. 그러나 면접 과정에서 자신의 업무 능력에 관해서보다 이후의 출산과 육아 계획에 관해서 더 많은 질문들을 받았고 결국 입사하지 못했다. A씨는 채용 과정에서 자신이 부당한 차별을 받았다고 확신하고 법적인 조치를 강구하기로 했다.

① 1990년대 이전이라면 우리 사회에서 A씨의 피해와 같은 문제들이 본격적으로 논의되는 것조차 힘들었겠군.
② 국가인권위원회는 사건 당사자가 아니기 때문에 A씨의 피해에 관한 시점 권고를 B회사에 할 수 없겠군.
③ A씨는 B회사가 신입 사원 채용 과정에서 헌법 제11조 제1항의 내용을 위반했다고 생각하겠군.
④ A씨가 B회사를 상대로 소송을 제기하려면 많은 돈이 들고 귀찮은 일도 겪어야 하겠군.
⑤ 현재로선 국가인권위원회 소속 변호사가 A씨를 대리해서 직접 소송을 할 수는 없겠군.

14 ⓐ에 대한 설명으로 옳은 것은?

① 1990년대 이전부터 차별 문제에 적극적으로 개입해 왔다.
② 차별에 대한 금지법을 제정했지만 그것의 해석, 적용, 시행에 문제점이 나타난다.
③ 차별 행위를 조사권고하는 것에 그치지 않고 피해자를 대리하여 소송 진행도 하고 있다.
④ 훈련된 변호사들이 차별 관련 소송을 진행할 수 있도록 충분한 예산을 보유하고 있다.
⑤ 추상적인 해결책이라는 비판이 있지만 차별 문제를 단번에 해결할 묘책으로 평가받는다.

15 윗글을 참고할 때, ⓐ'국가인권위원회'의 권한으로 볼 수 없는 것은?

① 비형 간염 바이러스 보균자인 직원에게 회사 식당에서 식사하지 못하게 한 사업장에 가서 진상을 규명한다.
② 피부색이 까만 흑인을 비하하는 내용을 인터넷에 올린 누리꾼을 법원에 기소한다.
③ 임신을 했다는 이유로 여직원을 해고한 고용주에게 결정을 철회할 것을 요구한다.
④ 특정 지역 출신의 취업 응시생에게 혜택을 준 인산 담당자에게 잘못을 시정하라고 조치한다.
⑤ 화상을 입었다는 이유로 목욕탕 주인이 목욕탕 출입을 막은 일이 있다는 신고를 받고 조사에 착수한다.

객관식 심화문제

[01~03] 다음 글을 읽고, 물음에 답하시오.

불과 십수 년 전만 해도 신입 사원을 뽑는 기업체의 공고에 '25세 미만' 같은 조건이 붙어 있는 경우를 흔히 볼 수 있었다. 이 공고에 따르면 이제 막 26세가 된 사람은 아무리 탁월한 기량을 지니고 있더라도 지원조차 할 수 없는 셈이다. 최근 들어 이런 제한이 많이 사라지긴 했지만 '대학을 졸업한 지 1년 이내인 자'처럼 변형된 조건을 내세우는 곳이 아직 많다. 이처럼 '합리적인 이유가 없는 차별'은 능력 있는 많은 사람에게서 취업의 기회를 근원적으로 박탈하고 있다.

비단 나이에 따른 차별만이 문제인 것은 아니다. 성별이나 신체 장애, 종교로 인한 차별이 있는가 하면, 단지 비형 간염 바이러스 보균자라는 이유만으로 취업을 거부당한 사람도 있다. 이처럼 각종 차별이 일상화되다 보면 우리도 모르게 이런 문제에 무감각해질 위험이 있다.

제도의 차원에서 이러한 차별의 예방이나 교정에 실효적 기능을 담당하는 것은 '법'이라고 할 수 있다. 아직 충분하지는 않지만 우리도 그런 법 조항을 갖고 있다. 우리나라의 헌법 제11조 제1항에는 "모든 국민은 법 앞에 평등하다. 누구든지 성별, 종교, 또는 사회적 신분에 의하여 정치적 · 사회적 · 문화적 생활의 모든 영역에 있어서 차별을 받지 아니한다."라고 명시되어 있다. 여기서 말하는 '성별, 종교, 또는 사회적 신분'은 수많은 차별 사례 중 몇 가지만을 예로 든 것이다. 국가인권위원회법에서도 차별 금지에 관한 상당히 넓은 범위의 영역을 이미 규정해 놓고 있는데도 차별은 쉽게 사라지지 않고 있다. 왜 그럴까? 차별을 막는 법 조항이 있음에도 차별이 존재하는 이유는 그 법을 해석, 적용, 시행하는 과정에 다음과 같은 문제점이 있기 때문이다.

첫 번째 문제점은 차별 현상의 상당 부분이 사적 생활 영역에서 일어난다는 점과 관련 있다. 우리 사회의 민주화가 진척되어 감에 따라, 국가 권력에 의한 차별보다는 오히려 고용주, 서비스 공급자 같은 사적 생활 관계의 주체들에 의한 차별이 만연하기 시작했다. 그런데 공적 영역에서 일어나는 차별은 헌법상의 차별 금지 조항이 직업 적용되는 데 반해, 사적 영역에서 발생한 차별은 모호하다.

'성별, 종교, 장애, 나이, 사회적 신분, 출신 지역, 출신 국가, 출신 민족, 용모 등 신체 조건, 혼인 여부, 임신 또는 출산, 가족 형태 또는 가족 상황, 인종, 피부색, 사상 또는 정치적 의견, 형의 효력을 잃은 전과, 성적(性的) 지향, 학력, 병력(病歷)' 등을 이유로 한 차별 현상의 상당 부분이 사적 생활 영역에서 일어난다는 점과 관련이 있다. 가해자가 국가이고 피해자가 시민일 때는 피해자가 헌법 조항을 근거로 시정 조치를 국가에 직접 요구할 수 있지만 가해자와 피해자가 모두 개인이면 이런 요구가 쉽지 않다는 것이다. 예컨대 내가 목욕탕에 갔다가 장애인이라는 이유로 입장을 거부당했다고 하자. 이런 상황에서 헌법을 기초로 그 목욕탕 주인에게 시정을 요구할 뾰족한 방법은 없다. 별도의 입법 조치가 없는 한, 현재로서는 그 목욕탕 주인에게 불법 행위에 따른 손해 배상을 청구하는 일만 할 수 있다. 개인과 개인의 관계는 공법(公法)이 아닌 사법(私法)으로 해결해야 한다는 원칙이 우리 법체계의 바탕을 이루고 있기 때문이다.

두 번째로, 차별 행위에 따른 민사상의 손해 배상액이 너무 적다는 문제가 있다. 차별을 당한 사람이 독하게 마음먹고 민사 소송을 제기해서 승소해도 마음의 상처를 치유하기에 턱없이 부족한 배상액을 받는 경우가 많다. 소송을 제대로 수행하려면 변호사 비용만 수백만 원이 드는데 그 결과물인 배상액이 기껏해야 수십만 원이라면 누구라도 소송을 포기할 것이다.

세 번째로, 불법 행위에 따른 손해 발생과 인과 관계 등의 입증 책임을 모두 차별당한 사람이 지게 되어 있는 것도 문제이다. 우리 사법의 기본 원칙상 입증 책임은 원고의 몫이기 때문이다. 하지만 차별 행위가 있었다는 사실을 법정에서 입증하는 것은 결코 쉬운 일이 아니다. 예컨대 어떤 회사에 입사하지 못한 기혼 여성이 채용 과정에서 차별이 있었음을 주장하며 소송을 한다고 할 때, 오로지 기혼 여성이라는 이유로 회사가 자신을 떨어뜨렸다는 사실을 입증해 내지 못하면 패소한다. 이처럼 차별을 당한 개인이 소송에서 이기기란 매우 어렵다.

우리나라의 경우 사회 전체가 다양화의 길을 걷기 시작한 1990년대 이후에서야 차별의 문제가 본격적으로 논의되었다. 논의 기간이 짧은 만큼 차별을 방지할만한 뚜렷한 대책이 마련되지 못했다. 고작해야 국민 의식 개혁이나 각종 위원회 설치처럼 다분히 추상적이고 형식적인 수준이다. 물론 차별 문제를 단번에 해결할 묘책을 찾기는 쉽지 않다. 그러나 생각의 방향을 조금만 바꾸어도 꽤 손쉬운 실마리를 찾을 수 있다.

나는 차별 금지 소송의 증가가 우리 의식 개혁의 중요한 출발점이 될 수 있다고 생각한다. 차별 행위가 있을 때마다 피해자들이 소송을 하든, 단돈 십만 원이라 할지라도 손해 배상금을 받아 내는 일이 이어진다면 서서히 의미 있는 변화가 나타날 것이다. 그런데 소송을 하려면 큰돈이 들고 귀찮은 일도 많아서 현재의 우리 법 제도에서 차별 철폐 관련 소송이 활성화되기는 몹시 어렵다. 나는 바로 이 부분이야말로 국가가 개입해야 할 지점이라고 본다. 차별받는 이웃과, 그들을 위해 일하고 싶은 변호사들 사이를 가로막는 벽은 다름 아닌 '돈'이며, 그 벽을 무너뜨리는 역할은 국가의 몫이라고 생각한다.

우리나라에는 차별 문제에 적극적으로 개입하려는 의지를 지닌 국가인권위원회가 이미 존재한다. 하지만 현재 그 권한은 차별 행위를 조사하고 권고하는 정도로 제한되어 있다. 국가인권위원회가 차별 철폐와 시민권 보호의 진정한 보루 역할을 하려면 단순히 '조사'하고 '권고'하는 정도를 넘어, 피해자를 대리해서 직접 소송을 할 수 있는 권한과 예산을 가져야 한다. 인권을 위해 싸우도록 훈련된 변호사들이 차별 관련 소송을 대리하는 일에 매진할 수 있는 기반이 조성되어야하기 때문이다.

차별 철폐와 관련된 소송들이 계속되면 저력 있는 우리 시민들은 차별 금지와 평등의 의의를 빠르게 학습할 것이다. 이를 통해, 말뿐인 의식 개혁이 아니라 생활 속에서 자연스럽게 배워 나가는 의식 개혁이 이루어질 수 있다. 또한 차별 철폐 소송을 하는 전문 변호사들이 앞서 언급한 바와 같이 기존 법체계의 한계에 자꾸 부딪히면 이를 해결할 새로운 법률의 제정을 준비하게 될 것이고, 그 새로운 법을 만드는 과정에서 시민들의 의식은 더욱 향상될 것이다. 새 법을 시행해 나가다가 다른 한계에 부딪히면 또 새로운 법률 제정 운동이 나타날 것이다. 이런 건전한 순환 구조 안에서 시민의 삶과 우리의 법체계는 함께 발전할 수 있다. 국가 권력을 견제하는 소극적인 역할을 넘어 시민의 권리를 적극적으로 옹호하는 법의 새로운 역할은 이러한 노력에서 태동할 것이다.

– 김두식, 「헌법의 풍경」 –

01 윗글에 드러난 필자의 견해와 일치하는 것은?

① 우리 법체계는 개인 간의 관계를 공법으로 해결하는 것을 원칙으로 한다.
② 각종 위원회를 설치하는 방안과 같이 차별 행위 방지를 위한 실제적인 대책을 논의해야 한다.
③ 국가인권위원회의 권한과 예산을 확대하여 차별 행위에 대한 권고가 가능하도록 해야 한다.
④ 차별 철폐 관련 소송의 증가를 통해 시민의 의식 개혁과 법체계의 발전을 함께 이룰 수 있다.
⑤ 사적 영역에서 발생하는 차별이 만연하기 시작한 것은 우리 사회의 민주화가 퇴보한 것과 관련이 있다.

02 윗글의 필자가 논지를 전개하는 방식으로 적절하지 않은 것은?

① 구체적인 사례를 활용하여 문제가 되는 상황을 언급하고 있다.
② 문제 상황에 대한 서로 다른 관점을 제시하여 주장의 공정성을 높이고 있다.
③ 구체적인 법 조항을 근거로 활용하여 내용의 정확성과 주장의 신뢰성을 높이고 있다.
④ 자신이 주장하는 바가 실현되었을 때 기대되는 효과를 언급하여 주장을 강화하고 있다.
⑤ 문제 상황의 원인을 분석한 후에 해결방안을 제시하여 내용을 논리적으로 전개하고 있다.

03 〈보기〉는 윗글을 바탕으로 한 학습활동의 일부이다. 학생의 반응으로 적절하지 않은 것은?

보기

▶ **학습 목표** : 필자가 삶의 문제를 해결하기 위해 제시한 방안을 비판적으로 검토하며 글을 읽을 수 있다.

1. 필자가 제시한 차별 관련 법 제도의 문제점

(가) 사적인 영역에서 발생한 차별에 헌법을 곧장 적용할 수 없다.
(나) 차별 행위에 따른 민사상의 손해 배상액이 너무 적다.
⋮

2. 필자가 제시한 차별 문제의 해결

(다)

① **희원** : (가)의 문제를 해결하기 위해 사적 영역의 차별에 적용할 수 있는 구체적인 차별 금지 법률이 필요하겠군.
② **윤찬** : (나)의 문제를 해결하기 위해 손해 배상액을 늘려 소송을 포기하는 사람이 줄어들도록 해야겠군.
③ **연우**: (다)로 인해 사람들이 소송을 남발할 경우 사회적인 혼란과 갈등을 유발할 가능성도 있겠군.
④ **명호** : (다)를 실현하려면 변호사가 필요하다는 점에서 국가인권위원회의 권한을 제한할 필요가 있겠군.
⑤ **옥경** : (다)를 통해 실생활 속에서 평등의 의의를 학습할 수 있다는 점에서 추상적인 의식 개혁 교육보다 실질적인 효과가 있겠군.

[04~09] 다음 글을 읽고, 물음에 답하시오.

[A] 불과 십수 년 전만 해도 신입 사원을 뽑는 기업체의 공고에 '25세 미만' 같은 조건이 붙어 있는 경우를 흔히 볼 수 있었다. 이 공고에 따르면 이제 막 26세가 된 사람은 아무리 탁월한 기량을 지니고 있더라도 지원조차 할 수 없는 셈이다. 최근 들어 이런 제한이 많이 사라지긴 했지만 '대학을 졸업한 지 1년 이내인 자'처럼 변형된 조건을 내세우는 곳이 아직 많다.

비단 나이에 따른 차별만이 문제인 것은 아니다. 성별이나 신체 장애, 종교로 인한 차별이 있는가 하면, 단지 비형 간염 바이러스 보균자라는 이유만으로 취업을 거부당한 사람도 있다. 이처럼 각종 차별이 일상화되다 보면 우리도 모르게 이런 문제에 무감각해질 위험이 있다.

제도의 차원에서 이러한 차별의 예방이나 교정에 실효적 기능을 담당하는 것은 '법'이라고 할 수 있다. 아직 충분하지는 않지만 우리도 그런 법 조항을 갖고 있다. 우리나라의 헌법 제11조 제1항에는 "모든 국민은 법 앞에 평등하다. 누구든지 성별, 종교, 또는 사회적 신분에 의하여 정치적 · 사회적 · 문화적 생활의 모든 영역에 있어서 차별을 받지 아니한다."라고 명시되어 있다. 여기서 말하는 '성별, 종교, 또는 사회적 신분'은 수많은 차별 사례 중 몇 가지만을 예로 든 것이다. (㉠) 국가인권위원회법에서도 차별 금지에 관한 상당히 넓은 범위의 영역을 이미 규정해 놓고 있는데도 차별은 쉽게 사라지지 않고 있다. 왜 그럴까? 차별을 막는 법 조항이 있음에도 차별이 존재하는 이유는 그 법을 해석, 적용, 시행하는 과정에 다음과 같은 문제점이 있기 때문이다.

첫 번째 문제점은 '성별, 종교, 장애, 나이, 사회적 신분, 출신 지역, 출신 국가, 출신 민족, 용모 등 신체 조건, 혼인 여부, 임신 또는 출산, 가족 형태 또는 가족 상황, 인종, 피부색, 사상 또는 정치적 의견, 형의 효력을 잃은 전과, 성적(性的) 지향, 학력, 병력(病歷)' 등을 이유로 한 차별 현상의 상당 부분이 사적 생활 영역에서 일어난다는 점과 관련이 있다.

우리 사회의 민주화가 진척되어 감에 따라, 국가 권력에 의한 차별보다는 오히려 고용주, 서비스 공급자 같은 사적 생활 관계의 주체들에 의한 차별이 만연하기 시작했다. 그런데 공적 영역에서 일어나는 차별은 헌법상의 차별 금지 조항이 직접 적용되는 데 반해, 사적 영역에서 발생한 차별은 모호하다. 가해자가 국가이고 피해자가 시민일 때는 피해자가 헌법 조항을 근거로 시정 조치를 국가에 직접 요구할 수 있지만 가해자와 피해자가 모두 개인이면 이런 요구가 쉽지 않다는 것이다. 예컨대 내가 목욕탕에 갔다가 장애인이라는 이유로 입장을 거부당했다고 하자. 이런 상황에서 헌법을 기초로 그 목욕탕 주인에게 시정을 요구할 뾰족한 방법은 없다. 별도의 입법 조치가 없는 한, 현재로서는 그 목욕탕 주인에게 불법 행위에 따른 손해 배상을 청구하는 일만 할 수 있다. 개인과 개인의 관계는 공법(公法)이 아닌 사법(私法)으로 해결해야 한다는 원칙이 우리 법체계의 바탕을 이루고 있기 때문이다.

두 번째로, 차별 행위에 따른 민사상의 손해 배상액이 너무 적다는 문제가 있다. 차별을 당한 사람이 독하게 마음먹고 민사 소송을 제기해서 승소해도 마음의 상처를 치유하기에 턱없이 부족한 배상액을 받는 경우가 많다. 소송을 제대로 수행하려면 변호사 비용만 수백만 원이 드는데 그 결과물인 배상액이 기껏해야 수십만 원이라면 누구라도 소송을 포기할 것이다.

세 번째로, 불법 행위에 따른 손해 발생과 인과 관계 등의 입증 책임을 모두 차별당한 사람이 지게 되어 있는 것도 문제이다. 우리 사법의 기본 원칙상 입증 책임은 원고의 몫이기 때문이다. 하지만 차별 행위가 있었다는 사실을 법정에서 입증하는 것은 결코 쉬운 일이 아니다.

---

04 윗글의 내용과 일치하지 않는 것은?

① 우리 헌법에는 차별의 예방과 관련된 법 조항이 포함되어 있다.
② 현재 우리 사회의 부당한 차별은 대개 사적 생활의 영역에서 일어나고 있다.
③ 우리 법체계는 개인 간의 관계를 공법으로 관할하는 것을 근간으로 하고 있다.
④ 차별 행위에 따른 손해 발생에 관한 입증 책임은 피해자 측이 지게 되어 있다.
⑤ 차별 행위의 주된 주체가 변화한 것은 우리 사회의 민주화 진척과 밀접한 관련이 있다.

05 윗글에 대한 설명으로 적절한 것끼리 짝지은 것은?

보기

가. 중심 화제에 대한 다양한 관점들을 소개하고 있다.
나. 구체적인 예를 들어 중심 화제에 대한 독자의 이해를 돕고 있다.
다. 분류의 방법을 활용하여 문제의 원인을 체계적으로 제시하고 있다.
라. 권위 있는 학자의 견해를 인용하여 자신의 주장을 뒷받침하고 있다.

① 가, 나　② 가, 다　③ 나, 다　④ 나, 라　⑤ 다, 라

06 문맥으로 볼 때 ㉠에 들어갈 수 있는 문장으로 가장 적절한 것은?

① 국가인권위원회는 국민의 인권 신장을 위해 최선을 다해야만 한다.
② 성별, 종교, 사회적 신분은 인간의 사적인 영역 중에서도 가장 중요하다.
③ 성별이나 종교와 달리 사회적 신분은 현대 사회에서는 큰 문제가 되지 않는다.
④ 차별의 합리적 사유가 될 수 없는 것은 비단 성별, 종교, 사회적 신분만이 아니다.
⑤ 차별 관련 법안의 내용은 성별, 종교, 사회적 신분에 관한 것으로만 한정되어야 한다.

07 윗글을 읽고 난 후 제기할 수 있는 의문으로 가장 적절한 것은?

① 차별이 일상화 되었을 때 생길 수 있는 문제는 무엇일까?
② 제도적 차원에서 차별을 예방할 수 있는 방법은 무엇일까?
③ 취업 대상자의 연령을 제한하는 내용의 공고는 합리적인가?
④ 차별을 처벌할 수 있는 구체적 법안이 만들어지지 않고 있는 이유는 무엇일까?
⑤ 국가 권력에 의한 차별을 시민이 봤을 때 시정 조치를 요구할 법적 근거는 무엇인가?

08 (가)에 붙일 수 있는 제목으로 가장 적절한 것은?

① 사회적 차별의 위험성
② 합리적인 이유가 없는 차별
③ 경력직 채용 부족 문제 심각
④ 신입사원 지원 연령 상향 조정 필요
⑤ 취업 연령과 기량의 탁월성 간 상관관계

09 윗글에 제시한 문제점의 해결 방안을 도식화한 것이다. 윗글과 〈보기〉에 대한 이해로 적절하지 않은 것은?

보기

• 차별 관련 소송에 드는 비용을 국가에서 지원해 줌
• 국가인권위원회의 권한과 예산을 확대하여 피해자를 대리해 소송할 수 있도록 함

⇩

차별 관련 소송의 증가

시민들의 의식 향상 및 개혁 ⇨ ⇦ 새로운 법률 제정

① 차별 관련 소송이 증가하면 시민들의 의식이 개혁될 것이다.
② 국가인권위원회의 적극적 활동이 새로운 법률 제정에 도움이 될 수 있다.
③ 차별 금지 소송의 증가로 인한 사회적 혼란이 우려되기도 한다.
④ 현재는 국가인권위원회가 차별로 인한 피해자를 도와 직접 소송할 수 없다.
⑤ 〈보기〉의 구조 안에서는 법의 역할이 시민의 권리를 옹호하는 적극적인 역할로 변모할 수 있다.

[10~14] 다음 글을 읽고, 물음에 답하시오.

모든 국민은 법 앞에 평등한가

불과 십수 년 전만 해도 신입 사원을 뽑는 기업체의 공고에 '25세 미만' 같은 조건이 붙어 있는 경우를 흔히 볼 수 있었다. 이 공고에 따르면 이제 막 26세가 된 사람은 아무리 탁월한 기량을 지니고 있더라도 지원조차 할 수 없는 셈이다. 최근 들어 이런 제한이 많이 사라지긴 했지만 ㉮'대학을 졸업한 지 1년 이내인 자'처럼 변형된 조건을 내세우는 곳이 아직 많다. 이처럼 '합리적인 이유가 없는 차별'은 능력 있는 많은 사람에게서 취업의 기회를 근원적으로 박탈하고 있다.

비단 나이에 따른 차별만이 문제인 것은 아니다. 성별이나 신체 장애, 종교로 인한 차별이 있는가 하면, 단지 비형 간염 바이러스 보균자라는 이유만으로 취업을 거부당한 사람도 있다. 이처럼 각종 차별이 일상화되다 보면 우리도 모르게 이런 문제에 무감각해질 위험이 있다.

제도의 차원에서 이러한 차별의 예방이나 ㉠교정에 실효적 기능을 담당하는 것은 '법'이라고 할 수 있다. 아직 충분하지는 않지만 우리도 그런 법 조항을 갖고 있다. 우리나라의 헌법 제11조 제1항에는 "모든 국민은 법 앞에 평등하다. 누구든지 성별, 종교, 또는 사회적 신분에 의하여 정치적 · 경제적 · 사회적 · 문화적 생활의 모든 영역에 있어서 차별을 받지 아니한다."라고 명시되어 있다. 여기서 말하는 '성별, 종교, 또는 사회적 신분'은 수많은 차별 사례 중 몇 가지만을 예로 든 것이다. 국가인권위원회법에서도 차별 금지에 관한 상당히 넓은 범위의 영역을 이미 규정해 놓고 있는데도 차별은 쉽게 사라지지 않고 있다. 왜 그럴까? 차별을 막는 법 조항이 있음에도 차별이 존재하는 이유는 그 법을 해석, 적용, 시행하는 과정에 다음과 같은 문제점이 있기 때문이다.

첫 번째 문제점은 '성별, 종교, 장애, 나이, 사회적 신분, 출신 지역, 출신 국가, 출신 민족, 용모 등 신체 조건, 혼인 여부, 임신 또는 출산, 가족 형태 또는 가족 상황, 인종, 피부색, 사상 또는 정치적 의견, 형의 효력을 잃은 전과, 성적(性的) 지향, 학력, 병력(病歷)' 등을 이유로 한 차별 현상의 상당 부분이 사적 생활 영역에서 일어난다는 점과 관련이 있다.

우리 사회의 민주화가 진척되어 감에 따라, 국가 권력에 의한 차별보다는 오히려 고용주, 서비스 공급자 같은 사적 생활 관계의 주체들에 의한 차별이 ㉡만연하기 시작했다. 그런데 공적 영역에서 일어나는 차별은 헌법상의 차별 금지 조항이 직접 적용되는 데 반해, 사적 영역에서 발생한 차별은 모호하다. 가해자가 국가이고 피해자가 시민일 때는 피해자가 헌법 조항을 근거로 시정 조치를 국가에 직접 요구할 수 있지만 가해자와 피해자 모두 개인이면 이런 요구가 쉽지 않다는 것이다. 예컨대 내가 목욕탕에 갔다가 장애인이라는 이유로 입장을 거부당했다고 하자. 이런 상황에서 헌법을 기초로 그 목욕탕 주인에게 시정을 요구할 뾰족한 방법은 없다. 별도의 입법 조치가 없는 한, 현재로서는 그 목욕탕 주인에게 불법 행위에 따른 손해 배상을 청구하는 일만 할 수 있다. 개인과 개인의 관계는 공법(公法)이 아닌 사법(私法)으로 해결해야 한다는 원칙이 우리 법체계의 바탕을 이루고 있기 때문이다.

두 번째로, 차별 행위에 따른 민사상의 손해 배상액이 너무 적다는 문제가 있다. 차별을 당한 사람이 독하게 마음먹고 민사 소송을 제기해서 승소해도 마음의 상처를 치유하기에 턱없이 부족한 배상액을 받는 경우가 많다. 소송을 제대로 수행하려면 변호사 비용만 수백만 원이 드는데 그 결과물인 배상액이 기껏해야 수십만 원이라면 누구라도 소송을 포기할 것이다.

세 번째로, 불법 행위에 따른 손해 발생과 인과 관계의 입증 책임을 모두 차별당한 사람이 지게 되어 있는 것도 문제이다. 우리 사법의 기본 원칙상 입증 책임은 원고의 몫이기 때문이다. 하지만 차별 행위가 있었다는 사실을 법정에서 입증하는 것은 결코 쉬운 일이 아니다. 예컨대 어떤 회사에 입사하지 못한 기혼 여성이 채용 과정에서 차별이 있었음을 주장하며 소송을 한다고 할 때, 오로지 기혼 여성이라는 이유로 회사가 자신을 떨어뜨렸다는 사실을 입증해 내지 못하면 패소한다. 이처럼 차별을 당한 개인이 소송에서 이기기란 매우 어렵다.

차별 철폐를 위해 우선 할 수 있는 일

〈중략〉 우리나라에는 차별 문제에 적극적으로 개입하려는 의지를 지닌 국가인권위원회가 이미 존재한다. 하지만 현재 그 권한은 차별 행위를 조사하고 권고하는 정도로 제한되어 있다. 국가인권위원회가 차별 철폐와 시민권 보호의 진정한 ㉢보루 역할을 하려면 단순히 '조사'하고 '권고'하는 정도를 넘어, 피해자를 대리해서 직접 소송을 할 수 있는 권한과 예산을 가져야 한다. 인권을 위해 싸우도록 훈련된 변호사들이 차별 관련 소송을 대리하는 일에 매진할 수 있는 기반이 조성되어야하기 때문이다.

차별 철폐와 관련된 소송들이 계속되면 ㉣저력 있는 우리 시민들은 차별 금지와 평등의 의의를 빠르게 학습할 것이다. 이를 통해, 말뿐인 의식 개혁이 아니라 생활 속에서 자연스럽게 배워 나가는 의식 개혁이 이루어질 수 있다. 또한 차별 철폐 소송을 하는 전문 변호사들이 앞서 언급한 바와 같이 기존 법체계의 한계에 자꾸 부딪히면 이를 해결할 새로운 법률의 제정을 준비하게 될 것이고, 그 새로운 법을 만드는 과정에서 시민들의 의식은 더욱 향상될 것이다. 새 법을 시행해 나가다가 다른 한계에 부딪히면 또 새로운 법률 제정 운동이 나타날 것이다. 이런 ㉯건전한 순환 구조 안에서 시민의 삶과 우리의 법체계는 함께 발전할 수 있다. 국가 권력을 견제하는 소극적인 역할을 넘어 시민의 권리를 적극적으로 옹호하는 법의 새로운 역할은 이러한 노력에서 ㉤태동할 것이다.

– 권두식, 「차별받지 않을 권리」 –

10 ㉠~㉤ 단어의 뜻풀이가 잘못된 것은?

① ㉠ 교정: 가르쳐서 바르게 함.
② ㉡ 만연: 전염병 또는 나쁜 현상이 널리 퍼짐.
③ ㉢ 보루: 지켜야 할 대상.
④ ㉣ 저력: 속에 간직하고 든든한 힘.
⑤ ㉤ 태동: 범위, 규모 세력 따위를 넓힘.

11 ㉮와 가장 어울리는 한자성어는?

① 조삼모사(朝三暮四)
② 청출어람(靑出於藍)
③ 각주구검(刻舟求劍)
④ 연목구어(緣木求魚)
⑤ 양상군자(梁上君子)

12 윗글에 대한 설명으로 적절하지 않은 것은?

① 원인을 분석한 후 그것에 대한 해결방안을 제시한다.
② 문제의 원인에 해당하는 사항을 병렬적으로 제시했다.
③ 구체적 법 조항을 근거로 활용하여 글쓴이의 전문성이 부각된다.
④ 일상생활에서 발생할 수 있는 사례를 활용하여 독자의 이해를 돕는다.
⑤ 비유적 표현이 두드러지는 문장을 사용하여 법률적인 내용을 쉽게 풀어쓴다.

13 윗글의 내용과 일치하는 것은?

① 국가인권위원회는 사적 영역에서의 차별행위만을 조사할 수 있다.
② 차별행위에 따른 민사상의 손해 배상액이 과다하게 책정되어 있다.
③ 현재 우리 사회의 차별문제는 공법으로 해결되는 경우가 대부분이다.
④ 사적영역에서의 차별행위에 대해 국가인권위원회가 직접 처벌하는 것이 가능하다.
⑤ 조건이 갖추어진다면 우리 시민들은 평등의 의의를 빠르게 학습할 만한 자질이 갖추고 있다.

14 윗글과 같은 종류의 글을 쓸 때 유의해야 할 점으로 적절하지 않은 것은?

① 함축적인 언어 사용을 자제해야 한다.
② 추론은 논리적이고 합리적이어야 한다.
③ 주장하는 내용이 애매모호해서는 안 된다.
④ 주장하는 내용이 지나치게 주관적이어서는 안 된다.
⑤ 주장에 대한 논거로 다른 사람의 선행 연구를 제시해서는 안 된다.

[15~17] 다음 글을 읽고, 물음에 답하시오.

(가) 국가인권위원회법에서도 차별 금지에 관한 상당히 넓은 범위의 영역을 이미 규정해 놓고 있는데도 차별은 쉽게 사라지지 않고 있다. 왜 그럴까? 차별을 막는 법 조항이 있음에도 차별이 존재하는 이유는 그 법을 해석, 적용, 시행하는 과정에 다음과 같은 문제점이 있기 때문이다.

첫 번째 문제점은 '성별, 종교, 장애, 나이, 사회적 신분, 출신 지역, 출신 국가, 출신 민족, 용모 등 신체 조건, 혼인 여부, 임신 또는 출산, 가족 형태 또는 가족 상황, 인종, 피부색, 사상 또는 정치적 의견, 형의 효력을 잃은 전과, 성적(性的) 지향, 학력, 병력(病歷)' 등을 이유로 한 차별 현상의 상당 부분이 사적 생활 영역에서 일어난다는 점과 관련이 있다.

우리 사회의 민주화가 진척되어 감에 따라, 국가 권력에 의한 차별보다는 오히려 고용주, 서비스 공급자 같은 사적 생활 관계의 주체들에 의한 차별이 만연하기 시작했다. 그런데 공적 영역에서 일어나는 차별은 헌법상의 차별 금지 조항이 직접 적용되는 데 반해, 사적 영역에서 발생한 차별은 모호하다. 가해자가 국가이고 피해자가 시민일 때는 피해자가 헌법 조항을 근거로 시정 조치를 국가에 직접 요구할 수 있지만 가해자와 피해자 모두 개인이면 이런 요구가 쉽지 않다는 것이다. ㉠예컨대 내가 목욕탕에 갔다가 장애인이라는 이유로 입장을 거부당했다고 하자, 이런 상황에서 헌법을 기초로 그 목욕탕 주인에게 시정을 요구할 뾰족한 방법은 없다. 별도의 입법 조치가 없는 한, 현재로서는 그 목욕탕 주인에게 불법 행위에 따른 손해 배상을 청구하는 일만 할 수 있다. 개인과 개인의 관계는 공법(公法)이 아닌 사법(私法)으로 해결해야 한다는 원칙이 우리 법체계의 바탕을 이루고 있기 때문이다.

두 번째로, 차별 행위에 따른 민사상의 손해 배상액이 너무 적다는 문제가 있다. 차별을 당한 사람이 독하게 마음먹고 민사 소송을 제기해서 승소해도 마음의 상처를 치유하기에 턱없이 부족한 배상액을 받는 경우가 많다. 소송을 제대로 수행하려면 변호사 비용만 수백만 원이 드는데 그 결과물인 배상액이 기껏해야 수십만 원이라면 누구라도 소송을 포기할 것이다.

세 번째로, 불법 행위에 따른 손해 발생과 인과 관계 등의 입증 책임을 모두 차별당한 사람이 지게 되어 있는 것도 문제이다. 우리 사법의 기본 원칙상 입증 책임은 원고의 몫이기 때문이다. 하지만 차별 행위가 있었다는 사실을 법정에서 입증하는 것은 결코 쉬운 일이 아니다.

(나) 나는 차별 금지 소송의 증가가 우리 의식 개혁의 중요한 출발점이 될 수 있다고 생각한다. 차별 행위가 있을 때마다 피해자들이 소송을 하고, 단돈 십만 원이라 할지라도 손해 배상금을 받아 내는 일이 이어진다면 서서히 의미 있는 변화가 나타날 것이다. 그런데 소송을 하려면 큰돈이 들고 귀찮은 일도 많아서 현재의 우리 법 제도에서 차별 철폐 관련 소송이 활성화되기는 몹시 어렵다. 지금까지 그나마 몇 건의 차별 철폐 관련 소송들이 주목받을 수 있었던 것은 공익 문제에 관심이 있는 소수의 변화사가 신념을 가지고 적극적으로 변호해 주었기 때문이었다. 그러나 아무래도 영리를 추구할 수밖에 없는 변호사들에게 계속 선의만을 기대할 수는 없다. 나는 바로 이 부분이야말로 국가가 개입해야 할 지점이라고 본다. 차별받는 이웃과, 그들을 위해 일하고 싶은 변호사들 사이를 가로막는 벽은 다름 아닌 '돈'이며, 그 벽을 무너뜨리는 역할은 국가의 몫이라고 생각한다.

우리나라에는 차별 문제에 적극적으로 개입하려는 의지를 지닌 국가인권위원회가 이미 존재한다. 하지만 현재 그 권한은 차별 행위를 조사하고 권고하는 정도로 제한되어 있다. 국가인권위원회가 차별 철폐와 시민권 보호의 진정한 보루 역할을 하려면 단순히 '조사'하고 '권고'하는 정도를 넘어, 피해자를 대리해서 직접 소송을 할 수 있는 권한과 예산을 가져야 한다. 인권을 위해 싸우도록 훈련된 변호사들이 차별 관련 소송을 대리하는 일에 매진할 수 있는 기반이 조성되어야 하기 때문이다.

차별 철폐와 관련된 소송들이 계속되면 저력 있는 우리 시민들은 차별 금지와 평등의 의의를 빠르게 학습할 것이다. 이를 통해, 말뿐인 의식 개혁이 아니라 생활 속에서 자연스럽게 배워나가는 의식 개혁이 이루어질 수 있다. 또한 차별 철폐 소송을 하는 전문 변호사들이 앞서 언급한 바와 같이 기존 법체계의 한계에 자꾸 부딪히면 이를 해결할 새로운 법률의 제정을 준비하게 될 것이고, 그 새로운 법을 만드는 과정에서 시민들의 의식은 더욱 향상될 것이다.

---

15 다음 〈보기〉 중 윗글에 대한 설명으로 적절한 것끼리 짝지은 것은?

보기
ㄱ. 중심화제에 대해 통시적으로 고찰하고 있다.
ㄴ. 문제에 대한 해결책을 구체적으로 제시하고 있다.
ㄷ. 중심 화제에 대한 문제점을 체계적으로 제시하고 있다.
ㄹ. 구체적인 예를 들어 중심 화제에 대한 독자의 이해를 돕고 있다.
ㅁ. 권위 있는 학자의 견해를 인용하여 자신의 주장을 뒷받침하고 있다.

① ㄱ, ㄴ, ㄷ ② ㄱ, ㄴ, ㄹ ③ ㄴ, ㄷ, ㄹ ④ ㄴ, ㄷ, ㅁ ⑤ ㄷ, ㄹ, ㅁ

16 윗글에 대한 이해로 적절하지 않은 것은?

① 차별과 관련된 새로운 법률의 제정은 기존 법체계에서는 불가능하다.
② 차별 행위의 주된 주체가 변화한 것은 우리 사회의 민주화 진척과 관련이 있다.
③ 사적 영역에서의 차별보다 공적 영역에서의 차별에 헌법을 더 쉽게 적용할 수 있다.
④ 차별 철폐와 관련된 소송이 증가하면 우리 국민들은 차별 금지와 평등의 의의를 빠르게 학습할 것이다.
⑤ 차별을 당한 개인이 차별 관련 소송에서 차별 행위의 존재와 그로 인한 손해 발생을 입증하는 일은 어렵다.

17 ㉠과 관련한 설명으로 적절하지 않은 것은?

① 사법(私法)으로 해결해야 할 문제이다.
② 피해자는 주인에게 손해 배상을 청구할 수 있다.
③ 개인과 개인의 관계에서 일어난 차별의 문제이다.
④ 소송에서 피해자에게 가해진 입증의 책임은 차별을 당한 장애인이 져야 한다.
⑤ 헌법에는 부당한 차별을 금지하는 내용의 조항이 이미 존재하므로 국가에 시정 조치를 요구할 수 있다.

[18~24] 다음 글을 읽고, 물음에 답하시오.

모든 국민은

불과 십수 년 전만 해도 신입 사원을 뽑는 기업체의 공고에 '25세 미만' 같은 조건이 붙어 있는 경우를 흔히 볼 수 있었다. 이 공고에 따르면 이제 막 26세가 된 사람은 아무리 탁월한 기량을 지니고 있더라도 지원조차 할 수 없는 셈이다. 최근 들어 이런 제한이 많이 사라지긴 했지만 '대학을 졸업한 지 1년 이내인 자'처럼 변형된 조건을 내세우는 곳이 아직 많다. 이처럼 '(ⓐ)인 이유가 없는 차별'은 능력 있는 많은 사람에게서 취업의 기회를 근원적으로 박탈하고 있다.

비단 나이에 따른 차별만이 문제인 것은 아니다. 성별이나 신체 장애, 종교로 인한 차별이 있는가 하면, 단지 비형 간염 바이러스 보균자라는 이유만으로 취업을 거부당한 사람도 있다. 이처럼 각종 차별이 일상화되다 보면 우리도 모르게 이런 문제에 무감각해질 위험이 있다.

제도의 차원에서 이러한 차별의 예방이나 교정에 실효적 기능을 담당하는 것은 '법'이라고 할 수 있다. 아직 충분하지는 않지만 우리도 그런 법 조항을 갖고 있다. 우리나라의 헌법 제11조 제1항에는 "모든 국민은 법 앞에 평등하다. 누구든지 성별, 종교, 또는 사회적 신분에 의하여 정치적 · 경제적 · 사회적 · 문화적 생활의 모든 영역에 있어서 차별을 받지 아니한다."라고 명시되어 있다. 여기서 말하는 '성별, 종교, 또는 사회적 신분'은 수많은 차별 사례 중 몇 가지만을 예로 든 것이다. 국가인권위원회법에서도 차별 금지에 관한 상당히 넓은 범위의 영역을 이미 규정해 놓고 있는데도 차별은 쉽게 사라지지 않고 있다. 왜 그럴까? 차별을 막는 법 조항이 있음에도 차별이 존재하는 이유는 그 법을 해석, 적용, 시행하는 과정에 다음과 같은 문제점이 있기 때문이다.

첫 번째 문제점은 '성별, 종교, 장애, 나이, 사회적 신분, 출신 지역, 출신 국가, 출신 민족, 용모 등 신체 조건, 혼인 여부, 임신 또는 출산, 가족 형태 또는 가족 상황, 인종, 피부색, 사상 또는 정치적 의견, 형의 효력을 잃은 전과, 성적(性的) 지향, 학력, 병력(病歷)' 등을 이유로 한 차별 현상의 상당 부분이 사적 생활 영역에서 일어난다는 점과 관련이 있다.

우리 사회의 민주화가 ㉮진척되어 감에 따라, 국가 권력에 의한 차별보다는 오히려 고용주, 서비스 공급자 같은 사적 생활 관계의 주체들에 의한 차별이 ㉯만연하기 시작했다. 그런데 공적 영역에서 일어나는 차별은 헌법상의 차별 금지 조항이 직접 인용되는 데 반해, 사적 영역에서 발생한 차별은 모호하다. 가해자가 국가이고 피해자가 시민일 때는 피해자가 헌법 조항을 근거로 시정 조치를 국가에 직접 요구할 수 있지만 가해자와 피해자 모두 개인이면 이런 요구가 쉽지 않다는 것이다. 예컨대 내가 목욕탕에 갔다가 장애인이라는 이유로 입장을 거부당했다고 하자, 이런 상황에서 헌법을 기초로 그 목욕탕 주인에게 시정을 요구할 뾰족한 방법은 없다. 별도의 입법 조치가 없는 한, 현재로서는 그 목욕탕 주인에게 불법 행위에 따른 (ⓑ)을 청구하는 일만 할 수 있다. 개인과 개인의 관계는 공법(公法)이 아닌 사법(私法)으로 해결해야 한다는 원칙이 우리 법체계의 바탕을 이루고 있기 때문이다.

두 번째로, 차별 행위에 따른 민사상의 손해 배상액이 너무 적다는 문제가 있다. 차별을 당한 사람이 독하게 마음먹고 민사 소송을 제기해서 승소해도 마음의 상처를 치유하기에 턱없이 부족한 배상액을 받는 경우가 많다. 소송을 제대로 수행하려면 (ⓒ) 비용만 수백만 원이 드는데 그 결과물인 배상액이 기껏해야 수십만 원이라면 누구라도 소송을 포기할 것이다.

세 번째로, 불법 행위에 따른 손해 발생과 인과 관계 등의 입증 책임을 모두 차별당한 사람이 지게 되어 있는 것도 문제이다. 우리 사법의 기본 원칙상 입증 책임은 원고의 몫이기 때문이다. 하지만 차별 행위가 있었다는 사실을 법정에서 입증하는 것은 결코 쉬운 일이 아니다.

차별 철폐를 위해 우선 할 수 있는 일

우리나라의 경우 사회 전체가 다양화의 (A)길을 걷기 시작한 1990년대 이후에서야 차별의 문제가 본격적으로 논의되었다. 논의 기간이 짧은 만큼 차별을 방지할 만한 뚜렷한 대책이 마련되지 못했다. 고작해야 국민 의식 개혁이나 각종 위원회 설치처럼 다분히 추상적이고 형식적인 수준이다. 물론 차별 문제를 단번에 해결할 묘책을 찾기는 쉽지 않다. 그러나 생각의 방향을 조금만 바꾸어도 꽤 손쉬운 실마리를 찾을 수 있다.

나는 차별 금지 소송의 증가가 우리 의식 개혁의 중요한 출발점이 될 수 있다고 생각한다. 차별 행위가 있을 때마다 피해자들이 소송을 하고, 단돈 십만 원이라 할지라도 손해 배상금을 받아 내는 일이 이어진다면 서서히 의미 있는 변화가 나타날 것이다. 그런데 소송을 하려면 큰돈이 들고 귀찮은 일도 많아서 현재의 우리 법 제도에서 차별 철폐 관련 소송이 활성화되기는 몹시 어렵다. 지금까지 그나마 몇 건의 차별 철폐 관련 소송들이 주목받을 수 있었던 것은 공익 문제에 관심이 있는 소수의 변화사가 신념을 가지고 적극적으로 변호해 주었기 때문이었다. 그러나 아무래도 (ⓓ)를 추구할 수밖에 없는 변호사들에게 계속 선의만을 기대할 수는 없다. 나는 바로 이 부분이야말로 국가가 개입해야 할 지점이라고 본다. 차별받는 이웃과, 그들을 위해 일하고 싶은 변호사들 사이를 가로막는 벽은 다름 아닌 '돈'이며, 그 벽을 무너뜨리는 역할은 국가의 몫이라고 생각한다.

우리나라에는 차별 문제가 적극적으로 개입하려는 의지를 지닌 국가인권위원회가 이미 존재한다. 하지만 현재 그 권한은 차별 행위를 조사하고 권고하는 정도로 제한되어 있다. 국가인권위원회가 차별 철폐와 시민권 보호의 진정한 ㉰보루 역할을 하려면 단순히 '조사'하고 '권고'하는 정도를 넘어, 피해자를 대리해서 직접 소송을 할 수 있는 권한과 예산을 가져야 한다. 인권을 위해 싸우도록 훈련된 변호사들이 차별 관련 소송을 대리하는 일에 ㉱매진할 수 있는 기반이 조성되어야 하기 때문이다.

차별 철폐와 관련된 소송들이 계속되면 저력 있는 우리 시민들은 차별 금지와 평등의 의의를 빠르게 학습할 것이다. 이를 통해, 말뿐인 의식 개혁이 아니라 생활 속에서 자연스럽게 배워 나가는 의식 개혁이 이루어질 수 있다. 또한 차별 철폐 소송을 하는 전문 변호사들이 앞서 언급한 바와 같이 기존 법체계의 한계에 자꾸 부딪히면 이를 해결할 새로운 법률의 제정을 준비하게 될 것이고, 그 새로운 법을 만드는 과정에서 시민들의 의식은 더욱 향상될 것이다. 새 법을 시행해 나가다가 다른 한계에 부딪히면 또 새로운 (ⓔ)운동이 나타날 것이다. 이런 건전한 순환 구조 안에서 시민의 삶과 우리의 법체계는 함께 발전할 수 있다. 국가 권력을 견제하는 소극적인 역할을 넘어 시민의 권리를 적극적으로 옹호하는 법의 새로운 역할을 이러한 노력에서 ㉲태동할 것이다.

---

18 윗글에 대한 설명으로 적절하지 않은 것은?

① 대상에 대한 상반된 견해를 제시하고 이를 절충하고 있다.
② 일상생활에서 발생할 수 있는 사례들을 활용하여 독자의 이해를 돕고 있다.
③ 필자의 주장을 정확히 파악하고 이를 비판적으로 수용하면서 읽을 수 있어야 한다.
④ 구체적인 법 조항을 근거로 활용하여 내용의 정확성과 주장의 신뢰성을 높이고 있다.
⑤ 문제 상황의 원인을 분석한 후에 해결 방안을 제시하여 내용을 논리적으로 전개하고 있다.

19 〈보기〉는 윗글을 쓰기 위한 필자의 메모이다. ㉠~㉤ 중 윗글에 반영된 것을 있는 대로 고르면?

보기
㉠ 민사 소송에서 피고가 원고보다 불리한 점
㉡ 서비스 공급자에 의한 불합리한 차별 사례
㉢ 민사 소송에서 손해 배상액을 많이 받을 수 있는 방법
㉣ 연령에 따라 취업 자격을 제한하는 사회의 차별 사례
㉤ 사적 생활 관계의 주체들에 의한 차별이 만연한 이유

① ㉠, ㉢ ② ㉡, ㉣ ③ ㉠, ㉢, ㉣ ④ ㉡, ㉢, ㉤ ⑤ ㉡, ㉣, ㉤

20 윗글에 대한 이해로 적절하지 않은 것은?

① 차별 행위에 따른 민사상의 손해 배상액은 대체로 과소 책정되어 있다.
② 우리 삶에서 차별이 일상화되면 차별 문제에 둔감해질 위험성이 있다고 필자는 말한다.
③ 필자는 차별 금지 소송의 활성화가 차별 문제를 해결하는 데 도움이 될 것이라고 본다.
④ 국가인권위원회가 차별 철폐를 위해 더 강력하게 조사하고 권고해야 한다고 필자는 주장한다.
⑤ 현재 우리 사회의 차별 문제를 국가 권력보다는 개인과 개인의 관계에서 발생하는 경우가 대부분이다.

21 ⓐ~ⓔ에 들어갈 말로 가장 적절한 것은?

	ⓐ	ⓑ	ⓒ	ⓓ	ⓔ
①	논리적	손해 배상	변호사	사익	법률 제정
②	합리적	손해 배상	변호사	영리	법률 제정
③	논리적	손실 배상	소송	영리	소송 금지
④	논리적	손해 보상	소송	사익	법률 제정
⑤	합리적	손실 배상	소송	영리	소송 금지

22 윗글을 참고할 때, 〈보기〉에 대한 반응으로 적절하지 않은 것을 2개 고르면?

보기

민영기업인 A회사에 입사하지 못한 기혼 여성 B는 채용 과정에서 차별이 있었음을 주장하며 소송을 제기하였다. 그런데 소송 진행 과정에서 발생되는 많은 비용 때문에 어려움을 겪고 있다.

① 손해 발생 등의 입증 책임은 피고인 B가 져야 한다.
② 소송에 드는 비용이 손해 배상금보다 훨씬 많게 되면 B는 소송을 포기할 것이다.
③ B와 같은 사람들을 도와주는 역할을 국가가 앞장서서 해야 한다고 필자는 주장하고 있다.
④ 헌법에 차별 받지 않을 권리가 명시되어 있음에도 불구하고 B와 같은 차별은 엄존하고 있다.
⑤ 〈보기〉의 사례는 공적 영역 안에서의 차별이므로 헌법상의 차별 금지 조항이 직접 적용되기가 애매하다.

23 문맥상 의미가 (A)와 가장 가까운 것은?

① 논 옆에 길을 내고 있다.
② 갈 길이 머니 서두릅시다.
③ 배움의 길은 멀고도 험하다.
④ 농촌 생활에 제법 길이 들었다.
⑤ 그는 먹고 나서 그 길로 도망갔다.

24 ㉮~㉲의 사전적 의미로 적절하지 않은 것은?

① ㉮ : 일이 진행되어 발전함
② ㉯ : 전염병이나 나쁜 현상이 널리 퍼짐을 비유적으로 이르는 말
③ ㉰ : 지켜야 할 대상을 비유적으로 이르는 말
④ ㉱ : 어떤 일을 전심전력을 다하여 해 나감
⑤ ㉲ : 어떤 일이 생기려는 기운이 싹틈

서술형 심화문제

[01~03] 다음 글을 읽고, 물음에 답하시오.

우리나라의 경우 사회 전체가 다양화의 길을 걷기 시작한 1990년대 이후에서야 차별의 문제가 본격적으로 논의되었다. 논의 기간이 짧은 만큼 차별을 방지할만한 뚜렷한 대책이 마련되지 못했다. 고작해야 국민 의식 개혁이나 각종 위원회 설치처럼 다분히 추상적이고 형식적인 수준이다. 물론 차별 문제를 단번에 해결할 묘책을 찾기는 쉽지 않다. 그러나 생각의 방향을 조금만 바꾸어도 꽤 손쉬운 실마리를 찾을 수 있다.

나는 차별 금지 소송의 증가가 우리 의식 개혁의 중요한 출발점이 될 수 있다고 생각한다. 차별 행위가 있을 때마다 피해자들이 소송을 하든, 단돈 십만 원이라 할지라도 손해 배상금을 받아 내는 일이 이어진다면 서서히 의미 있는 변화가 나타날 것이다. 그런데 소송을 하려면 큰돈이 들고 귀찮은 일도 많아서 현재의 우리 법 제도에서 차별 철폐 관련 소송이 활성화되기는 몹시 어렵다. 지금까지 그나마 몇 건의 차별 철폐 관련 소송들이 주목받을 수 있었던 것은 공익 문제에 관심이 있는 소수의 변호사가 신념을 가지고 적극적으로 변호해 주었기 때문이었다. 그러나 아무래도 영리를 추구할 수밖에 없는 변호사들에게 계속 선의만을 기대할 수는 없다. 나는 바로 이 부분이야말로 국가가 개입해야 할 지점이라고 본다. 차별받는 이웃과, 그들을 위해 일하고 싶은 변호사들 사이를 가로막는 벽은 다름 아닌 '돈'이며, 그 벽을 무너뜨리는 역할은 국가의 몫이라고 생각한다.

우리나라에는 차별 문제에 적극적으로 개입하려는 의지를 지닌 국가인권위원회가 이미 존재한다. 하지만 현재 그 권한은 차별 행위를 조사하고 권고하는 정도로 제한되어 있다. 국가인권위원회가 차별 철폐와 시민권 보호의 진정한 보루 역할을 하려면 단순히 '조사'하고 '권고'하는 정도를 넘어, 피해자를 대리해서 직접 소송을 할 수 있는 권한과 예산을 가져야 한다. 인권을 위해 싸우도록 훈련된 변호사들이 차별 관련 소송을 대리하는 일에 매진할 수 있는 기반이 조성되어야하기 때문이다.

차별 철폐와 관련된 소송들이 계속되면 저력 있는 우리 시민들은 차별 금지와 평등의 의의를 빠르게 학습할 것이다. 이를 통해, 말뿐인 의식 개혁이 아니라 생활 속에서 자연스럽게 배워 나가는 의식 개혁이 이루어질 수 있다. 또한 차별 철폐 소송을 하는 전문 변호사들이 앞서 언급한 바와 같이 기존 법체계의 한계에 자꾸 부딪히면 이를 해결할 새로운 법률의 제정을 준비하게 될 것이고, 그 새로운 법을 만드는 과정에서 시민들의 의식은 더욱 향상될 것이다. 새 법을 시행해 나가다가 다른 한계에 부딪히면 또 새로운 법률 제정 운동이 나타날 것이다. 이런 ㉠건전한 순환 구조 안에서 시민의 삶과 우리의 법체계는 함께 발전할 수 있다. 국가 권력을 견제하는 소극적인 역할을 넘어 시민의 권리를 적극적으로 옹호하는 법의 새로운 역할은 이러한 노력에서 태동할 것이다.

01 ㉠에 이루어지는 과정을 〈보기〉와 같이 정리하였다. 빈 칸에 들어갈 적절한 말을 쓰시오.

보기

소송 증가 → (ⓐ) 개혁 → 기존 법체계의 한계 절감 → 새로운 (ⓑ) 제정 → (ⓐ) 향상 → 또 다른 한계 절감 → 새로운 (ⓑ) 제정

02 다음은 사회적 차별 문제 해결에 관한 필자의 주장을 정리한 표이다. 윗글를 참조하여 ㉠~㉣에 알맞은 말을 쓰시오.

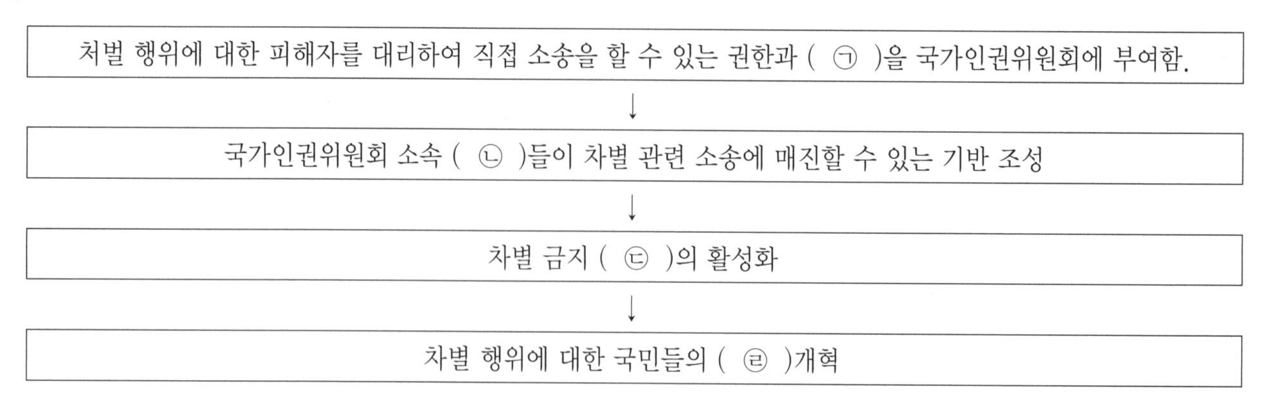

03 윗글에서 필자가 생각하는 법의 역할 <u>두 가지</u>를 '법은 ~해야 한다.'의 문장의 형식으로 <u>각각</u> 쓰시오.

[04] 다음 글을 읽고, 물음에 답하시오.

(가) 불과 십수 년 전만 해도 신입 사원을 뽑는 기업체의 공고에 '25세 미만' 같은 조건이 붙어 있는 경우를 흔히 볼 수 있었다. 이 공고에 따르면 이제 막 26세가 된 사람은 아무리 탁월한 기량을 지니고 있더라도 지원조차 할 수 없는 셈이다. 최근 들어 이런 제한이 많이 사라지긴 했지만 '대학을 졸업한 지 1년 이내인 자'처럼 변형된 조건을 내세우는 곳이 아직 많다. 이처럼 '합리적인 이유가 없는 차별'은 능력 있는 많은 사람에게서 취업의 기회를 근원적으로 박탈하고 있다. 비단 나이에 따른 차별만이 문제인 것은 아니다. 성별이나 신체 장애, 종교로 인한 차별이 있는가 하면, 단지 비형 간염 바이러스 보균자라는 이유만으로 취업을 거부당한 사람도 있다. 이처럼 각종 차별이 일상화되다 보면 우리도 모르게 이런 문제에 무감각해질 위험이 있다.

제도의 차원에서 이러한 차별의 예방이나 교정에 실효적 기능을 담당하는 것은 '법'이라고 할 수 있다. 아직 충분하지는 않지만 우리도 그런 법 조항을 갖고 있다. 우리나라의 헌법 제11조 제1항에는 "모든 국민은 법 앞에 평등하다. 누구든지 성별, 종교, 또는 사회적 신분에 의하여 정치적 · 경제적 · 사회적 · 문화적 생활의 모든 영역에 있어서 차별을 받지 아니한다."라고 명시되어 있다. 여기서 말하는 '성별, 종교, 또는 사회적 신분'은 수많은 차별 사례 중 몇 가지만을 예로 든 것이다. 국가인권위원회법에서도 차별 금지에 관한 상당히 넓은 범위의 영역을 이미 규정해 놓고 있는데도 차별은 쉽게 사라지지 않고 있다. 왜 그럴까? 차별을 막는 법 조항이 있음에도 차별이 존재하는 이유는 그 법을 해석, 적용, 시행하는 과정에 다음과 같은 문제점이 있기 때문이다.

(나) 첫 번째 문제점은 '성별, 종교, 장애, 나이, 사회적 신분, 출신 지역, 출신 국가, 출신 민족, 용모 등 신체 조건, 혼인 여부, 임신 또는 출산, 가족 형태 또는 가족 상황, 인종, 피부색, 사상 또는 정치적 의견, 형의 효력을 잃은 전과, 성적(性的) 지향, 학력, 병력(病歷)' 등을 이유로 한 차별 현상의 상당 부분이 사적 생활 영역에서 일어난다는 점과 관련이 있다.

우리 사회의 민주화가 진척되어 감에 따라, 국가 권력에 의한 차별보다는 오히려 고용주, 서비스 공급자 같은 사적 생활 관계의 주체들에 의한 차별이 만연하기 시작했다. 그런데 공적 영역에서 일어나는 차별은 헌법상의 차별 금지 조항이 직접 적용되는 데 반해, 사적 영역에서 발생한 차별은 모호하다. 가해자가 국가이고 피해자가 시민일 때는 피해자가 헌법 조항을 근거로 시정 조치를 국가에 직접 요구할 수 있지만 가해자와 피해자 모두 개인이면 이런 요구가 쉽지 않다는 것이다. 예컨대 내가 목욕탕에 갔다가 장애인이라는 이유로 입장을 거부당했다고 하자. 이런 상황에서 헌법을 기초로 그 목욕탕 주인에게 시정을 요구할 뾰족한 방법은 없다. 별도의 입법 조치가 없는 한, 현재로서는 그 목욕탕 주인에게 불법 행위에 따른 손해 배상을 청구하는 일만 할 수 있다. 개인과 개인의 관계는 공법(公法)이 아닌 사법(私法)으로 해결해야 한다는 원칙이 우리 법체계의 바탕을 이루고 있기 때문이다.

(다) 두 번째로, 차별 행위에 따른 민사상의 손해 배상액이 너무 적다는 문제가 있다. 차별을 당한 사람이 독하게 마음먹고 민사 소송을 제기해서 승소해도 마음의 상처를 치유하기에 턱없이 부족한 배상액을 받는 경우가 많다. 소송을 제대로 수행하려면 변호사 비용만 수백만 원이 드는데 그 결과물인 배상액이 기껏해야 수십만 원이라면 누구라도 소송을 포기할 것이다.

세 번째로, 불법 행위에 따른 손해 발생과 인과 관계의 입증 책임을 모두 차별당한 사람이 지게 되어 있는 것도 문제이다. 우리 사법의 기본 원칙상 입증 책임은 원고의 몫이기 때문이다. 하지만 차별 행위가 있었다는 사실을 법정에서 입증하는 것은 결코 쉬운 일이 아니다. 예컨대 어떤 회사에 입사하지 못한 기혼 여성이 채용 과정에서 차별이 있었음을 주장하며 소송을 한다고 할 때, 오로지 기혼 여성이라는 이유로 회사가 자신을 떨어뜨렸다는 사실을 입증해 내지 못하면 패소한다. 이처럼 차별을 당한 개인이 소송에서 이기기란 매우 어렵다.

04 (가)~(다)의 필자가 차별 관련 법 제도의 문제점으로 들고 있는 세 가지가 무엇인지 서술하시오.

돌아온 외규장각 의궤

– 류복렬 –

1782년 정조가 왕실 관련 서적을 보관하기 위해 강화도에 설치한 외규장각은 1866년 병인양요 때 프랑스 군대의 방화로 소실되
1866년(고종 3) 흥선 대원군의 천주교도 학살 · 탄압에 대항하여 프랑스 함대가 강화도에 침범한 사건
었다. 이때 5천여 권의 책이 함께 불탔고, 의궤(儀軌)를 비롯한 340여 권의 도서는 약탈당했다. 의궤는 왕실과 국가에서 의식과 행사
의궤의 정의
를 개최한 후 준비, 실행 및 마무리까지 전 과정을 보고서 형식으로 기록한 책이다. 약탈당한 외규장각 의궤는 거의 100년 동안이나 중국 책으로 분류되어 프랑스 국립도서관의 폐지 창고에 방치되어 있었는데, 이 도서관에 근무하던 박병선이 1979년에 이를 발견하
책의 저자, 내용, 체재, 출판 연월일 따위에 대해 대략적으로 설명함. 또는 그런 설명
였다. 이후 그는 서지 사항을 정리하고 해제(解題) 작업을 진행하여 의궤의 중요성을 널리 알렸다. 1993년 프랑스 대통령이 방한할
책이나 문서의 형식이나 체제, 성립, 전래 따위에 관한 사실. 또는 그것을 기술한 것
때 의궤 한 권을 반환하면서 외규장각 도서의 전체 반환을 약속했지만 양국은 오랫동안 합의점을 찾지 못했다.

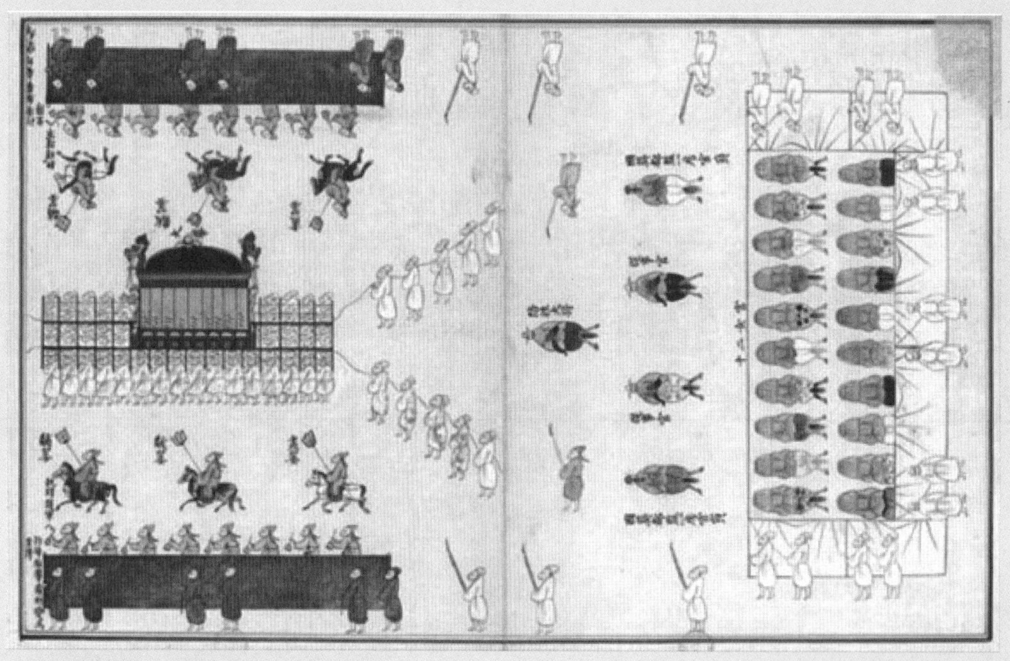

▲ **장렬 왕후 국장도감 의궤**
조선 1688년, 48.3×75.4cm(펼침면), 국립중앙박물관 보관.
인조의 계비인 장렬 왕후의 국장을 기록한 의궤로, 외규장각 의궤에만 있는 유일본이다.

2010년 3월, 새로운 제안

외규장각 의궤 반환 협상이 20년 가까이 합의에 이르지 못하고 있는 상황에서, 우리는 프랑스 측에 제시할 새로운
1993년 이후로
방안을 마련해 달라고 외교통상부 본부에 거듭 요청했다. 외교통상부 본부는 프랑스가 외규장각 의궤 전부를 우리에
우리 측이 내놓은 새로운 대안
게 양도하고, 그 대신 우리 국내법에 어긋나지 않는 범위 내에서 해외에 전시할 수 있는 문화재를 프랑스에 전시하는 방안을 제시했다. 지금까지 '등가 등량의 교환'을 전제로 진행해 온 협상의 틀을 깨는 꽤 과감한 제안이었다. 어차피
가치가 비슷한 문화재를 비슷한 양만큼 맞바꾸어야 한다는 원칙. 이제까지 양국 사이의 의궤 변환 협상에 전제가 되어 왔음
우리로서는 많은 돈을 들여 우리 문화재를 해외에 전시하고 홍보하고 있는 만큼, 이번 기회를 활용해서 프랑스에 우
외교통상부가 새로운 제안을 내놓게 된 까닭
리 문화재를 전시하는 대신 의궤를 받아 오자는 전략이었다.

프랑스로서는 이 제안이 결코 달가울 리 없었다. 300권에 달하는 외규장각 의궤를 다 내주면 텅 비게 될 서고를
협상 당사자인 양측의 이해와 요구가 충돌하는 상황임
채울 방법이 없는 프랑스 국립도서관으로서는 자기들에게 아무런 이득이 없는 이 제안을 받아들일 까닭이 없었다.

우리는 어찌 되었건 일단 굳게 닫혀 있는 외규장각 의궤 반환 협상의 뚜껑을 열어 보기로 하고, 외교통상부 본부로부터 받은 제안서를 프랑스 외무부에 전달한 뒤 반응을 기다렸다.

2010년 5월, 재개된 공식 협상

드디어 프랑스 외무부의 아시아태평양국 국장 집무실에서 외규장각 의궤 반환을 둘러싼 공식 협상이 재개되었다. 박흥신 대사와 내가 우리 측의 협상 대표로 참석했다.

장 오르티즈 국장이 먼저 말문을 열었다.

"지금껏 협상이 제대로 진행되지 못한 데는 양측 모두 책임이 있다고 생각합니다. 여기 참석하신 모든 관계 기관
협상 난항의 원인에 대한 견해
인사들이 한국 측의 제안서를 검토한 결과, 해결책을 다시 모색하자는 제안을 일단 받아들이기로 했습니다. 이 문제가 양국의 우호 관계를 저해한다는 한국 측의 지적에 동감했기 때문입니다."

우리는 말없이 장 오르티즈 국장의 말을 계속 듣고 있었다. 양국이 오랜 냉각기를 지나 모처럼 마주한 자리이니만
감정의 대립을 멈추고 사태를 진정하기 위한 기간
큼 프랑스 측의 입장을 충분히 들어 보는 것이 문제의 핵심을 파악하는 길이라고 생각했기 때문이다.
우리 대표단이 경청을 일차적 전략으로 선택한 이유

"다만 협상을 다시 시작하더라도 어디까지나 1993년에 양국의 정상이 합의한 대전제, 즉 '교류와 대여'의 원칙에
협상 재개의 전제
근거해야 한다고 생각합니다. 오늘 협상의 출발점은 2001년 양국의 민간 전문가들이 일차적으로 합의했다가 한국 측의 반대로 무산된 바 있는 의궤 맞교환 방안으로 잡을 것을 제안합니다."
외규장각 의궤를 다른 의궤와 맞바꾸는 방식

우리의 예측대로 프랑스 측은 이미 오랫동안 고수해 온 방안을 다시 들고 나왔다. 이윽고 박흥신 대사가 말을 시작했다.

"제가 파리에 부임하기 얼마 전, 우연히 텔레비전에서 청소년을 대상으로 하는 퀴즈 프로그램을 봤습니다."

뚱딴지같이 튀어나온 퀴즈 프로그램 이야기에 프랑스 인사들은 약간 어리둥절한 모습이었다.
의궤 반환과 직접적 연관이 없어 보이는 내용으로 화제가 전환되었기 때문에

"그런데 거기서, 프랑스가 1866년 병인양요 때 약탈해 간 도서가 무엇지 묻는 문제가 나왔습니다. 한국 사람들은 프랑스를 좋아하지만, 우리의 소중한 문화재를 약탈해서 돌려주지 않는다는 사실이 청소년 퀴즈 프로그램 문제로 나올 정도로 외규장각 의궤 문제는 양국의 관계를 아프게 하고 있습니다. 이러한 상황은 프랑스의 국가 이미지에 큰 해가 됩니다. 한국의 청소년이 그런 프로그램을 보면서 프랑스라는 나라를 어떻게 생각할지는 불 보듯 뻔하지 않습니까?"

박홍신 대사의 말에는 힘이 실려 있었다. 나는 2001년에 양국의 민간 전문가들이 합의했던 안이 국내에서 극심한 질타를 받았던 일을 설명했다.

자신감 있는 태도 / 프랑스 측이 지금 다시 들고 나온, 의궤 맞교환 방안

"당시 우리 측 협상 당사자들은 의궤 맞교환 방식이 국내에서 그렇게까지 비난을 받을 줄 몰랐던 것 같습니다. 원본, 부본 상관없이 의궤 하나하나가 소중한 문화재인데, 프랑스에 있는 의궤를 돌려받는 대신 한국에 있는 다른 의궤를 내준다는 발상은 마치 장남을 구하기 위해 차남을 인질로 내주는 것과 다를 바 없다는 비난이 거세게 일었습니다."

외규장각 의궤와 다른 의궤들이 지닌 문화재로서의 중요성을 단순 비교할 수 없다는 비판을 비유적으로 표현한 것임

이어서 박홍신 대사는, 소중한 왕실의 유산을 지키지 못했다는 자책감과 일제 강점기로 인해 받은 상처가 더해져 범국민적으로 각인된 우리 국민의 정서를 프랑스 측이 고려해 주었으면 한다고 말했다. 그러고 나서 쐐기를 박듯이 말했다.

뒤탈이 없도록 단단히 다짐을 두듯이

"문화재를 맞교환한다는 생각 자체를 우리 국민들은 결코 받아들일 수 없을 것입니다. 그러니 대가를 받을 생각을 하지 말고, 그냥 의궤를 돌려주는 대신 한국 국민들의 영원한 사의(謝意)를 선물로 받으십시오. 그것이야말로 미래 양국 관계의 초석이 될 것입니다."

프랑스 측 인사들의 눈이 휘둥그레졌다. 감동을 받은 건지, 아니면 크게 놀란 건지 분간할 수 없었지만 박홍신 대사의 말을 예측하지 못한 것만은 확실했다.

의궤 맞교환 방안이라는 자신들의 제안을 수용하지 않겠다는 의외의 발언이었기 때문에

확인학습

01 이 글은 한국 측의 요구로 오랜만에 공식 협상이 재개되었다. O□ X□

02 기존 협상의 전제로 작용했던 원칙은? (　　)

03 프랑스가 우리 측의 새로운 제 안을 거절하리라고 예측되는 이유는? (　　)

04 양국 간의 공식 협상이 재개된 곳은 프랑스 외무부 건물이었다.. O□ X□

05 프랑스 측이 협상을 재개하면 서 제시한 방안은? (　　)

06 의궤 맞교환 방안을 '장남을 구하기 위해 차남을 인질로 내주 는 것'이라고 할 때 '장남'과 '차남'이 각각 의미하는 것은? (　　)

⊙ 어휘풀이

- **등가(等價)** 같은 값이나 가치.
- **등량(等量)** 같은 양(量).
- **고수(固守)** 차지한 물건이나 형세 따위를 굳게 지킴.
- **부임(赴任)** 임명이나 발령을 받아 근무할 곳으로 감.
- **질타(叱咤)** 큰 소리로 꾸짖음.
- **부본(副本)** 원본과 동일한 내용의 문서. 원본의 훼손에 대비하여 예비로 보관하거나 사무에 사용하기 위하여 만듦.
- **사의(謝意)** 감사하게 여기는 뜻.
- **초석(礎石)** 어떤 사물의 기초를 비유적으로 이르는 말.

2010년 6월, 두 번째 공식 협상

두 번째 공식 협상은 우리 측 대사관에서 열렸다. 프랑스 측에서 우선 몇 가지 방안을 제시했다. 프랑스가 가장 실현 가능성이 크다고 보는 방안은 외규장각 의궤를 몇 묶음으로 나누고, 그중 한 묶음을 한국으로 가져가 일정 기간 전시한 후 다른 묶음으로 교체하는 방식이었다. 계속 그런 식으로 의궤를 회전시키자는 의견이었다.

양측의 이해를 고려할 때 합의될 가능성이 가장 크다고 예측하는 방안

속으로는 말도 안 되는 방안이라며 일축해 버리고 싶었지만, 명색이 외교 협상을 하는 자리에서 우리 측의 입지만 좁히게 될 무분별한 행동을 할 수는 없었다. 나는 태연한 척 프랑스 측의 제안을 다 듣고 나서 우리 측의 입장을 분명히 전달했다.

"외규장각 의궤는 297권을 하나로 묶어 반환 방안을 마련해야 합니다. 묶음으로든 낱개로든 절대 분리할 수 없습니다. 모두 한 장소에서 한 시각에 프랑스 군이 약탈했기 때문입니다. 우리는 외규장각 의궤 전체를 반환받을 수 있는 해결 방안을 마련하기를 원합니다."

외규장각 의궤를 몇 개의 묶음으로 나눌 수 없는 이유

2010년 11월, 극적인 합의

두 번째 공식 협상 이후, 프랑스 측은 우리의 요구를 그대로 수용하는 것이 문화재를 일방적으로 양도한 선례가 될 것을 우려했다. 그렇게 되면 다른 나라로부터도 문화재 반환 요청이 쇄도할 것이라고 하면서, 뭔가 작은 것이라도 좋으니 의궤와 교환하는 모양새를 갖춰 줄 것을 우리 측에 요구했다.

아무런 조건 없이 외규장각 의궤 전체를 우리나라에 반환하라는 것

양국의 입장이 팽팽히 맞서며 답답한 시간을 보내던 2010년 11월 12일, 서울에서 열린 국제회의를 계기로 양국 간에 극적인 합의가 이루어졌다. '5년 단위로 갱신되는 대여' 형식으로 프랑스가 외규장각 의궤 전부를 한국에 일괄 양도하기로 한 것이다. 끝까지 한국으로부터 대가를 받아 내야 한다고 고집한 프랑스 국립도서관 측의 완강한 반대에도 불구하고, 두 나라를 괴롭혀 온 문제를 해결하여 양국 관계에 새 국면을 열겠다는 최고 정책 결정자의 결단에 따른 것이었다.

양국이 최종적으로 합의한 협상 결과

우리 측은 실리와 명분이라는 갈림길에서 일단 의궤를 우리 땅에 가져다 놓는 것이 먼저라는 판단을 내렸다. 해외로 유출된 수많은 우리 문화재를 환수하는 작업에 '대여'라는 형식이 좋지 않은 선례가 될 수 있다는 우려도 있었지만, 프랑스 국내의 상황이라는 넘지 못할 산이 닳아 없어질 때까지 무작정 기다릴 수는 없으니 그 산을 우회할 기회를 놓쳐서는 안 된다고 생각했다. 140여 년에 걸친 의궤의 유랑에 드디어 마침표를 찍은 것이다.

어떻게든 의궤를 돌려받는 것이 중요하다는 실리적 관점과, 우리 것을 되찾아 오는 일이기 때문에 대여가 아닌 반환의 형식이어야 한다는 명분론적 관점 중에서 실리를 우선시했다는 뜻

곧바로 가지 않고 멀리 돌아서 감.

2011년 3월, 세부적인 사항들

양측의 협상 대표단은 치밀하게 그리고 차분하게 교섭을 진행했다. 협상은 온통 세부 사항과 관련된 것들이었다. 의궤를 한국으로 이관하는 구체적인 방법부터 의견이 충돌했다. 프랑스 측은 의궤를 이관하는 과정에서 생길 수 있는

위험에 대비해 예닐곱 번에 걸쳐 나누어 옮기자고 제안했지만, 우리 측은 그 의견에 반대했다. 효율, 비용, 기술, 행정에 이르기까지 모든 면에서 한 번에 옮기는 편이 낫다고 예상했기 때문이다. 양측의 의견이 팽팽히 맞섰지만, 결국 서로 조금씩 양보해 네 번으로 나누어 이관하기로 합의했다.

우리 측은 프랑스에 있던 외규장각 의궤를 모두 한국으로 가져오는 대신 한국에 이미 와 있는 한 권을 포함한 297권을 디지털화해서 그 파일을 프랑스와 공유하기로 했다. 프랑스의 도서 전문가들이 편하게 의궤를 연구할 수 있도록 배려한 것이다.

우리는 이관 날짜부터 포장 방법, 포장 재질, 예술품 전문 운송 업체 추천과 선정, 보관 방식, 양국 학예 연구사 간 교류, 디지털화 작업 완료 후 파일 공유 문제 등 세부 사항들에 둘러싸여 한시도 긴장을 풀 수 없었다. 그래도 애초 생각했던 것보다는 서로의 입장을 이해하고 존중하는 분위기에서 협상이 진행되었다.

–『돌아온 외규장각 의궤와 외교관 이야기』–

⊙ 핵심정리

갈래	수필, 기록문, 회고록	성격	회고적, 사실적
제재	외규장각 의궤 반환 협상		
주제	프랑스로부터 외규장각 의궤를 반환받게 될 때까지의 협상 과정과 내용		
특징	• 협상의 진행 과정을 시간 순서대로 서 술함. • 협상 대표들의 발언 내용을 직접 인용 하여 생동감과 구체성을 높임.		

확인학습

01 두 번째 공식 협상에서 프랑스가 들고나온 방안은? (　　　　　　　　　　)

02 프랑스의 제안이 말도 안 된다고 생각하면서도 필자가 일단 듣고 있었던 이유는?
(　　　　　　　　　　)

03 우리 대표단이 외규장각 의궤의 순환 전시 방식을 수용하지 못하는 이유로 제시한 것은?
(　　　　　　　　　　)

04 프랑스 국립도서관 측이 양국 간 최종 합의에 완강하게 반대하며 내세웠던 주장은?
(　　　　　　　　　　)

05 양국 최고 정책 결정자의 결단으로 의궤의 법적 소유권은 한국이 갖게 되었다. O□ ×□

06 우리나라는 의궤 반환 관련 문제에서 실리와 명분 중 명분 쪽을 택하기로 결정했다. O□ ×□

07 프랑스는 의궤 전체의 디지털화와 그 공유를 의궤 양도의 전제 조건으로 제시했다. O□ ×□

08 의궤를 한국으로 이관하는 횟수에 관해서는 양측이 타협한 안을 따르기로 했다. O□ ×□

⊙ 어휘풀이

- **일축(一蹴)** 제안이나 부탁 따위를 단번에 거절하거나 물리침.
- **갱신(更新)** 법률관계의 존속 기간이 끝났을 때 그 기간을 연장하는 일.
- **일괄(一括)** 개별적인 여러 가지 것을 한데 묶음.
- **환수(還收)** 도로 거두어들임.

객관식 기본문제

[01~04] 다음 글을 읽고 물음에 답하시오.

2010년 3월, 새로운 제안

외규장각 의궤 반환 협상이 20년 가까이 합의에 이르지 못하고 있는 상황에서, 우리는 프랑스 측에 제시할 새로운 방안을 마련해 달라고 외교통상부 본부에 거듭 요청했다. 외교통상부 본부는 프랑스가 외규장각 의궤 전부를 우리에게 양도하고, 그 대신 우리 국내법에 어긋나지 않는 범위 내에서 해외에 전시할 수 있는 문화재를 프랑스에 전시하는 방안을 제시했다. 지금까지 '등가 등량의 교환'을 전제로 진행해 온 협상의 틀을 깨는 꽤 과감한 제안이었다. 어차피 우리로서는 많은 돈을 들여 우리 문화재를 해외에 전시하고 홍보하고 있는 만큼, 이번 기회를 활용해서 프랑스에 우리 문화재를 전시하는 대신 의궤를 받아 오자는 전략이었다.

프랑스로서는 이 제안이 결코 달가울 리 없었다. 300권에 달하는 외규장각 의궤를 다 내주면 텅 비게 될 서고를 채울 방법이 없는 프랑스 국립도서관으로서는 자기들에게 아무런 이득이 없는 이 제안을 받아들일 까닭이 없었다.

우리는 어찌 되었건 일단 굳게 닫혀 있는 외규장각 의궤 반환 협상의 뚜껑을 열어보기로 하고, 외교통상부 본부로부터 받은 제안서를 프랑스 외무부에 전달한 뒤 반응을 기다렸다.

2010년 5월, 재개된 공식 협상

드디어 프랑스 외무부의 아시아태평양국 국장 집무실에서 외규장각 의궤 반환을 둘러싼 공식 협상이 재개되었다. 박흥신 대사와 내가 우리 측의 협상 대표로 참석했다.

장 오르티즈 국장이 먼저 말문을 열었다.

"지금껏 협상이 제대로 진행되지 못한 데는 양측 모두 책임이 있다고 생각합니다. 여기 참석하신 모든 관계 기관 인사들이 한국 측의 제안서를 검토한 결과, 해결책을 다시 모색하자는 제안을 일단 받아들이기로 했습니다. 이 문제가 양국의 우호 관계를 저해한다는 한국 측의 지적에 동감했기 때문입니다."

우리는 말없이 장 오르티즈 국장의 말을 계속 듣고 있었다. 양국이 오랜 냉각기를 지나 모처럼 마주한 자리이니만큼 프랑스 측의 입장을 충분히 들어 보는 것이 문제의 핵심을 파악하는 길이라고 생각했기 때문이다.

"다만 협상을 다시 시작하더라도 어디까지나 1993년에 양국의 정상이 합의한 대전제, 즉 '교류와 대여'의 원칙에 근거해야 한다고 생각합니다. 오늘 협상의 출발점은 2001년 양국의 민간 전문가들이 일차적으로 합의했다가 한국 측의 반대로 무산된 바 있는 의궤 맞교환 방안으로 잡을 것을 제안합니다."

우리의 예상대로 프랑스 측은 이미 오랫동안 고수해 온 방안을 다시 들고 나왔다. 이윽고 박흥신 대사가 말을 시작했다.

"제가 파리에 부임하기 얼마 전, 우연히 텔레비전에서 청소년을 대상으로 하는 퀴즈 프로그램을 봤습니다."

뚱딴지같이 튀어나온 퀴즈 프로그램 이야기에 프랑스 인사들은 약간 어리둥절한 모습이었다.

"그런데 거기서 프랑스가 1866년 병인양요 때 약탈해 간 도서가 무엇인지 묻는 문제가 나왔습니다. 한국 사람들은 프랑스를 좋아하지만, 우리의 소중한 문화재를 약탈해서 돌려주지 않는다는 사실이 청소년 퀴즈 프로그램 문제로 나올 정도로 외규장각 의궤 문제는 양국의 관계를 아프게 하고 있습니다. 이러한 상황은 프랑스의 국가 이미지에 큰 해가 됩니다. 한국의 청소년이 그런 프로그램을 보면서 프랑스라는 나라를 어떻게 생각할지는 불 보듯 뻔하지 않습니까?"

박흥신 대사의 말에는 힘이 실려 있었다. 나는 2001년에 양국의 민간 전문가들이 합의했던 안이 국내에서 극심한 질타를 받았던 일을 설명했다.

"당시 우리 측 협상 당사자들은 의궤 맞교환 방식이 국내에서 그렇게까지 비난을 받을 줄 몰랐던 것 같습니다. 원본, 부본 상관없이 의궤 하나하나가 소중한 문화재인데, 프랑스에 있는 의궤를 돌려받는 대신 한국에 있는 다른 의궤를 내준다는 발상은 마치 장남을 구하기 위해 차남을 인질로 내주는 것과 다를 바 없다는 비난이 거세게 일었습니다."

이어서 박흥신 대사는, 소중한 왕실의 유산을 지키지 못했다는 자책감과 일제강점기로 인해 받은 상처가 더해져 범국민적으로 각인된 우리 국민의 정서를 프랑스 측이 고려해주었으면 한다고 말했다. 그러고 나서 쐐기를 박듯이 말했다.

"문화재를 맞교환한다는 생각 자체를 우리 국민들은 결코 받아들일 수 없을 것입니다. 그러니 대가를 받을 생각을 하지 말고, 그냥 의궤를 돌려주는 대신 한국 국민들의 영원한 사의(謝意)를 선물로 받으십시오. 그것이야말로 미래 양국 관계의 초석이 될 것입니다."

프랑스 측 인사들의 눈이 휘둥그레졌다. 감동을 받은 건지, 아니면 크게 놀란 건지 분간할 수 없었지만 박흥신 대사의 말을 예측하지 못한 것만은 확실했다.

2010년 6월, 두 번째 공식 협상

두 번째 공식 협상은 우리 측 대사관에서 열렸다. 프랑스 측에서 우선 몇 가지 방안을 제시했다. 프랑스가 가장 실현 가능성이 크다고 보는 방안은 외규장각 의궤를 몇 묶음으로 나누고, 그 중 한 묶음을 한국으로 가져가 일정 기간 전시한 후 다른 묶음으로 교체하는 방식이었다. 계속 그런 식으로 의궤를 회전시키자는 의견이었다.

속으로는 말도 안 되는 방안이라며 일축해 버리고 싶었지만, 명색이 외교 협상을 하는 자리에서 우리 측의 입지만 좁히게 될 무분별한 행동을 할 수는 없었다. 나는 태연한 척 프랑스 측의 제안을 다 듣고 나서 우리 측의 입장을 분명히 전달했다.

"외규장각 의궤는 297권을 하나로 묶어 반환 방안을 마련해야 합니다. 묶음으로든 낱개로든 절대 분리할 수 없습니다. 모두 한 장소에서 한 시각에 프랑스 군이 약탈했기 때문입니다. 우리는 외규장각 의궤 전체를 반환받을 수 있는 해결 방안을 마련하기를 원합니다."

2010년 11월, 극적인 합의

두 번째 공식 협상 이후, 프랑스 측은 우리의 요구를 그대로 수용하는 것이 문화재를 일방적으로 양도한 선례가 될 것을 우려했다. 그렇게 되면 다른 나라로부터 문화재 반환 요청이 쇄도할 것이라고 하면서, 뭔가 작은 것이라도 좋으니 의궤와 교환하는 모양새를 갖춰 줄 것을 우리 측에 요구했다.

양국의 입장이 팽팽히 맞서며 답답한 시간을 보내던 2010년 11월 12일, 서울에서 열린 국제회의를 계기로 양국 간에 극적인 합의가 이루어졌다. '5년 단위로 갱신되는 대여' 형식으로 프랑스가 외규장각 의궤 전부를 한국에 일괄 양도하기로 한 것이다. 끝까지 한국으로부터 대가를 받아 내야 한다고 고집한 프랑스 국립도서관 측의 완강한 반대에도 불구하고, 두 나라를 괴롭혀 온 문제를 해결하여 양국 관계에 새 국면을 열겠다는 최고 정책 결정자의 결단에 따른 것이었다.

우리 측은 실리와 명분이라는 갈림길에서 일단 의궤를 우리 땅에 가져다 놓는 것이 먼저라는 판단을 내렸다. 해외로 유출된 수많은 우리 문화재를 환수하는 작업에 '대여'라는 형식이 좋지 않은 선례가 될 수 있다는 우려가 있었지만, 프랑스 국내의 상황이라는 넘지 못할 산이 닳아 없어질 때까지 무작정 기다릴 수는 없으니 그 산을 우회할 기회를 놓쳐서는 안 된다고 생각했다. 140여 년에 걸친 의궤의 유랑이 드디어 마침표를 찍은 것이다.

2011년 3월, 세부적인 사항들

양측의 협상 대표단은 치밀하게 그리고 차분하게 교섭을 진행했다. 협상은 온통 세부 사항과 관련된 것들이었다. 의궤를 한국으로 이관하는 구체적인 방법부터 의견이 충돌했다. 프랑스 측은 의궤를 이관하는 과정에서 생길 수 있는 위험에 대비해 예닐곱 번에 걸쳐 나누어 옮기자고 제안했지만, 우리 측은 그 의견에 반대했다. 효율, 비용, 기술, 행정에 이르기까지 모든 면에서 한 번에 옮기는 편이 낫다고 예상했기 때문이다. 양측의 의견이 팽팽히 맞섰지만, 결국 서로 조금씩 양보해 네 번으로 나누어 이관하기로 합의했다.

우리 측은 프랑스에 있던 외규장각 의궤를 모두 한국으로 가져오는 대신 한국에 이미 와 있는 한 권을 포함한 297권을 디지털화해서 그 파일을 프랑스와 공유하기로 했다. 프랑스의 도서 전문가들이 편하게 의궤를 연구할 수 있도록 배려한 것이다.

우리는 이관 날짜부터 포장 방법, 포장 재질, 예술품 전문 운송 업체 추천과 선정, 보관 방식, 양국 학예 연구사 간 교류, 디지털화 작업 완료 후 파일 공유 문제 등 세부 사항들에 둘러싸여 한시도 긴장을 풀 수 없었다. 그래도 애초 생각했던 것보다는 서로의 입장을 이해하고 존중하는 분위기에서 협상이 진행되었다.

– 유복렬, 「돌아온 외규장각 의궤」 –

01 다음 중 우리 측 협상 대표단이 사용한 '의사소통 전략' 에 대한 설명으로 일치하지 않는 것은?

① 문제의 핵심을 파악하기 위해 먼저 상대측의 이야기를 경청한다.
② 양국 우호 관계를 위해 문제의 원인이 우리에게도 있음을 시인한다.
③ 요구 사항을 효과적으로 전달하기 위해 사례를 들어 설득한다.
④ 우리 측 입지를 생각해 상대의 제안을 태연하게 끝까지 듣는다.
⑤ 우리 국민의 정서를 고려해줄 것을 요구한다.

02 다음 중 윗글의 내용과 일치하는 것은?

① 우리 측은 협상 재개의 전제 조건으로 '교류와 대여'의 원칙을 내세웠다.
② 우리 측 협상 대표단은 외규장각 의궤를 둘러싼 갈등의 원인이 우리 측에 있다고 생각했다.
③ 우리 측의 두 번째 제안은 의궤를 몇 묶음으로 나누어 교체 전시하는 방식이었다.
④ 협상 결과 한국은 외규장각 의궤 일부를 양도받게 되었다.
⑤ 협상 결과 프랑스는 의궤의 소유권을 잃지 않았다.

03 다음 중 '협상 단계'에 대한 설명으로 적절하지 않은 것은?

① 시작 단계에서는 갈등의 원인을 분석한다.
② 시작 단계에서는 문제를 확인하고 상대방의 관점을 이해한다.
③ 조정 단계에서는 구체적 대안을 상호 검토한다.
④ 조정 단계에서는 서로 입장 차이를 좁혀나간다.
⑤ 해결 단계에서는 타협과 조정을 통해 문제에 대해 합의한다.

04 〈보기1〉의 내용을 바탕으로 '프랑스 측 교섭 범위'에 포함될 수 있는 것을 〈보기2〉에서 모두 고른 것은?

보기 1

협상의 당자들은 서로의 교섭 범위 내에서 실현 가능한 타협점을 찾아야 하는데, 이때 교섭 범위란 협상 당사자 자신의 목표점에서 최종 양보 지점까지의 영역을 의미한다.

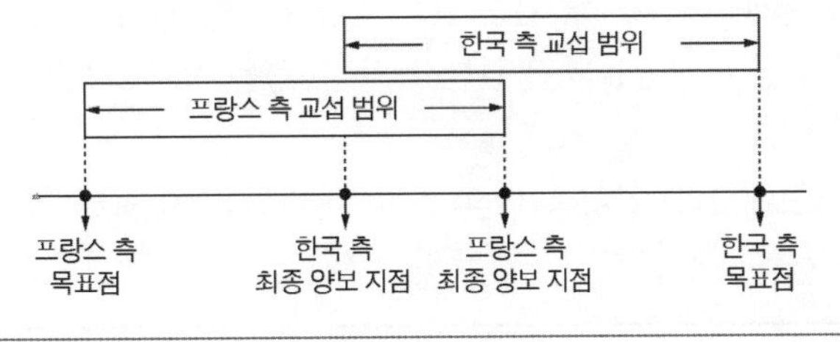

보기 2

ㄱ. 외규장각 의궤를 등가 등량의 다른 의궤와 맞교환한다.
ㄴ. 외규장각 의궤를 몇 묶음으로 나누어 한 묶음씩 한국에 전시한 후 교체한다.
ㄷ. 외규장각 의궤 전부를 한국에게 조건 없이 반환한다.
ㄹ. 해외에 전시할 수 있는 한국 문화재를 프랑스에 전시한다.

① ㄱ, ㄴ ② ㄱ, ㄷ ③ ㄴ, ㄷ ④ ㄱ, ㄴ, ㄹ ⑤ ㄴ, ㄷ, ㄹ

[05~08] 다음 글을 읽고 물음에 답하시오.

2010년 5월, 재개된 공식 협상

드디어 프랑스 외무부의 아시아태평양국 국장 집무실에서 외규장각 의궤 반환을 둘러싼 공식 협상이 ⓐ재개되었다. 박흥신 대사와 내가 우리 측의 협상 대표로 참석했다.

장 오르티즈 국장이 먼저 말문을 열었다.

[가] "지금껏 협상이 제대로 진행되지 못한 데는 양측 모두 책임이 있다고 생각합니다. 여기 참석하신 모든 관계 기관 인사들이 한국 측의 제안서를 검토한 결과, 해결책을 다시 모색하자는 제안을 일단 받아들이기로 했습니다. 이 문제가 양국의 우호 관계를 저해한다는 한국 측의 지적에 동감했기 때문입니다."

우리는 말없이 장 오르티즈 국장의 말을 계속 듣고 있었다. 양국이 오랜 ⓑ냉각기를 지나 모처럼 마주한 자리이니만큼 프랑스 측의 입장을 충분히 들어 보는 것이 문제의 핵심을 파악하는 길이라고 생각했기 때문이다.

"다만 협상을 다시 시작하더라도 어디까지나 1993년에 양국의 정상이 합의한 대전제, 즉 '교류와 대여'의 원칙에 근거해야 한다고 생각합니다. 오늘 협상의 출발점은 2001년 양국의 민간 전문가들이 일차적으로 합의했다가 한국 측의 반대로 무산된 바 있는 ㉠의궤 맞교환 방안으로 잡을 것을 제안합니다."

우리의 예상대로 프랑스 측은 이미 오랫동안 ⓒ고수해 온 방안을 다시 들고 나왔다. 이윽고 박흥신 대사가 말을 시작했다.

"제가 파리에 부임하기 얼마 전, 우연히 텔레비전에서 청소년을 대상으로 하는 퀴즈 프로그램을 봤습니다."

뚱딴지같이 튀어나온 퀴즈 프로그램 이야기에 프랑스 인사들은 약간 어리둥절한 모습이었다.

[나] "그런데 거기서 프랑스가 1866년 병인양요 때 약탈해 간 도서가 무엇인지 묻는 문제가 나왔습니다. 한국 사람들은 프랑스를 좋아하지만, 우리의 소중한 문화재를 약탈해서 돌려주지 않는다는 사실이 청소년 퀴즈 프로그램 문제로 나올 정도로 외규장각 의궤 문제는 양국의 관계를 아프게 하고 있습니다. 이러한 상황은 프랑스의 국가 이미지에 큰 해가 됩니다. 한국의 청소년이 그런 프로그램을 보면서 프랑스라는 나라를 어떻게 생각할지는 불 보듯 뻔하지 않습니까?"

박흥신 대사의 말에는 힘이 실려 있었다. 나는 2001년에 양국의 민간 전문가들이 합의했던 안이 국내에서 극심한 ⓓ질타를 받았던 일을 설명했다.

"당시 우리 측 협상 당사자들은 의궤 맞교환 방식이 국내에서 그렇게까지 비난을 받을 줄 몰랐던 것 같습니다. 의궤 하나하나가 소중한 문화재인데, 프랑스에 있는 의궤를 돌려받는 대신 한국에 있는 다른 의궤를 내준다는 발상은 마치 장남을 구하기 위해 차남을 인질로 내주는 것과 다를 바 없다는 비난이 거세게 일었습니다."

이어서 박흥신 대사는, 소중한 왕실의 유산을 지키지 못했다는 자책감과 일제강점기로 인해 받은 상처가 더해져 범국민적으로 각인된 우리 국민의 정서를 프랑스 측이 고려해주었으면 한다고 말했다. 그러고 나서 쐐기를 박듯이 말했다.

"문화재를 맞교환한다는 생각 자체를 우리 국민들은 결코 받아들일 수 없을 것입니다. 그러니 대가를 받을 생각을 하지 말고, 그냥 의궤를 돌려주는 대신 한국 국민들의 영원한 사의(謝意)를 선물로 받으십시오. 그것이야말로 미래 양국 관계의 ⓔ초석이 될 것입니다."

프랑스 측 인사들의 눈이 휘둥그레졌다. 감동을 받은 건지, 아니면 크게 놀란 건지 분간할 수 없었지만 박흥신 대사의 말을 예측하지 못한 것만은 확실했다.

05 윗글에 대한 설명으로 가장 적절한 것은?

① 우리 대표단의 전략과 선택 이유가 서술되어 있다.
② 구체적인 수치를 제시하여 반론의 근거로 삼고 있다.
③ 서로 타협하지 않는 협상 관계자들은 모두 비판하고 있다.
④ 양측이 합의에 이를 경우 그 결과가 사회에 미칠 영향을 분석하고 있다.
⑤ 갈등이 최고조에 올라 있는 양측이 합의할 수 있는 대안을 제시하고 있다.

06 ㉠에 대한 설명으로 적절하지 않은 것은?

① 프랑스 측이 계속 주장해 온 내용이다.
② 과거 양국 민간 전문가들이 합의했었다.
③ 협상 재개의 출발점으로 삼는 것에 양국이 모두 동의했다.
④ 양국 정상이 합의한 대전제인 '교류와 대여' 원칙이 근거다.
⑤ 예상하지 못했던 한국 내 비난 여론으로 인해 무산된 적이 있다.

07 [가]와 [나]에 대한 설명으로 가장 적절한 것은?

① [가]는 상대방에게 책임이 있음을 선언하고 있는 [나]는 그것을 인정하여 부드러운 분위기를 만들고 있다.
② [가]는 명확한 요구 조건을 밝히지 않고 있고 [나]는 문제 해결을 위해 적극적으로 나설 것을 요구하고 있다.
③ [가]는 자신이 생각하는 이상적인 해결책을 제시하고 있고 [나]는 자신의 요구를 거두겠다는 뜻을 밝히고 있다.
④ [가]는 상대방의 조건 없는 양보를 요구하고 있고 [나]는 협상에 나서게 된 계기를 관련 경험을 바탕으로 구체적으로 밝히고 있다.
⑤ [가]는 협상에서 유리한 지점을 확보하려고 하고 있고 [나]는 국가 이미지에 대한 전망을 환기시켜 요구사항을 효과적으로 전달하고 있다.

08 ⓐ~ⓔ의 뜻으로 적절하지 않은 것은?

① ⓐ : 한 번 고친 것을 다시 고침
② ⓑ : 감정이나 흥분을 가라앉히고 사태를 진정하는 기간
③ ⓒ : 굳게 지킴
④ ⓓ : 큰 소리로 꾸짖음
⑤ ⓔ : 어떤 사물의 기초를 비유적으로 이르는 말

[09~10] 다음 글을 읽고 물음에 답하시오.

2010년 11월, 극적인 합의

두 번째 공식 협상 이후, 프랑스 측은 우리의 요구를 그대로 수용하는 것이 문화재를 일방적으로 양도한 선례가 될 것을 우려했다. 그렇게 되면 다른 나라로부터 문화재 반환 요청이 쇄도할 것이라고 하면서, 뭔가 작은 것이라도 좋으니 의궤와 교환하는 모양새를 갖춰 줄 것을 우리 측에 요구했다.

양국의 입장이 팽팽히 맞서며 답답한 시간을 보내던 2010년 11월 12일, 서울에서 열린 국제회의를 계기로 양국 간에 극적인 합의가 이루어졌다. '5년 단위로 갱신되는 대여' 형식으로 프랑스가 외규장각 의궤 전부를 한국에 일괄 양도하기로 한 것이다. 끝까지 한국으로부터 대가를 받아 내야 한다고 고집한 프랑스 국립도서관 측의 완강한 반대에도 불구하고, 두 나라를 괴롭혀 온 문제를 해결하여 양국 관계에 새 국면을 열겠다는 최고 정책 결정자의 결단에 따른 것이었다.

우리 측은 실리와 명분이라는 갈림길에서 일단 의궤를 우리 땅에 가져다 놓는 것이 먼저라는 판단을 내렸다. 해외로 유출된 수많은 우리 문화재를 환수하는 작업에 '대여'라는 형식이 좋지 않은 선례가 될 수 있다는 우려가 있었지만, 프랑스 국내의 상황이라는 넘지 못할 산이 닳아 없어질 때까지 무작정 기다릴 수는 없으니 그 산을 우회할 기회를 놓쳐서는 안 된다고 생각했다. 40여 년에 걸친 의궤의 유랑이 드디어 마침표를 찍은 것이다.

2011년 3월, 세부적인 사항들

양측의 협상 대표단은 치밀하게 그리고 차분하게 교섭을 진행했다. 협상은 온통 세부 사항과 관련된 것들이었다. 의궤를 한국으로 이관하는 구체적인 방법부터 의견이 충돌했다. 프랑스 측은 의궤를 이관하는 과정에서 생길 수 있는 위험에 대비해 예닐곱 번에 걸쳐 나누어 옮기자고 제안했지만, 우리 측은 그 의견에 반대했다. 효율, 비용, 기술, 행정에 이르기까지 모든 면에서 한 번에 옮기는 편이 낫다고 예상했기 때문이다. 양측의 의견이 팽팽히 맞섰지만, 결국 서로 조금씩 양보해 네 번으로 나누어 이관하기로 합의했다.

우리 측은 프랑스에 있던 외규장각 의궤를 모두 한국으로 가져오는 대신 한국에 이미 와 있는 한 권을 포함한 297권을 디지털화해서 그 파일을 프랑스와 공유하기로 했다. 프랑스의 도서 전문가들이 편하게 의궤를 연구할 수 있도록 배려한 것이다.

우리는 이관 날짜부터 포장 방법, 포장 재질, 예술품 전문 운송 업체 추천과 선정, 보관 방식, 양국 학예 연구사 간 교류, 디지털화 작업 완료 후 파일 공유 문제 등 세부 사항들에 둘러싸여 한시도 긴장을 풀 수 없었다. 그래도 애초 생각했던 것보다는 서로의 입장을 이해하고 존중하는 분위기에서 협상이 진행되었다.

09 윗글의 필자가 글쓰기에 사용한 전략으로 가장 적절한 것은?

① 양측의 말을 직접 인용함
② 양측이 사용한 협상 전략을 자세히 서술함
③ 양측이 내놓은 방안의 장단점을 분석하여 제시함
④ 예상되는 반론을 미리 제시하고 논박하여 논지를 전개함
⑤ 소제목을 활용하여 협상의 진행 과정을 시간 순서대로 서술함

10 윗글의 최종 협상안에 대해 한국에서 나올 수 있는 반응으로 적절하지 않은 것은?

① 우리 측 대표단은 실리를 택했군.
② 무작정 기다리는 것보다는 우선 문화재를 돌려받는 게 중요해.
③ 의궤 이관 방법에 대한 합의는 효율성을 고려하여 결정된 것이군.
④ 의궤를 디지털화해서 파일을 공유하기로 한 것은 프랑스 도서 전문가들을 배려한 것이야.
⑤ 해외에 있는 우리 문화재 환수 작업에 '대여'라는 형식이 좋지 않은 선례가 될 우려가 있어.

[11~14] 다음 글을 읽고 물음에 답하시오.

2010년 3월, 새로운 제안

외규장각 의궤 반환 협상이 20년 가까이 합의에 이르지 못하고 있는 상황에서, 우리는 프랑스 측에 제시할 새로운 방안을 마련해 달라고 외교통상부 본부에 거듭 요청했다. 외교통상부 본부는 프랑스가 외규장각 의궤 전부를 우리에게 양도하고, 그 대신 우리 국내법에 어긋나지 않는 범위 내에서 해외에 전시할 수 있는 문화재를 프랑스에 전시하는 방안을 제시했다. 지금까지 '등가 등량의 교환'을 전제로 진행해 온 협상의 틀을 깨는 꽤 과감한 제안이었다. 어차피 우리로서는 많은 돈을 들여 우리 문화재를 해외에 전시하고 홍보하고 있는 만큼, 이번 기회를 활용해서 프랑스에 우리 문화재를 전시하는 대신 의궤를 받아 오자는 전략이었다.

프랑스로서는 이 제안이 결코 달가울 리 없었다. 300권에 달하는 외규장각 의궤를 다 내주면 텅 비게 될 서고를 채울 방법이 없는 프랑스 국립도서관으로서는 자기들에게 아무런 이득이 없는 이 제안을 받아들일 까닭이 없었다.

우리는 어찌 되었건 일단 굳게 닫혀 있는 외규장각 의궤 반환 협상의 뚜껑을 열어 보기로 하고, 외교통상부 본부로부터 받은 제안서를 프랑스 외무부에 전달한 뒤 반응을 기다렸다.

2010년 5월, 재개된 공식 협상

드디어 프랑스 외무부의 아시아태평양국 국장 집무실에서 외규장각 의궤 반환을 둘러싼 공식 협상이 재개되었다. 박흥신 대사와 내가 우리 측의 협상 대표로 참석했다.

장 오르티즈 국장이 먼저 말문을 열었다.

"지금껏 협상이 제대로 진행되지 못한 데는 양측 모두 책임이 있다고 생각합니다. 여기 참석하신 모든 관계 기관 인사들이 한국 측의 제안서를 검토한 결과, 해결책을 다시 모색하자는 제안을 일단 받아들이기로 했습니다. 이 문제가 양국의 우호 관계를 저해한다는 한국 측의 지적에 동감했기 때문입니다."

우리는 말없이 장 오르티즈 국장의 말을 계속 듣고 있었다. 양국이 오랜 냉각기를 지나 모처럼 마주한 자리이니만큼 프랑스 측의 입장을 충분히 들어 보는 것이 문제의 핵심을 파악하는 길이라고 생각했기 때문이다.

"다만 협상을 다시 시작하더라도 어디까지나 1993년에 양국의 정상이 합의한 대전제, 즉 '교류와 대여'의 원칙에 근거해야 한다고 생각합니다. 오늘 협상의 출발점은 2001년 양국의 민간 전문가들이 일차적으로 합의했다가 한국 측의 반대로 무산된 바 있는 의궤 맞교환 방안으로 잡을 것을 제안합니다."

우리의 예상대로 프랑스 측은 이미 오랫동안 고수해 온 방안을 다시 들고 나왔다. 이윽고 박흥신 대사가 말을 시작했다.

"제가 파리에 부임하기 얼마 전, 우연히 텔레비전에서 청소년을 대상으로 하는 퀴즈 프로그램을 봤습니다."

뚱딴지같이 튀어나온 퀴즈 프로그램 이야기에 프랑스 인사들은 약간 어리둥절한 모습이었다.

"그런데 거기서, 프랑스가 1866년 병인양요 때 약탈해 간 도서가 무엇인지 묻는 문제가 나왔습니다. 한국 사람들은 프랑스를 좋아하지만, 우리의 소중한 문화재를 약탈해서 돌려주지 않는다는 사실이 청소년 퀴즈 프로그램 문제로 나올 정도로 외규장각 의궤 문제는 양국의 관계를 아프게 하고 있습니다. 이러한 상황은 프랑스의 국가 이미지에 큰 해가 됩니다. 한국의 청소년이 그런 프로그램을 보면서 프랑스라는 나라를 어떻게 생각할지는 불 보듯 뻔하지 않습니까?"

박흥신 대사의 말에는 힘이 실려 있었다. 나는 2001년에 양국의 민간 전문가들이 합의했던 안이 국내에서 극심한 질타를 받았던 일을 설명했다.

"당시 우리 측 협상 당사자들은 의궤 맞교환 방식이 국내에서 그렇게까지 비난을 받을 줄 몰랐던 것 같습니다. 의궤 하나하나가 소중한 문화재인데, 프랑스에 있는 의궤를 돌려받는 대신 한국에 있는 다른 의궤를 내준다는 발상은 마치 장남을 구하기 위해 차남을 인질로 내주는 것과 다를 바 없다는 비난이 거세게 일었습니다."

이어서 박흥신 대사는, 소중한 왕실의 유산을 지키지 못했다는 자책감과 일제강점기로 인해 받은 상처가 더해져 범국민적으로 각인된 우리 국민의 정서를 프랑스 측이 고려해주었으면 한다고 말했다. 그리고 나서 쐐기를 박듯이 말했다.

"문화재를 맞교환한다는 생각 자체를 우리 국민들은 결코 받아들일 수 없을 것입니다. 그러니 대가를 받을 생각을 하지 말고, 그냥 의궤를 돌려주는 대신 한국 국민들의 영원한 사의(謝意)를 선물로 받으십시오. 그것이야말로 미래 양국 관계의 초석이 될 것입니다."

프랑스 측 인사들의 눈이 휘둥그레졌다. 감동을 받은 건지, 아니면 크게 놀란 건지 분간할 수 없었지만 박흥신 대사의 말을 예측하지 못한 것만은 확실했다.

2010년 6월, 두 번째 공식 협상

두 번째 공식 협상은 우리 측 대사관에서 열렸다. 프랑스 측에서 우선 몇 가지 방안을 제시했다. 프랑스가 가장 실현 가능성이 크다고 보는 방안은 외규장각 의궤를 몇 묶음으로 나누고, 그 중 한 묶음을 한국으로 가져가 일정 기간 전시한 후 다른 묶음으로 교체하는 방식이었다. 계속 그런 식으로 의궤를 회전시키자는 의견이었다.

속으로는 말도 안 되는 방안이라며 일축해 버리고 싶었지만, 명색이 외교 협상을 하는 자리에서 우리 측의 입지만 좁히게 될 무분별한 행동을 할 수는 없었다. 나는 태연한 척 프랑스 측의 제안을 다 듣고 나서 우리 측의 입장을 분명히 전달했다.

"외규장각 의궤는 297권을 하나로 묶어 반환 방안을 마련해야 합니다. 묶음으로든 낱개로든 절대 분리할 수 없습니다. 모두 한 장소에서 한 시각에 프랑스 군이 약탈했기 때문입니다. 우리는 외규장각 의궤 전체를 반환받을 수 있는 해결 방안을 마련하기를 원합니다."

2010년 11월, 극적인 합의

두 번째 공식 협상 이후, 프랑스 측은 우리의 요구를 그대로 수용하는 것이 문화재를 일방적으로 양도한 선례가 될 것을 우려했다. 그렇게 되면 다른 나라로부터 문화재 반환 요청이 쇄도할 것이라고 하면서, 뭔가 작은 것이라도 좋으니 의궤와 교환하는 모양새를 갖춰 줄 것을 우리 측에 요구했다.

양국의 입장이 팽팽히 맞서며 답답한 시간을 보내던 2010년 11월 12일, 서울에서 열린 국제회의를 계기로 양국 간에 극적인 합의가 이루어졌다. '5년 단위로 갱신되는 대여' 형식으로 프랑스가 외규장각 의궤 전부를 한국에 일괄 양도하기로 한 것이다. 끝까지 한국으로부터 대가를 받아 내야 한다고 고집한 프랑스 국립도서관 측의 완강한 반대에도 불구하고, 두 나라를 괴롭혀 온 문제를 해결하여 양국 관계에 새 국면을 열겠다는 최고 정책 결정자의 결단에 따른 것이었다.

우리 측은 실리와 명분이라는 갈림길에서 일단 의궤를 우리 땅에 가져다 놓는 것이 먼저라는 판단을 내렸다. 해외로 유출된 수많은 우리 문화재를 환수하는 작업에 '대여'라는 형식이 좋지 않은 선례가 될 수 있다는 우려가 있었지만, 프랑스 국내의 상황이라는 넘지 못할 산이 닳아 없어질 때까지 무작정 기다릴 수는 없으니 그 산을 우회할 기회를 놓쳐서는 안 된다고 생각했다. 140여 년에 걸친 의궤의 유랑이 드디어 마침표를 찍은 것이다.

2011년 3월, 세부적인 사항들

양측의 협상 대표단은 치밀하게 그리고 차분하게 교섭을 진행했다. 협상은 온통 세부 사항과 관련된 것들이었다. 의궤를 한국으로 이관하는 구체적인 방법부터 의견이 충돌했다. 프랑스 측은 의궤를 이관하는 과정에서 생길 수 있는 위험에 대비해 예닐곱 번에 걸쳐 나누어 옮기자고 제안했지만, 우리 측은 그 의견에 반대했다. 효율, 비용, 기술, 행정에 이르기까지 모든 면에서 한 번에 옮기는 편이 낫다고 예상했기 때문이다. 양측의 의견이 팽팽히 맞섰지만, 결국 서로 조금씩 양보해 네 번으로 나누어 이관하기로 합의했다.

우리 측은 프랑스에 있던 외규장각 의궤를 모두 한국으로 가져오는 대신 한국에 이미 와 있는 한 권을 포함한 297권을 디지털화해서 그 파일을 프랑스와 공유하기로 했다. 프랑스의 도서 전문가들이 편하게 의궤를 연구할 수 있도록 배려한 것이다.

우리는 이관 날짜부터 포장 방법, 포장 재질, 예술품 전문 운송 업체 추천과 선정, 보관 방식, 양국 학예 연구사 간 교류, 디지털화 작업 완료 후 파일 공유 문제 등 세부 사항들에 둘러싸여 한시도 긴장을 풀 수 없었다. 그래도 애초 생각했던 것보다는 서로의 입장을 이해하고 존중하는 분위기에서 협상이 진행되었다.

11 윗글에 대한 설명으로 옳지 않은 것 2개는?

① 글 속의 '나'는 이 글을 쓴 필자이다.
② 협상대표들의 발언을 직접인용하고 있다.
③ 시간의 흐름에 따라 진행과정을 서술하고 있다.
④ 긴장감 조성을 위해 허구적 내용도 가미되었다.
⑤ 프랑스 측의 협상안은 협상과정에서 일관되게 유지되고 있다.

12 위 협상에서 입장이 다른 것은?

① 순환 전시 방식
② 등가등량의 교환
③ 의궤 맞교환 방식
④ 교류와 대여의 원칙
⑤ 대가 없는 의궤 반환

13 우리 측의 협상 전략이 아닌 것은?

① 무분별한 행동으로 우리 측의 입지를 좁히지는 말자.
② 우리 문화재의 완전한 반환이라는 명분을 지키자.
③ 상대측의 제안을 예측하고 대응방안을 마련하자.
④ 적절한 예를 들어 주의를 환기하자.
⑤ 상대측의 입장을 충분히 들어보자.

14 협상에 대한 설명으로 옳지 않은 것은?

① 삶의 문제를 해결하기 위한 의사소통임.
② 상대의 처지와 관점을 정확히 이해하는 것이 중요함.
③ 상대의 이익을 고려해 자신의 이익을 양보하는 과정임.
④ 상대의 주장을 반박하며 자신의 주장이 옳음을 입증함.
⑤ 자신의 이익을 최대화하기 위해 상대를 설득하는 과정임.

객관식 심화문제

[01~04] 다음 글을 읽고 물음에 답하시오.

(가) 1782년 정조가 왕실 관련 서적을 보관하기 위해 강화도에 설치한 외규장각은 1866년 병인양요 때 프랑스 군대의 방화로 소실되었다. 이때 5천여 권의 책이 함께 불탔고, 의궤(儀軌)를 비롯한 340여 권의 도서는 약탈당했다. 의궤는 왕실과 국가에서 의식과 행사를 개최한 후 준비, 실행 및 마무리까지 전 과정을 보고서 형식으로 기록한 책이다. 약탈당한 외규장각 의궤는 거의 100년 동안이나 중국책으로 분류되어 프랑스 국립도서관의 폐지 창고에 방치되어 있었는데, 이 도서관에 근무하던 박병선이 1979년에 이를 발견하였다. 이후 그는 서지 사항을 정리하고 해제(解題) 작업을 진행하여 의궤의 중요성을 널리 알렸다. 1993년 프랑스 대통령이 방한할 때 의궤 한 권을 반환하면서 외규장각 도서의 전체 반환을 약속했지만 양국은 오랫동안 합의점을 찾지 못했다.

2010년 3월, 새로운 제안

외규장각 의궤 반환 협상이 20년 가까이 합의에 이르지 못하고 있는 상황에서, 우리는 프랑스 측에 제시할 새로운 방안을 마련해 달라고 외교통상부 본부에 거듭 요청했다. 외교통상부 본부는 프랑스가 외규장각 의궤 전부를 우리에게 양도하고, 그 대신 우리 국내법에 어긋나지 않는 범위 내에서 해외에 전시할 수 있는 문화재를 프랑스에 전시하는 방안을 제시했다. 지금까지 '등가 등량의 교환'을 전제로 진행해 온 협상의 틀을 깨는 꽤 과감한 제안이었다. 어차피 우리로서는 많은 돈을 들여 우리 문화재를 해외에 전시하고 홍보하고 있는 만큼, 이번 기회를 활용해서 프랑스에 우리 문화재를 전시하는 대신 의궤를 받아오자는 전략이었다.

프랑스로서는 이 제안이 결코 달가울 리 없었다. 300권에 달하는 외규장각 의궤를 다 내주면 텅 비게 될 서고를 채울 방법이 없는 프랑스 국립도서관으로서는 자기들에게 아무런 이득이 없는 이 제안을 받아들일 까닭이 없었다.

우리는 어찌 되었건 일단 굳게 닫혀 있는 외규장각 의궤 반환 협상의 뚜껑을 열어 보기로 하고, 외교통상부 본부로부터 받은 제안서를 프랑스 외무부에 전달한 뒤 반응을 기다렸다.

2010년 5월, 재개된 공식 협상

드디어 프랑스 외무부의 아시아태평양국 국장 집무실에서 외규장각 의궤 반환을 둘러싼 공식 협상이 재개되었다. 박흥신 대사와 내가 우리 측의 협상 대표로 참석했다.

장 오르티즈 국장이 먼저 말문을 열었다.

"지금껏 협상이 제대로 진행되지 못한 데는 양측 모두 책임이 있다고 생각합니다. 여기 참석하신 모든 관계 기관 인사들이 한국 측의 제안서를 검토한 결과, 해결책을 다시 모색하자는 제안을 일단 받아들이기로 했습니다. 이 문제가 양국의 우호 관계를 저해한다는 한국 측의 지적에 동감했기 때문입니다."

우리는 말없이 장 오르티즈 국장의 말을 계속 듣고 있었다. 양국이 오랜 냉각기를 지나 모처럼 마주한 자리이니만큼 프랑스 측의 입장을 충분히 들어 보는 것이 문제의 핵심을 파악하는 길이라고 생각했기 때문이다.

"다만 협상을 다시 시작하더라도 어디까지나 1993년에 양국의 정상이 합의한 대전제, 즉 '교류와 대여'의 원칙에 근거해야 한다고 생각합니다. 오늘 협상의 출발점은 2001년 양국의 민간 전문가들이 일차적으로 합의했다가 한국 측의 반대로 무산된 바 있는 의궤 맞교환 방안으로 잡을 것을 제안합니다."

우리의 예상대로 프랑스 측은 이미 오랫동안 ⓐ<u>고수</u>해 온 방안을 다시 들고 나왔다. 이윽고 박흥신 대사가 말을 시작했다.

"제가 파리에 ⓑ<u>부임</u>하기 얼마 전, 우연히 텔레비전에서 청소년을 대상으로 하는 퀴즈 프로그램을 봤습니다."

뚱딴지같이 튀어나온 퀴즈 프로그램 이야기에 프랑스 인사들은 약간 어리둥절한 모습이었다.

"그런데 거기서 프랑스가 1866년 병인양요 때 약탈해 간 도서가 무엇인지 묻는 문제가 나왔습니다. 한국 사람들은 프랑스를 좋아하지만, 우리의 소중한 문화재를 약탈해서 돌려주지 않는다는 사실이 청소년 퀴즈 프로그램 문제로 나올 정도로 외규장각 의궤 문제는 양국의 관계를 아프게 하고 있습니다. 이러한 상황은 프랑스의 국가 이미지에 큰 해가 됩니다. 한국의 청소년이 그런 프로그램을 보면서 프랑스라는 나라를 어떻게 생각할지는 불 보듯 뻔하지 않습니까?"

박흥신 대사의 말에는 힘이 실려 있었다. 나는 2001년에 양국의 민간 전문가들이 합의했던 안이 국내에서 극심한 질타를 받았던 일을 설명했다.

"당시 우리 측 협상 당사자들은 의궤 맞교환 방식이 국내에서 그렇게까지 비난을 받을 줄 몰랐던 것 같습니다. 의궤 하나하나가 소중한 문화재인데, 프랑스에 있는 의궤를 돌려받는 대신 한국에 있는 다른 의궤를 내준다는 발상은 마치 장남을 구하기 위해 차남을 인질로 내주는 것과 다를 바 없다는 비난이 거세게 일었습니다."

이어서 박흥신 대사는, 소중한 왕실의 유산을 지키지 못했다는 자책감과 일제강점기로 인해 받은 상처가 더해져 범국민적으로 각인된 우리 국민의 정서를 프랑스 측이 고려해주었으면 한다고 말했다. 그러고 나서 쐐기를 박듯이 말했다.

"문화재를 맞교환한다는 생각 자체를 우리 국민들은 결코 받아들일 수 없을 것입니다. 그러니 대가를 받을 생각을 하지 말고, 그냥 의궤를 돌려주는 대신 한국 국민들의 영원한 사의(謝意)를 선물로 받으십시오. 그것이야말로 미래 양국 관계의 ⓒ초석이 될 것입니다."

프랑스 측 인사들의 눈이 휘둥그레졌다. 감동을 받은 건지, 아니면 크게 놀란 건지 분간할 수 없었지만 박흥신 대사의 말을 예측하지 못한 것만은 확실했다.

2010년 6월, 두 번째 공식 협상

두 번째 공식 협상은 우리 측 대사관에서 열렸다. 프랑스 측에서 우선 몇 가지 방안을 제시했다. 프랑스가 가장 실현 가능성이 크다고 보는 방안은 외규장각 의궤를 몇 묶음으로 나누고, 그 중 한 묶음을 한국으로 가져가 일정 기간 전시한 후 다른 묶음으로 교체하는 방식이었다. 계속 그런 식으로 의궤를 회전시키자는 의견이었다.

속으로는 말도 안 되는 방안이라며 ⓓ일축해 버리고 싶었지만, 명색이 외교 협상을 하는 자리에서 우리 측의 입지만 좁히게 될 무분별한 행동을 할 수는 없었다. 나는 태연한 척 프랑스 측의 제안을 다 듣고 나서 우리 측의 입장을 분명히 전달했다.

"외규장각 의궤는 297권을 하나로 묶어 반환 방안을 마련해야 합니다. 묶음으로든 낱개로든 절대 분리할 수 없습니다. 모두 한 장소에서 한 시각에 프랑스 군이 약탈했기 때문입니다. 우리는 외규장각 의궤 전체를 반환받을 수 있는 해결 방안을 마련하기를 원합니다."

2010년 11월, 극적인 합의

두 번째 공식 협상 이후, 프랑스 측은 우리의 요구를 그대로 수용하는 것이 문화재를 일방적으로 양도한 선례가 될 것을 우려했다. 그렇게 되면 다른 나라로부터 문화재 반환 요청이 쇄도할 것이라고 하면서, 뭔가 작은 것이라도 좋으니 의궤와 교환하는 모양새를 갖춰 줄 것을 우리 측에 요구했다.

양국의 입장이 팽팽히 맞서며 답답한 시간을 보내던 2010년 11월 12일, 서울에서 열린 국제회의를 계기로 양국 간에 극적인 합의가 이루어졌다. '5년 단위로 갱신되는 대여' 형식으로 프랑스가 외규장각 의궤 전부를 한국에 ⓔ일괄 양도하기로 한 것이다. 끝까지 한국으로부터 대가를 받아 내야 한다고 고집한 프랑스 국립도서관 측의 완강한 반대에도 불구하고, 두 나라를 괴롭혀 온 문제를 해결하여 양국 관계에 새 국면을 열겠다는 최고 정책 결정자의 결단에 따른 것이었다.

㉠우리 측은 실리와 명분이라는 갈림길에서 일단 의궤를 우리 땅에 가져다 놓는 것이 먼저라는 판단을 내렸다. 해외로 유출된 수많은 우리 문화재를 환수하는 작업에 '대여'라는 형식이 좋지 않은 선례가 될 수 있다는 우려가 있었지만, 프랑스 국내의 상황이라는 넘지 못할 산이 닳아 없어질 때까지 무작정 기다릴 수는 없으니 그 산을 우회할 기회를 놓쳐서는 안 된다고 생각했다. 140여 년에 걸친 의궤의 유랑이 드디어 마침표를 찍은 것이다.

2011년 3월, 세부적인 사항들

양측의 협상 대표단은 치밀하게 그리고 차분하게 교섭을 진행했다. 협상은 온통 세부 사항과 관련된 것들이었다. 의궤를 한국으로 이관하는 구체적인 방법부터 의견이 충돌했다. 프랑스 측은 의궤를 이관하는 과정에서 생길 수 있는 위험에 대비해 예닐곱 번에 걸쳐 나누어 옮기자고 제안했지만, 우리 측은 그 의견에 반대했다. 효율, 비용, 기술, 행정에 이르기까지 모든 면에서 한 번에 옮기는 편이 낫다고 예상했기 때문이다. 양측의 의견이 팽팽히 맞섰지만, 결국 서로 조금씩 양보해 네 번으로 나누어 이관하기로 합의했다.

우리 측은 프랑스에 있던 외규장각 의궤를 모두 한국으로 가져오는 대신 한국에 이미 와 있는 한 권을 포함한 297권을 디지털화해서 그 파일을 프랑스와 공유하기로 했다. 프랑스의 도서 전문가들이 편하게 의궤를 연구할 수 있도록 배려한 것이다.

우리는 이관 날짜부터 포장 방법, 포장 재질, 예술품 전문 운송 업체 추천과 선정, 보관 방식, 양국 학예 연구사 간 교류, 디지털화 작업 완료 후 파일 공유 문제 등 세부 사항들에 둘러싸여 한시도 긴장을 풀 수 없었다. 그래도 애초 생각했던 것보다는 서로의 입장을 이해하고 존중하는 분위기에서 협상이 진행되었다.

(나) ㅇㅇ자동차 회사는 특정 모델 자동차 중 작년에 생산한 제품들에서 엔진의 점화에 사용되는 부품에 이상이 발견되었음을 언론에 알렸다. 회사 측은 문제가 되는 부품만 교체해 주겠다는 입장인 반면, 해당 자동차를 구입한 소비자들은 아예 올해 생산된 새 자동차로 바꿔 달라고 요구하고 있다. ㅇㅇ자동차 회사 측은 소비자 대표들과의 협상을 거쳐 보상 방안을 마련하기로 했다.

(다) 얼마 전 행복시의 시정을 책임지고 있는 ㅇㅇㅇ사장은 향후 5년에 걸쳐 도심을 재개발하는 사업을 추진할 예정이라고 발표했다. 이 발표에서 시장은 심각한 교통 문제의 해결을 위해 자동차 도로를 최대한 넓히는 방향으로 도심 재개발 사업을 추진할 것이라는 계획을 밝혔다. 발표 직후 행복시 환경 단체 연합은 시장의 구상이 옳지 않다고 반발하면서 지금보다 녹지를 늘리는 것이 도심 재개발 사업의 중심 방향이 되어야 한다고 강력히 주장하고 있다.

01 윗글에 대한 설명으로 가장 적절하지 않은 것은?

① (가)는 한국과 프랑스 측과 외규장각 의궤 반환의 협상을 벌이는 이유를 제시하고 있다.
② (가)는 (나)와 달리 협상을 벌이는 과정을 구체적으로 기록한 글이다.
③ (가)는 (다)와 달리 협상에 참여하는 사람들의 심리가 잘 드러난다.
④ (나)는 (가)와 달리 공감적인 듣기를 통해 상대 측의 감정을 배려하는 태도를 보인다.
⑤ (다)의 협상 참가자는 (가)의 참가자들에 비해 강력하게 자신의 주장을 펼치고 있다.

02 윗글 (가)에 대한 이해로 적절하지 않은 것은?

① 기존에 행해진 외교적 협상은 '등가 등량의 교환'을 전제로 진행되었다.
② 답보 상태에 있던 외규장각 의궤 반환 협상은 우리나라 측에 의해 재개되었다.
③ 두 번째 공식 협상에서 프랑스 측은 외규장각 의궤를 순차적으로 한국에 전시할 것을 제안하였다.
④ 현재의 반환 조건으로 볼 때 외규장각 의궤의 소유권은 프랑스측에 있다고 할 수 있다.
⑤ 박흥신 대사는 수세에 몰린 협상의 주제로부터 벗어나고자 퀴즈 프로그램 이야기로 화제를 돌렸다.

03 윗글 (가)의 ⓐ~ⓔ에 대한 문맥적 의미를 잘못 연결한 것은?

① ⓐ 고수 : 차지한 물건이나 형세 따위를 굳게 지킴
② ⓑ 부임 ; 임명이나 발령을 받아 근무할 곳으로 감
③ ⓒ 초석 : 어떤 사물의 기초를 비유적으로 이르는 말.
④ ⓓ 일축 : 어떤 사실을 마땅하다고 받아들임.
⑤ ⓔ 일괄 : 개별적인 여러 가지 것을 한데 묶음.

04 윗글의 (가)의 문맥상으로 볼 때, 밑줄 친 ㉠에 대한 의미로 가장 알맞은 것은?

① ㉠에서 실리는 의궤를 어떤 형식으로든 우리나라에 가져오는 것을 의미하고 명분은 의궤를 완전히 반환받는 것을 의미한다.
② ㉠에서 실리는 의궤를 완전히 반환받는 것을 의미하고 명분은 의궤를 빼앗은 프랑스로부터 사과를 받아내는 것을 의미한다.
③ ㉠에서 명분은 의궤를 우리나라에 가져옴을 의미하고 실리는 의궤를 강탈한 프랑스로부터 대가를 받는 것을 의미한다.
④ ㉠에서 실리는 프랑스로부터의 사과를 받는 것을 의미하고 명분은 의궤를 원상 복구하여 가져오는 것을 의미한다.
⑤ ㉠에서 명분은 의궤를 5년 단위로 갱신되는 대여 형식으로 양도받는 것을 의미한다.

[05~07] 다음 글을 읽고 물음에 답하시오.

2010년 5월, 재개된 공식 협상

드디어 프랑스 외무부의 아시아태평양국 국장 집무실에서 외규장각 의궤 반환을 둘러싼 공식 협상이 재개되었다.

장 오르티즈 국장이 먼저 말문을 열었다.

"지금껏 협상이 제대로 진행되지 못한 데는 양측 모두 책임이 있다고 생각합니다. 여기 참석하신 모든 관계 기관 인사들이 한국 측의 제안서를 검토한 결과, 해결책을 다시 모색하자는 제안을 일단 받아들이기로 했습니다. 이 문제가 양국의 우호 관계를 저해한다는 한국 측의 지적에 동감했기 때문입니다."

우리는 말없이 장 오르티즈 국장의 말을 계속 듣고 있었다. 양국이 오랜 냉각기를 지나 모처럼 마주한 자리이니만큼 프랑스 측의 입장을 충분히 들어 보는 것이 문제의 핵심을 파악하는 길이라고 생각했기 때문이다.

"다만 협상을 다시 시작하더라도 어디까지나 1993년에 양국의 정상이 합의한 대전제, 즉 '교류와 대여'의 원칙에 근거해야 한다고 생각합니다. 오늘 협상의 출발점은 2001년 양국의 민간 전문가들이 일차적으로 합의했다가 한국 측의 반대로 무산된 바 있는 의궤 맞교환 방안으로 잡을 것을 제안합니다."

우리의 예상대로 프랑스 측은 이미 오랫동안 고수해 온 방안을 다시 들고 나왔다. 이윽고 박흥신 대사가 말을 시작했다.

"제가 파리에 부임하기 얼마 전, 우연히 텔레비전에서 청소년을 대상으로 하는 퀴즈 프로그램을 봤습니다."

뚱딴지같이 튀어나온 퀴즈 프로그램 이야기에 프랑스 인사들은 약간 어리둥절한 모습이었다.

"그런데 거기서 프랑스가 1866년 병인양요 때 약탈해 간 도서가 무엇인지 묻는 문제가 나왔습니다. 한국 사람들은 프랑스를 좋아하지만, 우리의 소중한 문화재를 약탈해서 돌려주지 않는다는 사실이 청소년 퀴즈 프로그램 문제로 나올 정도로 외규장각 의궤 문제는 양국의 관계를 아프게 하고 있습니다. 이러한 상황은 프랑스의 국가 이미지에 큰 해가 됩니다. 한국의 청소년이 그런 프로그램을 보면서 프랑스라는 나라를 어떻게 생각할지는 불 보듯 뻔하지 않습니까?"

박흥신 대사의 말에는 힘이 실려 있었다. 나는 2001년에 양국의 민간 전문가들이 합의했던 안이 국내에서 극심한 질타를 받았던 일을 설명했다.

"당시 우리 측 협상 당사자들은 의궤 맞교환 방식이 국내에서 그렇게까지 비난을 받을 줄 몰랐던 것 같습니다. 의궤 하나하나가 소중한 문화재인데, 프랑스에 있는 의궤를 돌려받는 대신 한국에 있는 다른 의궤를 내준다는 발상은 마치 장남을 구하기 위해 차남을 인질로 내주는 것과 다를 바 없다는 비난이 거세게 일었습니다."

이어서 박흥신 대사는, 소중한 왕실의 유산을 지키지 못했다는 자책감과 일제강점기로 인해 받은 상처가 더해져 범국민적으로 각인된 우리 국민의 정서를 프랑스 측이 고려해주었으면 한다고 말했다. 그리고 나서 쐐기를 박듯이 말했다.

"문화재를 맞교환한다는 생각 자체를 우리 국민들은 결코 받아들일 수 없을 것입니다. 그러니 대가를 받을 생각을 하지 말고, 그냥 의궤를 돌려주는 대신 한국 국민들의 영원한 사의(謝意)를 선물로 받으십시오. 그것이야말로 미래 양국 관계의 초석이 될 것입니다."

프랑스 측 인사들의 눈이 휘둥그레졌다. 감동을 받은 건지, 아니면 크게 놀란 건지 분간할 수 없었지만 박흥신 대사의 말을 예측하지 못한 것만은 확실했다.

2010년 6월, 두 번째 공식 협상

두 번째 공식 협상은 우리 측 대사관에서 열렸다. 프랑스 측에서 우선 몇 가지 방안을 제시했다. 프랑스가 가장 실현 가능성이 크다고 보는 방안은 외규장각 의궤를 몇 묶음으로 나누고, 그 중 한 묶음을 한국으로 가져가 일정 기간 전시한 후 다른 묶음으로 교체하는 방식이었다. 계속 그런 식으로 의궤를 회전시키자는 의견이었다.

속으로는 말도 안 되는 방안이라며 일축해 버리고 싶었지만, 명색이 외교 협상을 하는 자리에서 우리 측의 입지만 좁히게 될 무분별한 행동을 할 수는 없었다. 나는 태연한 척 프랑스 측의 제안을 다 듣고 나서 우리 측의 입장을 분명히 전달했다.

"외규장각 의궤는 297권을 하나로 묶어 반환 방안을 마련해야 합니다. 묶음으로든 낱개로든 절대 분리할 수 없습니다. 모두 한 장소에서 한 시각에 프랑스 군이 약탈했기 때문입니다. 우리는 외규장각 의궤 전체를 반환받을 수 있는 해결 방안을 마련하기를 원합니다."

2010년 11월, 극적인 합의

두 번째 공식 협상 이후, 프랑스 측은 우리의 요구를 그대로 수용하는 것이 문화재를 일방적으로 양도한 선례가 될 것을 우려했다. 그렇게 되면 다른 나라로부터 문화재 반환 요청이 쇄도할 것이라고 하면서, 뭔가 작은 것이라도 좋으니 의궤와 교환하는 모양새를 갖춰 줄 것을 우리 측에 요구했다.

양국의 입장이 팽팽히 맞서며 답답한 시간을 보내던 2010년 11월 12일, 서울에서 열린 국제회의를 계기로 양국 간에 극적인 합의가 이루어졌다. '5년 단위로 갱신되는 대여' 형식으로 프랑스가 외규장각 의궤 전부를 한국에 일괄 양도하기로 한 것이다. 끝까지 한국으로부터 대가를 받아 내야 한다고 고집한 프랑스 국립도서관 측의 완강한 반대에도 불구하고, 두 나라를 괴롭혀 온 문제를 해결하여 양국 관계에 새 국면을 열겠다는 최고 정책 결정자의 결단에 따른 것이었다.

우리 측은 실리와 명분이라는 갈림길에서 일단 의궤를 우리 땅에 가져다 놓는 것이 먼저라는 판단을 내렸다. 해외로 유출된 수많은 우리 문화재를 환수하는 작업에 '대여'라는 형식이 좋지 않은 선례가 될 수 있다는 우려가 있었지만, 프랑스 국내의 상황이라는 넘지 못할 산이 닳아 없어질 때까지 무작정 기다릴 수는 없으니 그 산을 우회할 기회를 놓쳐서는 안 된다고 생각했다.

– 유복렬, 「돌아온 외규장각 의궤와 외교관 이야기」 –

05 윗글에 대한 설명으로 적절하지 않은 것은?

① 프랑스 측은 한국 측 주장의 논리적 오류를 지적하여 협상을 유리하게 이끌어간다.
② 프랑스 측은 의궤 반환에 대해 국립도서관과 정책 결정자가 서로 다른 입장을 드러낸다.
③ 한국 측은 특정한 경험을 제시하여 자신들의 입장을 효과적으로 전달한다.
④ 한국 측은 자신들의 입지를 지키기 위해 예의를 갖추어 상대측의 주장을 경청한다.
⑤ 한국과 프랑스 양측은 양국의 미래 관계를 고려하여 협상의 필요성에 대해 동의한다.

06 〈보기〉를 바탕으로 윗글의 내용을 이해할 때, 〈보기〉의 ㉠~㉤에 들어갈 내용으로 적절한 것은?

보기

단계	협상 참여자들의 역할
시작	협상의 가능성을 확인한다 ··· ㉠
조정	서로의 입장 차이를 좁혀 나간다. ··· ㉡
	상대방의 처지와 관점을 이해한다. ··· ㉢
해결	최선의 해결책을 통해 문제를 해결한다. ··· ㉣
	구체적인 합의 이행 방안에 대해 논의한다. ··· ㉤

① ㉠ : 한국과 프랑스의 갈등이 오랜 시간 지속되었으므로 양측 모두 협상의 가능성에 대해 부정적 전망을 보인다.
② ㉡ : 프랑스 국립도서관 측은 외규장각 의궤 반환에 대한 대가를 받아내야 한다는 원칙을 고수한다.
③ ㉢ : 프랑스 측이 교류의 원칙을 고수하는 것은 다른 나라로부터의 문화재 반환 요청에 대한 우려 때문이다.
④ ㉣ : 양측은 모두 자신들이 처음 목표한 바를 달성하는 데 실패하여 최선의 해결책을 이끌어내지 못한다.
⑤ ㉤ : 양측은 5년 단위로 갱신되는 대여 형식으로 의궤 전부를 양도하는 방안에 합의한다.

07 윗글과 〈보기〉를 관련지어 이해한 내용으로 적절하지 않은 것은?

보기

[협상 상황]

○○대학교 학생회는 학생들이 사용하는 유료 복합기 대여 업체의 운영 문제점을 제기하고 학교 측에 업체를 바꿔 줄 것을 건의했다. 이에 학교 측에서는 새로운 업체를 선정하고 학생 복지를 위해 업체로부터 장소 사용료를 받지 않기로 결정했다. 또한 업체 대표와 학생대표가 서로 의견을 조율하는 협상 자리를 마련했다.

업체 대표 : 먼저 복합기를 학교에 임대할 때 학교 측에 장소 사용료를 지불하지 않아도 된다고 하셨으므로 우리도 최소한의 비용으로 학생들에게 맞춰서 대금을 정하려고 합니다. 총 3대의 복합기를 교내에 설치하고 A4 한 장당 30원의 비용으로 하는 것이 어떻겠습니까?

학생 대표 : 그 금액은 지난번 업체와 동일한 가격입니다. 올해부터는 학교에서 복합기 임대 업체로부터 장소 사용료도 받지 않겠다고 했으므로 그에 상응하는 혜택을 학생들이 받아야 하지 않겠습니까?

업체 대표 : 저희는 최신형 복합기 모델을 새로 구입해서 대여할 것이므로 지난번 업체와는 서비스의 질이 현저히 다를 것이라 장담할 수 있습니다.

학생 대표 : 아무리 그렇더라도 학생들 입장에서는 복사나 출력을 할 때, 한두 장 하는 경우보다는 여러 장 하는 경우가 많으므로 아무래도 그 비용이 부담스럽습니다. 좀 더 내려 주시면 좋겠습니다.

① 프랑스 측은 의궤를 회전 전시하는 방안을 업체 대표는 서비스를 향상시키는 방안을 수정안으로 제시한다.
② 한국 측은 역사적 사실을 학생 대표는 상대측의 이익을 근거로 들어 상대측의 양보가 있어야 함을 주장한다.
③ 프랑스 측과 업체 대표는 모두 과거와 동일한 조건을 제시하여 협상을 시작한다.
④ 한국 측과 학생 대표는 모두 자신이 상대측에게 요구하는 바를 명확하게 전달하고 있다.
⑤ 한국 측과 학생 대표는 모두 집단 구성원들의 의견이나 상황을 근거로 들어 상대측 제안을 수용할 수 없음을 명시한다.

[08~15] 다음 글을 읽고 물음에 답하시오.

(가) 2010년 3월, 새로운 제안

외규장각 의궤 반환 협상이 20년 가까이 합의에 이르지 못하고 있는 상황에서, 우리는 프랑스 측에 제시할 새로운 방안을 마련해 달라고 외교통상부 본부에 거듭 요청했다. 외교통상부 본부는 프랑스가 외규장각 의궤 전부를 우리에게 ⓐ양도하고, 그 대신 우리 국내법에 어긋나지 않는 범위 내에서 해외에 전시할 수 있는 문화재를 프랑스에 전시하는 방안을 제시했다. 지금까지 '등가 등량의 교환'을 전제로 진행해 온 협상의 틀을 깨는 꽤 과감한 제안이었다. 어차피 우리로서는 많은 돈을 들여 우리 문화재를 해외에 전시하고 홍보하고 있는 만큼, 이번 기회를 활용해서 프랑스에 우리 문화재를 전시하는 대신 의궤를 받아 오자는 전략이었다.

프랑스로서는 이 제안이 결코 달가울 리 없었다. 300권에 달하는 외규장각 의궤를 다 내주면 텅 비게 될 서고를 채울 방법이 없는 프랑스 국립도서관으로서는 자기들에게 아무런 이득이 없는 이 제안을 받아들일 까닭이 없었다.

(나) 2010년 5월, 재개된 공식 협상

장 오르티즈 국장이 먼저 말문을 열었다.

"지금껏 협상이 제대로 진행되지 못한 데는 양측 모두 책임이 있다고 생각합니다. 여기 참석하신 모든 관계 기관 인사들이 한국 측의 제안서를 검토한 결과, 해결책을 다시 ⓑ모색하자는 제안을 일단 받아들이기로 했습니다. 이 문제가 양국의 우호 관계를 저해한다는 한국 측의 지적에 동감했기 때문입니다."

우리는 말없이 장 오르티즈 국장의 말을 계속 듣고 있었다. 양국이 오랜 냉각기를 지나 모처럼 마주한 자리이니만큼 프랑스 측의 입장을 충분히 들어 보는 것이 문제의 핵심을 파악하는 길이라고 생각했기 때문이다.

"다만 협상을 다시 시작하더라도 어디까지나 1993년에 양국의 정상이 합의한 대전제, 즉 '교류와 대여'의 원칙에 근거해야 한다고 생각합니다. 오늘 협상의 출발점은 2001년 양국의 민간 전문가들이 일차적으로 합의했다가 한국 측의 반대로 무산된 바 있는 ㉠의궤 맞교환 방안으로 잡을 것을 제안합니다."

우리의 예측대로 프랑스 측은 이미 오랫동안 ㉮고수해 온 방안을 다시 들고 나왔다. 이윽고 박흥신 대사가 말을 시작했다.

"제가 파리에 부임하기 얼마 전, 우연히 텔레비전에서 청소년을 대상으로 하는 퀴즈 프로그램을 봤습니다."

뚱딴지같이 튀어나온 퀴즈 프로그램 이야기에 프랑스 인사들은 약간 어리둥절한 모습이었다.

"그런데 거기서, 프랑스가 1866년 병인양요 때 약탈해 간 도서가 무엇인지 묻는 문제가 나왔습니다. 한국 사람들은 프랑스를 좋아하지만, 우리의 소중한 문화재를 약탈해서 돌려주지 않는다는 사실이 청소년 퀴즈 프로그램 문제로 나올 정도로 외규장각 의궤 문제는 양국의 관계를 아프게 하고 있습니다. 이러한 상황은 프랑스의 국가 이미지에 큰 해가 됩니다. 한국의 청소년이 그런 프로그램을 보면서 프랑스라는 나라를 어떻게 생각할지는 불 보듯 뻔하지 않습니까?"

박흥신 대사의 말에는 힘이 실려 있었다. 나는 2001년에 양국의 민간 전문가들이 합의했던 안이 국내에서 극심한 ㉯질타를 받았던 일을 설명했다.

"당시 우리 측 협상 당사자들은 의궤 맞교환 방식이 국내에서 그렇게까지 비난을 받을 줄 몰랐던 것 같습니다. 원본, 부본 상관없이 의궤 하나하나가 소중한 문화재인데, 프랑스에 있는 의궤를 돌려받는 대신 한국에 있는 다른 의궤를 내준다는 발상은 마치 장남을 구하기 위해 차남을 인질로 내주는 것과 다를 바 없다는 비난이 거세게 일었습니다."

이어서 박흥신 대사는, 소중한 왕실의 유산을 지키지 못했다는 자책감과 일제 강점기로 인해 받은 상처가 더해져 범국민적으로 각인된 우리 국민의 정서를 프랑스 측이 고려해 주었으면 한다고 말했다. 그리고 나서 ㉰쐐기를 박듯이 말했다.

"문화재를 맞교환한다는 생각 자체를 우리 국민들은 결코 받아들일 수 없을 것입니다. 그러니 대가를 받을 생각을 하지 말고, 그냥 의궤를 돌려주는 대신 한국 국민들의 영원한 ⓒ사의(謝意)를 선물로 받으십시오. 그것이야말로 미래 양국 관계의 ㉱초석이 될 것입니다."

프랑스 측 인사들의 눈이 휘둥그레졌다. 감동을 받은 건지, 아니면 크게 놀란 건지 분간할 수 없었지만 박흥신 대사의 말을 예측하지 못한 것만은 확실했다.

(다) 2010년 6월, 두 번째 공식 협상

두 번째 공식 협상은 우리 측 대사관에서 열렸다. 프랑스 측에서 우선 몇 가지 방안을 제시했다. 프랑스가 가장 실현 가능성이 크다고 보는 방안은 외규장각 의궤를 몇 묶음으로 나누고, 그중 한 묶음을 한국으로 가져가 일정 기간 전시한 후 다른 묶음으로 교체하는 방식이었다. 계속 그런 식으로 의궤를 회전시키자는 의견이었다.

속으로는 말도 안 되는 방안이라며 ⓓ일축해 버리고 싶었지만, 명색이 외교 협상을 하는 자리에서 우리 측의 입지만 좁히게 될 무분별한 행동을 할 수는 없었다. 나는 태연한 척 프랑스 측의 제안을 다 듣고 나서 우리 측의 입장을 분명히 전달했다.

"외규장각 의궤는 297권을 하나로 묶어 반환 방안을 마련해야 합니다. 묶음으로든 낱개로든 절대 분리할 수 없습니다. 모두 한 장소에서 한 시각에 프랑스 군이 약탈했기 때문입니다. 우리는 외규장각 의궤 전체를 반환받을 수 있는 해결 방안을 마련하기를 원합니다."

(라) 2010년 11월, 극적인 합의

두 번째 공식 협상 이후, 프랑스 측은 우리의 요구를 그대로 수용하는 것이 문화재를 일방적으로 양도한 선례가 될 것을 우려했다. 그렇게 되면 다른 나라로부터도 문화재 반환 요청이 쇄도할 것이라고 하면서, 뭔가 작은 것이라도 좋으니 의궤와 교환하는 모양새를 갖춰 줄 것을 우리 측에 요구했다.

양국의 입장이 팽팽히 맞서며 답답한 시간을 보내던 2010년 11월 12일, 서울에서 열린 국제회의를 계기로 양국 간에 극적인 합의가 이루어졌다. '5년 단위로 ⓜ갱신되는 대여' 형식으로 프랑스가 외규장각 의궤 전부를 한국에 일괄 양도하기로 한 것이다. 끝까지 한국으로부터 대가를 받아 내야 한다고 고집한 프랑스 국립도서관 측의 완강한 반대에도 불구하고, 두 나라를 괴롭혀 온 문제를 해결하여 양국 관계에 새 국면을 열겠다는 최고 정책 결정자의 결단에 따른 것이었다.

우리 측은 실리와 명분이라는 갈림길에서 일단 의궤를 우리 땅에 가져다 놓는 것이 먼저라는 판단을 내렸다. 해외로 유출된 수많은 우리 문화재를 ⓔ환수하는 작업에 '대여'라는 형식이 좋지 않은 선례가 될 수 있다는 우려도 있었지만, 프랑스 국내의 상황이라는 넘지 못할 산이 닳아 없어질 때까지 무작정 기다릴 수는 없으니 그 산을 우회할 기회를 놓쳐서는 안 된다고 생각했다. 140여 년에 걸친 의궤의 유랑에 드디어 마침표를 찍은 것이다.

(마) 2011년 3월, 세부적인 사항들

양측의 협상 대표단은 치밀하게 그리고 차분하게 교섭을 진행했다. 협상은 온통 세부 사항과 관련된 것들이었다. 의궤를 한국으로 이관하는 구체적인 방법부터 의견이 충돌했다. 프랑스 측은 의궤를 이관하는 과정에서 생길 수 있는 위험에 대비해 예닐곱 번에 걸쳐 나누어 옮기자고 제안했지만, 우리 측은 그 의견에 반대했다. 효율, 비용, 기술, 행정에 이르기까지 모든 면에서 한 번에 옮기는 편이 낫다고 예상했기 때문이다. 양측의 의견이 팽팽히 맞섰지만, 결국 서로 조금씩 양보해 네 번으로 나누어 이관하기로 합의했다.

우리 측은 프랑스에 있던 외규장각 의궤를 모두 한국으로 가져오는 대신 한국에 이미 와 있는 한 권을 포함한 297권을 디지털화해서 그 파일을 프랑스와 공유하기로 했다. 프랑스의 도서 전문가들이 편하게 의궤를 연구할 수 있도록 배려한 것이다.

---

08 윗글에 대한 설명으로 적절하지 않은 것은?

① 협상의 진행 과정을 시간 순서대로 서술하고 있다.
② 협상 대화에 비유를 사용하여 말하고자 하는 바를 효과적으로 전달하고 있다.
③ 협상 대표들의 발언 내용을 간접적으로 인용하여 생동감과 구체성을 높이고 있다.
④ 우리나라와 프랑스 사이에 벌어진 외규장각 의궤반환 협상에 참여했던 한 외교관의 기록이다.
⑤ 협상은 양보하는 태도로 상대의 요구 사항을 경청하여 만족스러운 합의점에 이르도록 해야 한다.

09 윗글에 대한 이해로 적절하지 않은 것은?

① 병인양요 당시 프랑스군은 우리의 외규장각 의궤를 한꺼번에 약탈하였다.
② 외규장각 의궤의 순환 전시 방식을 우리 측이 수용하였고 극적인 합의가 이루어졌다.
③ 프랑스는 외규장각 의궤를 반환하는 대신 한국으로부터 대가를 받아 내야 한다고 주장했다.
④ 현재의 반환 조건대로라면 외규장각 의궤의 소유권은 형식상 여전히 프랑스 측에 있다고 할 수 있다.
⑤ 우리나라는 프랑스의 도서 전문가들이 의궤를 연구하는 데 도움을 주기 위해 의궤의 디지털화 작업을 진행하기로 하였다.

10 협상의 단계에 관한 설명으로 가장 적절한 것은?

① (가)는 조정 단계로 갈등의 원인을 분석하고 입장을 좁혀 나간다.
② (나)는 시작 단계로 문제를 해결하고 합의한다.
③ (다)는 조정 단계로 상대의 처지를 이해하며 대안을 검토하는 과정을 거친다.
④ (라)는 해결 단계로 문제 해결의 필요성과 가능성을 확인한다.
⑤ (마)는 해결 단계로 문제를 확인하고 구체적인 제안을 검토한다.

11 ㉠을 우리 측이 반대하는 이유로 적절하지 않은 것은?

① 프랑스에 대한 우리 국민의 시각이 나빠질 수 있는 상황이므로
② 협상 재개의 전제 조건인 교류와 대여의 원칙에 맞지 않으므로
③ 문화재를 맞교환한다는 생각 자체를 우리 국민들이 받아들이지 않을 것이므로
④ 외규장각 의궤와 다른 의궤들이 지닌 문화재로서의 중요성을 단순 비교할 수 없으므로
⑤ 문화유산을 지키지 못한 자책감을 가진 우리 국민의 정서를 프랑스 측이 고려하여 대가를 받을 생각을 하지 말았으면 해서

12 <보기>의 질문에 대해 답변한 내용으로 적절한 것을 3개 고르면?

보기
ⓐ 프랑스는 한국으로부터 무엇을 얻어 내었는가? ⓑ 의궤의 이관 횟수를 협의할 때 양국이 다른 견해를 제시한 까닭은? ⓒ 조정 단계에서 필자가 프랑스 측의 수정 제안을 거절한 근거는? ⓓ 프랑스 측은 왜 외규장각 의궤 반환 문제를 해결해야 할 필요가 있다고 판단하였는가? ⓔ 최종 합의 내용에 관해 국내에서는 어떤 우려의 여론이 있었는가?

① ⓐ : 양국 우호 관계의 걸림돌을 제거하면서 외규장각 의궤의 소유권도 잃지 않음
② ⓑ : 프랑스는 위험에 대비해 예닐곱 번으로 우리는 효율, 비용 등을 고려해 한 번에 이관하자는 의견
③ ⓒ : 청소년 퀴즈 프로그램 문제로 나올 정도로 외규장각 의궤 문제가 양국의 관계를 아프게 하고 있으므로
④ ⓓ : 우리의 요구를 그대로 수용하는 것이 문화재를 일방적으로 양도한 선례가 될 것을 우려했으므로
⑤ ⓔ : 해외에 빼앗긴 우리 문화재의 환수에 대해서 대여의 형식을 취하는 것이 좋지 않은 선례가 될 수 있다는 것

13 협상 과정에서 사용한 의사소통 전략에 관한 대화로 적절하지 않은 것은?

보기

- **다니엘** : 처음에 우리 측 대표들이 장 오르티즈 국장의 말을 듣기만 하는 전략을 구사했어.
- **성우** : 왜냐하면, 프랑스 측의 입장을 충분히 들어 보는 것이 문제의 핵심을 파악하는 방법이라고 생각했기 때문이야.
- **진영** : 박흥신 대사는 문화재 맞교환과 같은 대가를 생각하지 말고 외규장각 의궤를 반환해 줄 것을 요구했어.
- **우진** : 그리고, 청소년 퀴즈 프로그램의 예를 들어 프랑스에 대해 갖게 될 우리 국민들의 시각 문제를 환기했어.
- **성운** : 필자가 프랑스의 수정 제안을 끝까지 듣는 전략을 택한 것은 프랑스 국가 이미지가 이미 훼손되어 돌이킬 수 없다고 생각했기 때문이야.

① 다니엘 ② 성우 ③ 진영 ④ 우진 ⑤ 성운

14 문맥상 ⓐ~ⓔ와 바꿔 쓰기에 적절하지 않은 것은?

① ⓐ : 넘겨주고
② ⓑ : 찾아보자는
③ ⓒ : 감사하게 여기는 뜻을
④ ⓓ : 단번에 거절해
⑤ ⓔ : 빌린 것을 되돌려주는

15 문맥상 ㉮~㉲의 의미로 가장 적절한 것은?

① ㉮ : 어떤 분야나 집단에서 기술이 매우 뛰어남
② ㉯ : 공격하는 태세
③ ㉰ : 어떤 일이 끝장이 나거나 끝장을 내다
④ ㉱ : 어떤 사물의 기초를 비유적으로 이르는 말
⑤ ㉲ : 종전의 기록을 깨뜨림

서술형 심화문제

[01] 다음 글을 읽고 물음에 답하시오.

나는 2001년에 양국의 민간 전문가들이 합의했던 안이 국내에서 극심한 질타를 받았던 일을 설명했다.

"당시 우리 측 협상 당사자들은 의궤 맞교환 방식이 국내에서 그렇게까지 비난을 받을 줄 몰랐던 것 같습니다. 의궤 하나하나가 소중한 문화재인데, 프랑스에 있는 의궤를 돌려받는 대신 한국에 있는 다른 의궤를 내준다는 발상은 마치 Ⓐ장남을 구하기 위해 Ⓑ차남을 인질로 내주는 것과 다를 바 없다는 비난이 거세게 일었습니다."

이어서 박흥신 대사는, 소중한 왕실의 유산을 지키지 못했다는 자책감과 일제강점기로 인해 받은 상처가 더해져 범국민적으로 각인된 우리 국민의 정서를 프랑스 측이 고려해주었으면 한다고 말했다. 그러고 나서 쐐기를 박듯이 말했다.

"문화재를 맞교환한다는 생각 자체를 우리 국민들은 결코 받아들일 수 없을 것입니다. 그러니 대가를 받을 생각을 하지 말고, 그냥 의궤를 돌려주는 대신 한국 국민들의 영원한 사의(謝意)를 선물로 받으십시오. 그것이야말로 미래 양국 관계의 초석이 될 것입니다."

프랑스 측 인사들의 눈이 휘둥그레졌다. 감동을 받은 건지, 아니면 크게 놀란 건지 분간할 수 없었지만 박흥신 대사의 말을 예측하지 못한 것만은 확실했다.

01 밑줄 친 Ⓐ와 Ⓑ가 가리키는 대상을 쓰고, 이렇게 '나'가 비유의 방법을 사용하여 말하고자 한 내용을 〈조건〉을 고려하여 쓰시오.

조건
- 윗글에서 찾아 쓸 것
- 비유를 사용해 말하고자 한 내용은 '-다.'의 형식을 갖출 것

[02~05] 다음 글을 읽고 물음에 답하시오.

(가) 1782년 정조가 왕실 관련 서적을 보관하기 위해 강화도에 설치한 외규장각은 1866년 병인양요 때 프랑스 군대의 방화로 소실되었다. 이때 5천여 권의 책이 함께 불탔고, 의궤(儀軌)를 비롯한 340여 권의 도서는 약탈당했다. 의궤는 왕실과 국가에서 의식과 행사를 개최한 후 준비, 실행 및 마무리까지 전 과정을 보고서 형식으로 기록한 책이다. 약탈당한 외규장각 의궤는 거의 100년 동안이나 중국책으로 분류되어 프랑스 국립도서관의 폐지 창고에 방치되어 있었는데, 이 도서관에 근무하던 박병선이 1979년에 이를 발견하였다. 이후 그는 서지 사항을 정리하고 해제(解題) 작업을 진행하여 의궤의 중요성을 널리 알렸다. 1993년 프랑스 대통령이 방한할 때 의궤 한 권을 반환하면서 외규장각 도서의 전체 반환을 약속했지만 양국은 오랫동안 합의점을 찾지 못했다.

2010년 3월, 새로운 제안

외규장각 의궤 반환 협상이 20년 가까이 합의에 이르지 못하고 있는 상황에서, 우리는 프랑스 측에 제시할 새로운 방안을 마련해 달라고 외교통상부 본부에 거듭 요청했다. 외교통상부 본부는 프랑스가 외규장각 의궤 전부를 우리에게 양도

하고, 그 대신 우리 국내법에 어긋나지 않는 범위 내에서 해외에 전시할 수 있는 문화재를 프랑스에 전시하는 방안을 제시했다. 지금까지 '등가 등량의 교환'을 전제로 진행해 온 협상의 틀을 깨는 꽤 과감한 제안이었다. 어차피 우리로서는 많은 돈을 들여 우리 문화재를 해외에 전시하고 홍보하고 있는 만큼, 이번 기회를 활용해서 프랑스에 우리 문화재를 전시하는 대신 의궤를 받아오자는 전략이었다.

프랑스로서는 이 제안이 결코 달가울 리 없었다. 300권에 달하는 외규장각 의궤를 다 내주면 텅 비게 될 서고를 채울 방법이 없는 프랑스 국립도서관으로서는 자기들에게 아무런 이득이 없는 이 제안을 받아들일 까닭이 없었다.

우리는 어찌 되었건 일단 굳게 닫혀 있는 외규장각 의궤 반환 협상의 뚜껑을 열어 보기로 하고, 외교통상부 본부로부터 받은 제안서를 프랑스 외무부에 전달한 뒤 반응을 기다렸다.

2010년 5월, 재개된 공식 협상

드디어 프랑스 외무부의 아시아태평양국 국장 집무실에서 외규장각 의궤 반환을 둘러싼 공식 협상이 재개되었다. 박흥신 대사와 내가 우리 측의 협상 대표로 참석했다.

장 오르티즈 국장이 먼저 말문을 열었다.

"지금껏 협상이 제대로 진행되지 못한 데는 양측 모두 책임이 있다고 생각합니다. 여기 참석하신 모든 관계 기관 인사들이 한국 측의 제안서를 검토한 결과, 해결책을 다시 모색하자는 제안을 일단 받아들이기로 했습니다. 이 문제가 양국의 우호 관계를 저해한다는 한국 측의 지적에 동감했기 때문입니다."

우리는 말없이 장 오르티즈 국장의 말을 계속 듣고 있었다. 양국이 오랜 냉각기를 지나 모처럼 마주한 자리이니만큼 프랑스 측의 입장을 충분히 들어 보는 것이 문제의 핵심을 파악하는 길이라고 생각했기 때문이다.

"다만 협상을 다시 시작하더라도 어디까지나 1993년에 양국의 정상이 합의한 대전제, 즉 '교류와 대여'의 원칙에 근거해야 한다고 생각합니다. 오늘 협상의 출발점은 2001년 양국의 민간 전문가들이 일차적으로 합의했다가 한국 측의 반대로 무산된 바 있는 의궤 맞교환 방안으로 잡을 것을 제안합니다."

우리의 예상대로 프랑스 측은 이미 오랫동안 고수해 온 방안을 다시 들고 나왔다. 이윽고 박흥신 대사가 말을 시작했다.

"제가 파리에 부임하기 얼마 전, 우연히 텔레비전에서 청소년을 대상으로 하는 퀴즈 프로그램을 봤습니다."

뚱딴지같이 튀어나온 퀴즈 프로그램 이야기에 프랑스 인사들은 약간 어리둥절한 모습이었다.

"그런데 거기서 프랑스가 1866년 병인양요 때 약탈해 간 도서가 무엇인지 묻는 문제가 나왔습니다. 한국 사람들은 프랑스를 좋아하지만, 우리의 소중한 문화재를 약탈해서 돌려주지 않는다는 사실이 청소년 퀴즈 프로그램 문제로 나올 정도로 외규장각 의궤 문제는 양국의 관계를 아프게 하고 있습니다. 이러한 상황은 프랑스의 국가 이미지에 큰 해가 됩니다. 한국의 청소년이 그런 프로그램을 보면서 프랑스라는 나라를 어떻게 생각할지는 불 보듯 뻔하지 않습니까?"

박흥신 대사의 말에는 힘이 실려 있었다. 나는 2001년에 양국의 민간 전문가들이 합의했던 안이 국내에서 극심한 질타를 받았던 일을 설명했다.

"당시 우리 측 협상 당사자들은 의궤 맞교환 방식이 국내에서 그렇게까지 비난을 받을 줄 몰랐던 것 같습니다. 의궤 하나하나가 소중한 문화재인데, 프랑스에 있는 의궤를 돌려받는 대신 한국에 있는 다른 의궤를 내준다는 발상은 마치 장남을 구하기 위해 차남을 인질로 내주는 것과 다를 바 없다는 비난이 거세게 일었습니다."

이어서 박흥신 대사는, 소중한 왕실의 유산을 지키지 못했다는 자책감과 일제강점기로 인해 받은 상처가 더해져 범국민적으로 각인된 우리 국민의 정서를 프랑스 측이 고려해주었으면 한다고 말했다. 그러고 나서 쐐기를 박듯이 말했다.

"문화재를 맞교환한다는 생각 자체를 우리 국민들은 결코 받아들일 수 없을 것입니다. 그러니 대가를 받을 생각을 하지 말고, 그냥 의궤를 돌려주는 대신 한국 국민들의 영원한 사의(謝意)를 선물로 받으십시오. 그것이야말로 미래 양국 관계의 초석이 될 것입니다."

프랑스 측 인사들의 눈이 휘둥그레졌다. 감동을 받은 건지, 아니면 크게 놀란 건지 분간할 수 없었지만 박흥신 대사의 말을 예측하지 못한 것만은 확실했다.

2010년 6월, 두 번째 공식 협상

두 번째 공식 협상은 우리 측 대사관에서 열렸다. 프랑스 측에서 우선 몇 가지 방안을 제시했다. 프랑스가 가장 실현 가능성이 크다고 보는 방안은 외규장각 의궤를 몇 묶음으로 나누고, 그 중 한 묶음을 한국으로 가져가 일정 기간 전시한 후 다른 묶음으로 교체하는 방식이었다. 계속 그런 식으로 의궤를 회전시키자는 의견이었다.

속으로는 말도 안 되는 방안이라며 일축해 버리고 싶었지만, 명색이 외교 협상을 하는 자리에서 우리 측의 입지만 좁히게 될 무분별한 행동을 할 수는 없었다. 나는 태연한 척 프랑스 측의 제안을 다 듣고 나서 우리 측의 입장을 분명히 전달했다.

"외규장각 의궤는 297권을 하나로 묶어 반환 방안을 마련해야 합니다. 묶음으로든 낱개로든 절대 분리할 수 없습니다. 모두 한 장소에서 한 시각에 프랑스 군이 약탈했기 때문입니다. 우리는 외규장각 의궤 전체를 반환받을 수 있는 해결 방안을 마련하기를 원합니다."

2010년 11월, 극적인 합의

두 번째 공식 협상 이후, 프랑스 측은 우리의 요구를 그대로 수용하는 것이 문화재를 일방적으로 양도한 선례가 될 것을 우려했다. 그렇게 되면 다른 나라로부터 문화재 반환 요청이 쇄도할 것이라고 하면서, 뭔가 작은 것이라도 좋으니 의궤와 교환하는 모양새를 갖춰 줄 것을 우리 측에 요구했다.

양국의 입장이 팽팽히 맞서며 답답한 시간을 보내던 2010년 11월 12일, 서울에서 열린 국제회의를 계기로 양국 간에 극적인 합의가 이루어졌다. '5년 단위로 갱신되는 대여' 형식으로 프랑스가 외규장각 의궤 전부를 한국에 일괄 양도하기로 한 것이다. 끝까지 한국으로부터 대가를 받아 내야 한다고 고집한 프랑스 국립도서관 측의 완강한 반대에도 불구하고, 두 나라를 괴롭혀 온 문제를 해결하여 양국 관계에 새 국면을 열겠다는 최고 정책 결정자의 결단에 따른 것이었다.

우리 측은 ㉠실리와 ㉡명분이라는 갈림길에서 일단 의궤를 우리 땅에 가져다 놓는 것이 먼저라는 판단을 내렸다. 해외로 유출된 수많은 우리 문화재를 환수하는 작업에 '대여'라는 형식이 좋지 않은 선례가 될 수 있다는 우려가 있었지만, 프랑스 국내의 상황이라는 넘지 못할 산이 닳아 없어질 때까지 무작정 기다릴 수는 없으니 그 산을 우회할 기회를 놓쳐서는 안 된다고 생각했다. 140여 년에 걸친 의궤의 유랑이 드디어 마침표를 찍은 것이다.

2011년 3월, 세부적인 사항들

양측의 협상 대표단은 치밀하게 그리고 차분하게 교섭을 진행했다. 협상은 온통 세부 사항과 관련된 것들이었다. 의궤를 한국으로 이관하는 구체적인 방법부터 의견이 충돌했다. 프랑스 측은 의궤를 이관하는 과정에서 생길 수 있는 위험에 대비해 예닐곱 번에 걸쳐 나누어 옮기자고 제안했지만, 우리 측은 그 의견에 반대했다. 효율, 비용, 기술, 행정에 이르기까지 모든 면에서 한 번에 옮기는 편이 낫다고 예상했기 때문이다. 양측의 의견이 팽팽히 맞섰지만, 결국 서로 조금씩 양보해 네 번으로 나누어 이관하기로 합의했다.

우리 측은 프랑스에 있던 외규장각 의궤를 모두 한국으로 가져오는 대신 한국에 이미 와 있는 한 권을 포함한 297권을 디지털화해서 그 파일을 프랑스와 공유하기로 했다. 프랑스의 도서 전문가들이 편하게 의궤를 연구할 수 있도록 배려한 것이다.

우리는 이관 날짜부터 포장 방법, 포장 재질, 예술품 전문 운송 업체 추천과 선정, 보관 방식, 양국 학예 연구사 간 교류, 디지털화 작업 완료 후 파일 공유 문제 등 세부 사항들에 둘러싸여 한시도 긴장을 풀 수 없었다. 그래도 애초 생각했던 것보다는 서로의 입장을 이해하고 존중하는 분위기에서 협상이 진행되었다.

(나) ㅇㅇ자동차 회사는 특정 모델 자동차 중 작년에 생산한 제품들에서 엔진의 점화에 사용되는 부품에 이상이 발견되었음을 언론에 알렸다. 회사 측은 문제가 되는 부품만 교체해 주겠다는 입장인 반면, 해당 자동차를 구입한 소비자들은 아예 올해 생산된 새 자동차로 바꿔 달라고 요구하고 있다. ㅇㅇ자동차 회사 측은 소비자 대표들과의 협상을 거쳐 보상 방안을 마련하기로 했다.

02 (가)의 글에서 2010년 5월, 재개된 공식 협상에서 우리 측 대표들이 곧바로 의견을 표명하지 않고, 장 오르티즈 국장의 말을 듣기만 하는 전략을 구사한 까닭과 2010년 6월, 두 번째 공식협상 때 필자가 프랑스 측의 수정 제안을 태연한 척 끝까지 듣는 전략을 택한 까닭이 무엇인지 서술하시오.

03 ㉠이 뜻하는 바를 윗글에서 찾아 구체적으로 쓰시오.

04 ㉡의 구체적 의미를 쓰시오.

05 (나)의 글에서 ○○자동차 회사와 소비자 대표들 사이에 갈등이 발생한 원인이 무엇인지 서술하시오.

[06] 다음 글을 읽고 물음에 답하시오.

드디어 프랑스 외무부의 아시아태평양국 국장 집무실에서 외규장각 의궤 반환을 둘러싼 공식 협상이 재개되었다. 박흥신 대사와 내가 우리 측의 협상 대표로 참석했다.

장 오르티즈 국장이 먼저 말문을 열었다.

"지금껏 협상이 제대로 진행되지 못한 데는 양측 모두 책임이 있다고 생각합니다. 여기 참석하신 모든 관계 기관 인사들이 한국 측의 제안서를 검토한 결과, 해결책을 다시 모색하자는 제안을 일단 받아들이기로 했습니다. 이 문제가 양국의 우호 관계를 저해한다는 한국 측의 지적에 동감했기 때문입니다."

우리는 말없이 장 오르티즈 국장의 말을 계속 듣고 있었다. 양국이 오랜 냉각기를 지나 모처럼 마주한 자리이니만큼 프랑스 측의 입장을 충분히 들어 보는 것이 문제의 핵심을 파악하는 길이라고 생각했기 때문이다.

"다만 협상을 다시 시작하더라도 어디까지나 1993년에 양국의 정상이 합의한 대전제, 즉 '교류와 대여'의 원칙에 근거해야 한다고 생각합니다. 오늘 협상의 출발점은 2001년 양국의 민간 전문가들이 일차적으로 합의했다가 한국 측의 반대로 무산된 바 있는 의궤 맞교환 방안으로 잡을 것을 제안합니다."

우리의 예측대로 프랑스 측은 이미 오랫동안 고수해 온 방안을 다시 들고 나왔다. 이윽고 박흥신 대사가 말을 시작했다.

"제가 파리에 부임하기 얼마 전, 우연히 텔레비전에서 청소년을 대상으로 하는 퀴즈 프로그램을 봤습니다."

뚱딴지같이 튀어나온 퀴즈 프로그램 이야기에 프랑스 인사들은 약간 어리둥절한 모습이었다.

"그런데 거기서, 프랑스가 1866년 병인양요 때 약탈해 간 도서가 무엇인지 묻는 문제가 나왔습니다. 한국 사람들은 프랑스를 좋아하지만, 우리의 소중한 문화재를 약탈해서 돌려주지 않는다는 사실이 청소년 퀴즈 프로그램 문제로 나올 정도로 외규장각 의궤 문제는 양국의 관계를 아프게 하고 있습니다. 이러한 상황은 프랑스의 국가 이미지에 큰 해가 됩니다. 한국의 청소년이 그런 프로그램을 보면서 프랑스라는 나라를 어떻게 생각할지는 불 보듯 뻔하지 않습니까?"

박흥신 대사의 말에는 힘이 실려 있었다. 나는 2001년에 양국의 민간 전문가들이 합의했던 안이 국내에서 극심한 질타를 받았던 일을 설명했다.

"당시 우리 측 협상 당사자들은 의궤 맞교환 방식이 국내에서 그렇게까지 비난을 받을 줄 몰랐던 것 같습니다. 원본, 부본 상관없이 의궤 하나하나가 소중한 문화재인데, 프랑스에 있는 의궤를 돌려받는 대신 한국에 있는 다른 의궤를 내준다는 발상은 마치 장남을 구하기 위해 차남을 인질로 내주는 것과 다를 바 없다는 비난이 거세게 일었습니다."

이어서 박흥신 대사는, 소중한 왕실의 유산을 지키지 못했다는 자책감과 일제 강점기로 인해 받은 상처가 더해져 범국민적으로 각인된 우리 국민의 정서를 프랑스 측이 고려해 주었으면 한다고 말했다.

06 윗글을 참고로 하여 다음 표를 작성한다고 할 때 ⓐ와 ⓑ에 들어갈 내용을 쓰시오.

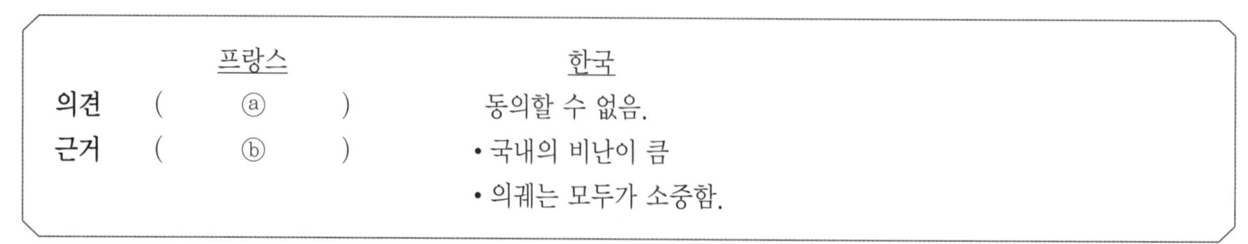

	프랑스	한국
의견	(ⓐ)	동의할 수 없음.
근거	(ⓑ)	• 국내의 비난이 큼 • 의궤는 모두가 소중함.

조건

• ⓐ와 ⓑ를 주어로 할 것. (ⓐ는, ⓑ는)

단원 종합평가

[01~03] 다음 글을 읽고, 물음에 답하시오.

모든 국민은 법 앞에 평등한가

불과 십수 년 전만 해도 신입 사원을 뽑는 기업체의 공고에 '25세 미만' 같은 조건이 붙어 있는 경우를 흔히 볼 수 있었다. 이 공고에 따르면 이제 막 26세가 된 사람은 아무리 탁월한 기량을 지니고 있더라도 시원조차 할 수 없는 셈이다. 최근 들어 이런 제한이 많이 사라지긴 했지만 '대학을 졸업한 지 1년 이내인 자'처럼 변형된 조건을 내세우는 곳이 아직 많다. 이처럼 '합리적인 이유가 없는 차별'은 능력있는 많은 사람에게서 취업의 기회를 근원적으로 박탈하고 있다. 비단 나이에 따른 차별만이 문제인 것은 아니다. 성별이나 신체 장애, 종교로 인한 차별이 있는가 하면, 단지 비형 간염 바이러스 보균자라는 이유만으로 취업을 거부당한 사람도 있다. 이처럼 각종 차별이 일상화되다 보면 우리도 모르게 이런 문제에 무감각해질 위험이 있다.

제도의 차원에서 이러한 차별의 예방이나 교정에 실효적 기능을 담당하는 것은 '법'이라고 할 수 있다. 아직 충분하지는 않지만 우리도 그런 법 조항을 갖고 있다. 우리나라의 헌법 제11조 제1항에는 "모든 국민은 법 앞에 평등하다. 누구든지 성별, 종교, 또는 사회적 신분에 의하여 정치적 · 사회적 · 문화적 생활의 모든 영역에 있어서 차별을 받지 아니한다."라고 명시되어 있다. 여기서 말하는 '성별, 종교, 또는 사회적 신분'은 수많은 차별 사례 중 몇 가지만을 예로 든 것이다. 국가인권위원회법에서도 차별 금지에 관한 상당히 넓은 범위의 영역을 이미 규정해 놓고 있는데도 차별은 쉽게 사라지지 않고 있다. 왜 그럴까? 차별을 막는 법 조항이 있음에도 차별이 존재하는 이유는 그 법을 해석, 적용, 시행하는 과정에 다음과 같은 문제점이 있기 때문이다.

첫 번째 문제점은 '성별, 종교, 장애, 나이, 사회적 신분, 출신 지역, 출신 국가, 출신 민족, 용모 등 신체 조건, 혼인 여부, 임신 또는 출산, 가족 형태 또는 가족 상황, 인종, 피부색, 사상 또는 정치적 의견, 형의 효력을 잃은 전과, 성적(性的) 지향, 학력, 병력(病歷)' 등을 이유로 한 차별 현상의 상당 부분이 사적 생활 영역에서 일어난다는 점과 관련이 있다.

우리 사회의 민주화가 진척되어 감에 따라, 국가 권력에 의한 차별보다는 오히려 고용주, 서비스 공급자 같은 사적 생활 관계의 주체들에 의한 차별이 ⓐ<u>만연</u>하기 시작했다. 그런데 공적 영역에서 일어나는 차별은 헌법상의 차별 금지 조항이 직접 적용되는 데 반해, 사적 영역에서 발생한 차별은 모호하다. 가해자가 국가이고 피해자가 시민일 때는 피해자가 헌법 조항을 근거로 시정 조치를 국가에 직접 요구할 수 있지만 가해자와 피해자가 모두 개인이면 이런 요구가 쉽지 않다는 것이다. 예컨대 내가 목욕탕에 갔다가 장애인이라는 이유로 입장을 거부당했다고 하자. 이런 상황에서 헌법을 기초로 그 목욕탕 주인에게 시정을 요구할 뾰족한 방법은 없다. 별도의 ⓑ<u>입법</u> 조치가 없는 한, 현재로서는 그 목욕탕 주인에게 불법 행위에 따른 손해 배상을 청구하는 일만 할 수 있다. 개인과 개인의 관계는 공법(公法)이 아닌 사법(私法)으로 해결해야 한다는 원칙이 우리 법체계의 바탕을 이루고 있기 때문이다.

두 번째로, 차별 행위에 따른 민사상의 손해 배상액이 너무 적다는 문제가 있다. 차별을 당한 사람이 독하게 마음먹고 민사 소송을 제기해서 승소해도 마음의 상처를 치유하기에 턱없이 부족한 배상액을 받는 경우가 많다. 소송을 제대로 수행하려면 변호사 비용만 수백만 원이 드는데 그 결과물인 배상액이 기껏해야 수십만 원이라면 누구라도 소송을 포기할 것이다.

세 번째로, 불법 행위에 따른 손해 발생과 인과 관계 등의 ⓒ<u>입증</u> 책임을 모두 차별당한 사람이 지게 되어 있는 것도 문제이다. 우리 사법의 기본 원칙상 입증 책임은 원고의 몫이기 때문이다. 하지만 차별 행위가 있었다는 사실을 법정에서 입증하는 것은 결코 쉬운 일이 아니다. 예컨대 어떤 회사에 입사하지 못한 기혼 여성이 채용 과정에서 차별이 있었음을 주장하며 소송을 한다고 할 때, 오로지 기혼 여성이라는 이유로 회사가 자신을 떨어뜨렸다는 사실을 입증해 내지 못하면 패소한다. 이처럼 차별을 당한 개인이 소송에서 이기기란 매우 어렵다.

차별 철폐를 위해 우선 할 수 있는 일

우리나라의 경우 사회 전체가 다양화의 길을 걷기 시작한 1990년대 이후에서야 차별의 문제가 본격적으로 논의되었다. 논의 기간이 짧은 만큼 차별을 방지할만한 뚜렷한 대책이 마련되지 못했다. 고작해야 국민 의식 개혁이나 각종 위원회 설치처럼 다분히 추상적이고 형식적인 수준이다. 물론 차별 문제를 단번에 해결할 묘책을 찾기는 쉽지 않다. 그러나 생각의 방향을 조금만 바꾸어도 꽤 손쉬운 실마리를 찾을 수 있다.

나는 차별 금지 소송의 증가가 우리 의식 개혁의 출발점이 될 수 있다고 생각한다. 차별 행위가 있을 때마다 피해자들이 소송을 하든, 단돈 십만 원이라 할지라도 손해 배상금을 받아 내는 일이 이어진다면 서서히 의미 있는 변화가 나타날 것이다. 그런데 소송을 하려면 큰돈이 들고 귀찮은 일도 많아서 현재의 우리 법 제도에서 차별 철폐 관련 소송이 활성화되기는 몹시 어렵다. 지금까지 그나마 몇 건의 차별 철폐 관련 소송들이 주목받을 수 있었던 것은 공익 문제에 관심이 있는 소수의 변호사가 신념을 가지고 적극적으로 변호해 주었기 때문이었다. 그러나 아무래도 영리를 추구할 수밖에 없는 변호사들에게 계속 선의만을 기대할 수는 없다. 나는 바로 이 부분이야말로 국가가 개입해야 할 지점이라고 본다. 차별받는 이웃과, 그들을 위해 일하고 싶은 변호사들 사이를 가로막는 벽은 다름 아닌 '돈'이며, 그 벽을 무너뜨리는 역할은 국가의 몫이라고 생각한다.

우리나라에는 차별 문제에 적극적으로 개입하려는 의지를 지닌 국가인권위원회가 이미 존재한다. 하지만 현재 그 권한은 차별 행위를 조사하고 권고하는 정도로 제한되어 있다. 국가인권위원회가 차별 철폐와 시민권 보호의 진정한 ⓓ보루 역할을 하려면 단순히 '조사'하고 '권고'하는 정도를 넘어, 피해자를 대리해서 직접 소송을 할 수 있는 권한과 예산을 가져야 한다. 인권을 위해 싸우도록 훈련된 변호사들이 차별 관련 소송을 대리하는 일에 매진할 수 있는 기반이 조성되어야하기 때문이다.

차별 철폐와 관련된 소송들이 계속되면 저력 있는 우리 시민들은 차별 금지와 평등의 의의를 빠르게 학습할 것이다. 이를 통해, 말뿐인 의식 개혁이 아니라 생활 속에서 자연스럽게 배워 나가는 의식 개혁이 이루어질 수 있다. 또한 차별 철폐 소송을 하는 전문 변호사들이 앞서 언급한 바와 같이 기존 법체계의 한계에 자꾸 부딪히면 이를 해결할 새로운 법률의 제정을 준비하게 될 것이고, 그 새로운 법을 만드는 과정에서 시민들의 의식은 더욱 향상될 것이다. 새 법을 시행해 나가다가 다른 한계에 부딪히면 또 새로운 법률 제정 운동이 나타날 것이다. 이런 건전한 순환 구조 안에서 시민의 삶과 우리의 법체계는 함께 발전할 수 있다. 국가 권력을 견제하는 소극적인 역할을 넘어 시민의 권리를 적극적으로 옹호하는 법의 새로운 역할은 이러한 노력에서 ⓔ태동할 것이다.

01 윗글에서 알 수 있는 내용으로 적절하지 않은 것은?

① 각종 차별이 일상화되면 우리도 모르게 차별 문제에 무감각해질 수 있다.
② 개인 간의 관계는 사법(私法)에 의해 해결해야 한다는 원칙 때문에, 헌법 조항을 근거로 차별 행위의 시정을 직접 요구할 수 없다.
③ 제도적 차원에서 차별을 막거나 바로잡은 수단으로 가장 효과적인 것은 법이다.
④ 불법 차별 행위에 따른 손해 발생과 그 인과 관계를 입증할 책임을 지는 사람은 가해자와 피해자 모두의 몫이다.
⑤ 차별 관한 법 제도의 문제점으로 들고 있는 세 가지는 주체의 문제, 손해 배상액의 문제, 책임 입증의 문제로 이야기하고 있다.

02 윗글을 내용을 바탕으로 〈보기〉를 이해한 내용으로 가장 적절하지 않은 것은?

보기

국회의원 정모씨는 법률안의 제안 이유에서 "최근 일부 초등학교의 경우 신입생 예비소집 과정에서 임대아파트 학생들과 일반주택 학생들을 나눠 서류접수를 받았고, 서울의 일부 학부모들은 임대아파트 학생들과 같이 학교를 다닐 수 없다며 학교 배정을 철회하라는 시위를 벌이는 등 사회적 물의를 빚은 바였다'고 설명했다.

또한 "이같은 형태는 사회적 위화감을 조성하고 특정 계층에게 모멸감을 안길 뿐 아니라 인간으로서 누려야 할 기본적인 가치를 단지 거주하는 집의 규모와 형태에 따라 구분하는 천박한 구획에 다름 아니다"고 강조했다.

이어 "이번 개정안이 주택의 형태 등에 따라 교육받을 수 있는 권리 및 인간으로서의 존엄 등이 훼손되는 것을 방지하는데 조금이라도 기여하기를 바란다"고 말했다.

① 윗글에 제시되어 있는 '합리적인 이유 없이 차별 행위를 해서는 안 된다.'에 '거주형태'를 추가한 것으로 볼 수 있다.
② 평등권을 침해하는 차별 행위의 한 유형으로 '거주형태'를 포함하는 내용의 '국가인권위원회법' 개정안을 대표발의 했다고 볼 수 있다.
③ 평등권을 침해하는 차별 행위의 한 유형으로 헌법의 내용을 위반한 것으로 헌법재판소의 판결에 의해서만 위헌 여부를 알 수 있다.
④ 〈보기〉의 사안에 대해 국가인권위원회가 갖고 있는 권한은 실태 조사와 그에 따른 권고만을 할 수 있다.
⑤ 현재 우리나라에서 이와 같은 문제에 적극적으로 개입하려는 의지를 지닌 국가 기관은 국가인권위원회이다.

03 윗글의 ⓐ~ⓔ에 대한 문맥적 의미를 잘못 연결한 것을 찾으시오.

① ⓐ 만연 : 전염이나 나쁜 현상이 널리 퍼짐을 비유적으로 이르는 말
② ⓑ 입법 : 바로 세움
③ ⓒ 입증 : 어떤 증거 따위를 내세워 증명함
④ ⓓ 보루 : 지켜야 할 대상을 비유적으로 이르는 말
⑤ ⓔ 태동 : 어떤 일이 생기려는 기운이 싹틈

[04~08] 다음 글을 읽고 물음에 답하시오.

(가) 2010년 3월, 새로운 제안

외규장각 의궤 반환 협상이 20년 가까이 합의에 이르지 못하고 있는 상황에서, 우리는 프랑스 측에 제시할 새로운 방안을 마련해 달라고 외교통상부 본부에 거듭 요청했다. 외교통상부 본부는 프랑스가 외규장각 의궤 전부를 우리에게 양도하고, 그 대신 우리 국내법에 어긋나지 않는 범위 내에서 해외에 전시할 수 있는 문화재를 프랑스에 전시하는 방안을 제시했다. 지금까지 '등가 등량의 교환'을 전제로 진행해 온 협상의 틀을 깨는 꽤 과감한 제안이었다. 어차피 우리로서는 많은 돈을 들여 우리 문화재를 해외에 전시하고 홍보하고 있는 만큼, 이번 기회를 활용해서 프랑스에 우리 문화재를 전시하는 대신 의궤를 받아오자는 전략이었다.

프랑스로서는 이 제안이 결코 달가울 리 없었다. 300권에 달하는 외규장각 의궤를 다 내주면 텅 비게 될 서고를 채울 방법이 없는 프랑스 국립도서관으로서는 자기들에게 아무런 이득이 없는 이 제안을 받아들일 까닭이 없었다.

우리는 어찌 되었건 일단 굳게 닫혀 있는 외규장각 의궤 반환 협상의 뚜껑을 열어 보기로 하고, Ⓐ외교통상부 본부로부터 받은 제안서를 프랑스 외무부에 전달한 뒤 반응을 기다렸다.

(나) 2010년 5월, 재개된 공식 협상

드디어 프랑스 외무부의 아시아태평양국 국장 집무실에서 외규장각 의궤 반환을 둘러싼 공식 협상이 재개되었다. 박흥신 대사와 내가 우리 측의 협상 대표로 참석했다.

장 오르티즈 국장이 먼저 말문을 열었다.

"지금껏 협상이 제대로 진행되지 못한 데는 양측 모두 책임이 있다고 생각합니다. 여기 참석하신 모든 관계 기관 인사들이 한국 측의 제안서를 검토한 결과, 해결책을 다시 모색하자는 제안을 일단 받아들이기로 했습니다. 이 문제가 양국의 우호 관계를 저해한다는 한국 측의 지적에 동감했기 때문입니다."

우리는 말없이 장 오르티즈 국장의 말을 계속 듣고 있었다. 양국이 오랜 냉각기를 지나 모처럼 마주한 자리이니만큼 프랑스 측의 입장을 충분히 들어 보는 것이 문제의 핵심을 파악하는 길이라고 생각했기 때문이다.

"다만 협상을 다시 시작하더라도 어디까지나 1993년에 양국의 정상이 합의한 대전제, 즉 '교류와 대여'의 원칙에 근거해야 한다고 생각합니다. 오늘 협상의 출발점은 2001년 양국의 민간 전문가들이 일차적으로 합의했다가 한국 측의 반대로 무산된 바 있는 의궤 맞교환 방안으로 잡을 것을 제안합니다."

우리의 예상대로 프랑스 측은 이미 오랫동안 고수해 온 방안을 다시 들고 나왔다. 이윽고 박흥신 대사가 말을 시작했다.

"제가 파리에 부임하기 얼마 전, 우연히 텔레비전에서 청소년을 대상으로 하는 퀴즈 프로그램을 봤습니다."

뚱딴지같이 튀어나온 퀴즈 프로그램 이야기에 프랑스 인사들은 약간 어리둥절한 모습이었다.

"그런데 거기서, 프랑스가 1866년 병인양요 때 약탈해 간 도서가 무엇인지 묻는 문제가 나왔습니다. 한국 사람들은 프랑스를 좋아하지만, 우리의 소중한 문화재를 약탈해서 돌려주지 않는다는 사실이 청소년 퀴즈 프로그램 문제로 나올 정도로 외규장각 의궤 문제는 양국의 관계를 아프게 하고 있습니다. 이러한 상황은 프랑스의 국가 이미지에 큰 해가 됩니다. 한국의 청소년이 그런 프로그램을 보면서 프랑스라는 나라를 어떻게 생각할지는 불 보듯 뻔하지 않습니까?"

박흥신 대사의 말에는 힘이 실려 있었다. 나는 2001년에 양국의 민간 전문가들이 합의했던 안이 국내에서 극심한 질타를 받았던 일을 설명했다.

"당시 우리 측 협상 당사자들은 의궤 맞교환 방식이 국내에서 그렇게까지 비난을 받을 줄 몰랐던 것 같습니다. 의궤 하나하나가 소중한 문화재인데, 프랑스에 있는 의궤를 돌려받는 대신 한국에 있는 다른 의궤를 내준다는 발상은 마치 Ⓑ장남을 구하기 위해 Ⓒ차남을 인질로 내주는 것과 다를 바 없다는 비난이 거세게 일었습니다."

이어서 박흥신 대사는, 소중한 왕실의 유산을 지키지 못했다는 자책감과 일제강점기로 인해 받은 상처가 더해져 범국민적으로 각인된 우리 국민의 정서를 프랑스 측이 고려해주었으면 한다고 말했다. 그리고 나서 쐐기를 박듯이 말했다.

"문화재를 맞교환한다는 생각 자체를 우리 국민들은 결코 받아들일 수 없을 것입니다. 그러니 대가를 받을 생각을 하지 말고, 그냥 의궤를 돌려주는 대신 한국 국민들의 영원한 사의(謝意)를 선물로 받으십시오. 그것이야말로 미래 양국 관계의 초석이 될 것입니다."

프랑스 측 인사들의 눈이 휘둥그레졌다. 감동을 받은 건지, 아니면 크게 놀란 건지 분간할 수 없었지만 박흥신 대사의 말을 예측하지 못한 것만은 확실했다.

(다) 2010년 6월, 두 번째 공식 협상

두 번째 공식 협상은 우리 측 대사관에서 열렸다. 프랑스 측에서 우선 몇 가지 방안을 제시했다. 프랑스가 가장 실현 가능성이 크다고 보는 방안은 외규장각 의궤를 몇 묶음으로 나누고, 그 중 한 묶음을 한국으로 가져가 일정 기간 전시한 후 다른 묶음으로 교체하는 방식이었다. 계속 그런 식으로 의궤를 회전시키자는 의견이었다.

속으로는 말도 안 되는 방안이라며 일축해 버리고 싶었지만, 명색이 외교 협상을 하는 자리에서 우리 측의 입지만 좁히게 될 무분별한 행동을 할 수는 없었다. 나는 태연한 척 프랑스 측의 제안을 다 듣고 나서 우리 측의 입장을 분명히 전달했다.

"외규장각 의궤는 297권을 하나로 묶어 반환 방안을 마련해야 합니다. 묶음으로든 낱개로든 절대 분리할 수 없습니다. 모두 한 장소에서 한 시각에 프랑스 군이 약탈했기 때문입니다. 우리는 외규장각 의궤 전체를 반환받을 수 있는 해결 방안을 마련하기를 원합니다."

(라) 2010년 11월, 극적인 합의

두 번째 공식 협상 이후, 프랑스 측은 우리의 요구를 그대로 수용하는 것이 문화재를 일방적으로 양도한 선례가 될 것을 우려했다. 그렇게 되면 다른 나라로부터 문화재 반환 요청이 쇄도할 것이라고 하면서, 뭔가 작은 것이라도 좋으니 의궤와 교환하는 모양새를 갖춰 줄 것을 우리 측에 요구했다.

양국의 입장이 팽팽히 맞서며 답답한 시간을 보내던 2010년 11월 12일, 서울에서 열린 국제회의를 계기로 양국 간에 극적인 합의가 이루어졌다. '5년 단위로 갱신되는 대여' 형식으로 프랑스가 외규장각 의궤 전부를 한국에 일괄 양도하기로 한 것이다. 끝까지 한국으로부터 대가를 받아 내야 한다고 고집한 프랑스 국립도서관 측의 완강한 반대에도 불구하고, 두 나라를 괴롭혀 온 문제를 해결하여 양국 관계에 새 국면을 열겠다는 최고 정책 결정자의 결단에 따른 것이었다.

우리 측은 실리와 명분이라는 갈림길에서 일단 의궤를 우리 땅에 가져다 놓는 것이 먼저라는 판단을 내렸다. 해외로 유출된 수많은 우리 문화재를 환수하는 작업에 '대여'라는 형식이 좋지 않은 선례가 될 수 있다는 우려가 있었지만, 프랑스 국내의 상황이라는 넘지 못할 산이 닳아 없어질 때까지 무작정 기다릴 수는 없으니 그 산을 우회할 기회를 놓쳐서는 안 된다고 생각했다. 140여 년에 걸친 의궤의 유랑이 드디어 마침표를 찍은 것이다.

(마) 2011년 3월, 세부적인 사항들

양측의 협상 대표단은 치밀하게 그리고 차분하게 교섭을 진행했다. 협상은 온통 세부 사항과 관련된 것들이었다. 의궤를 한국으로 이관하는 구체적인 방법부터 의견이 충돌했다. 프랑스 측은 의궤를 이관하는 과정에서 생길 수 있는 위험에 대비해 예닐곱 번에 걸쳐 나누어 옮기자고 제안했지만, 우리 측은 그 의견에 반대했다. 효율, 비용, 기술, 행정에 이르기까지 모든 면에서 한 번에 옮기는 편이 낫다고 예상했기 때문이다. 양측의 의견이 팽팽히 맞섰지만, 결국 서로 조금씩 양보해 네 번으로 나누어 이관하기로 합의했다.

우리 측은 프랑스에 있던 외규장각 의궤를 모두 한국으로 가져오는 대신 한국에 이미 와 있는 한 권을 포함한 297권을 디지털화해서 그 파일을 프랑스와 공유하기로 했다. 프랑스의 도서 전문가들이 편하게 의궤를 연구할 수 있도록 배려한 것이다.

우리는 이관 날짜부터 포장 방법, 포장 재질, 예술품 전문 운송 업체 추천과 선정, 보관 방식, 양국 학예 연구사 간 교류, 디지털화 작업 완료 후 파일 공유 문제 등 세부 사항들에 둘러싸여 한시도 긴장을 풀 수 없었다. 그래도 애초 생각했던 것보다는 서로의 입장을 이해하고 존중하는 분위기에서 협상이 진행되었다.

04 윗글의 내용과 일치하는 것은?

① 양국 최고 정책 결정자의 결단으로 의궤는 한국의 소유가 되었다.
② 프랑스 국립도서관은 의궤를 대가 없이 한국에 양도해야 한다는 실리적 입장을 취했다.
③ 의궤를 한국으로 이관하는 횟수에 관해서는 양측이 타협한 안을 따르기로 했다.
④ 프랑스는 병인양요 때 기증받은 의궤를 국립도서관에 보관하고 있었다.
⑤ 프랑스는 의궤 전체의 디지털화하여 공유하는 것을 전제 조건으로 협상에 임했다.

05 윗글에 드러난 의사소통 전략으로 가장 적절한 것은?

① 우리 측은 프랑스의 제안을 들어주기 위해 프랑스측의 말을 끝까지 들었다.
② 프랑스는 먼저 말을 꺼냄으로써 기선을 제압하여 협상을 결렬시키려 하고 있다.
③ 우리 측은 협상이 불가능할 것이라 판단하고 상대의 무조건적인 양보를 요구하고 있다.
④ 우리 측은 상대방의 문제 해결 의지를 확인해 보기 위해 요구 조건을 명확히 밝히지 않고 있다.
⑤ 우리 측은 퀴즈 프로그램을 예를 들어 프랑스의 국가 이미지 훼손을 이유로 의궤 반환 결단을 촉구하고 있다.

06 (가)의 Ⓐ에 대한 설명으로 적절한 것은?

① 프랑스 측이 계속해서 주장해 온 내용이다.
② 과거에 양국 민간 전문가들 사이에 합의된 적이 있는 내용이다.
③ 프랑스 측 대표단이 자국의 이익을 위해 관철하고자 하는 방안이다.
④ 협상 재개의 출발점으로 삼기 위한 과감한 의견이다.
⑤ 예상치 못했던 한국 내 여론의 방향으로 인해 실현이 무산되었던 방안이다.

07 (나)에서 Ⓑ와 Ⓒ의 비유적 의미로 가장 적절한 것은?

	Ⓑ	Ⓒ
㉮	외규장각 의궤	프랑스에 있는 의궤
㉯	프랑스에 있는 의궤	한국에 있는 의궤
㉰	외규장각 의궤	한국의 문화재
㉱	프랑스의 문화재	외규장각 의궤
㉲	우리 측 대표단	프랑스 측 대표단

① ㉮ ② ㉯ ③ ㉰ ④ ㉱ ⑤ ㉲

08 (가)~(마)를 읽고 <보기>의 (ㄱ)~(ㄹ)을 시간 순서대로 바르게 연결한 것은?

보기

(ㄱ) 양쪽의 민간 전문가들 사이에서 의궤 맞교환 방안이 합의되었다가 무산됨.
(ㄴ) 우리 측이 외규장각 의궤는 297권을 하나로 묶어 반환할 방안을 마련할 것을 주장함.
(ㄷ) 의궤 반환에 관해 양국의 정상이 교류와 대여의 원칙에 합의함.
(ㄹ) 한국의 외교통상부 본부가 외규장각 의궤 전부를 양도받는 대신 우리 문화재를 프랑스에 전시하는 방안을 제시함.

① (ㄱ) - (ㄴ) - (ㄷ) - (ㄹ)
② (ㄱ) - (ㄷ) - (ㄴ) - (ㄹ)
③ (ㄴ) - (ㄱ) - (ㄷ) - (ㄹ)
④ (ㄷ) - (ㄱ) - (ㄹ) - (ㄴ)
⑤ (ㄷ) - (ㄹ) - (ㄱ) - (ㄴ)

8

책에서 삶을 찾다

(1) 행복은 몸에 있다(최인철)

생각 열기

자신의 진로 구체화하기

1. 다음 글을 읽고, 자신이 희망하는 진로를 선택하는 활동을 해 보자.

"어떻게 살 것인가?"라는 질문에 쉽게 답을 내릴 수 있는 사람은 없습니다. 그래서 저는 이 무거운 질문을 "어떤 삶을 살고 싶은가?"로 살짝 바꾸어 보았습니다. 그랬더니 "오늘 저녁에 뭐 먹을까?"라는 질문처럼 조금 가볍게 느껴지더군요. 이 질문에 대해서 여러분마다 각자 추구하는 바가 있을 텐데요. 저는 그 답을 여러 심리학자의 연구를 바탕으로 세 가지로 정리했습니다.

바람직한 삶이 무엇인지 찾기 어려움 / 자신이 원하는 삶이 무엇인가? / ▶ 바람직한 삶의 형태에 대한 질문

첫 번째는 '신나게 살기'입니다. 재미있는 삶, 지루하지 않은 삶, 즐거운 삶을 사는 것이지요. 노벨상을 받은 사람들의 공통점은 심오하고 심각해서 접근하기 어려운 사람인 줄 알았는데 알고 보니 모두 재미있는 사람이더라는 것입니다. 우리가 꿈꾸는 삶 중의 하나는 죽는 순간까지 장난기를 잃지 않는 것입니다.

위대한 업적을 남긴 사람 / 신나게 자신의 삶을 즐긴 사람 / ▶ 바람직한 삶의 형태 ① – 신나게 살기

두 번째는 '의미 있게 살기'입니다. 가치 있는 삶, 헌신하는 삶, 목적이 이끄는 삶을 사는 것이지요. 남아프리카 공화국 최초의 흑인 대통령이자 인권 운동가였던 넬슨 만델라는 "인생의 가장 큰 영광은 넘어지지 않는 게 아니라 넘어질 때마다 다시 일어난 데 있다."라고 했습니다. 감각적인 즐거움은 덜하더라도 원대한 목표를 위해 헌신하는 것 또한 매우 의미 있는 삶이 될 것입니다.

시련에 굴하지 않고 의미 있는 삶을 추구하는 것 / 사적 이익 / 공적 이익 / ▶ 바람직한 삶의 형태 ② – 의미 있게 살기

세 번째 삶의 형태는 '몰두하며 살기'입니다. 자신이 좋아하고 잘하고 의미 있는 일에 미친 듯이 몰두하는 것이지요. 물론 하루 스물네 시간을 그렇게 살라는 게 아닙니다. 그렇게 살아서도 안 되고요. 다만 가끔 무언가에 미친 듯이 몰두하는 경험은 우리의 삶을 좀 더 긍정적인 방향으로 안내합니다

몰두할 일의 성격 / 몰두하는 삶의 가치 / ▶ 바람직한 삶의 형태 ③ – 몰두하며 살기

– 최인철, 「행복은 몸에 있다」(고은 외, 『어떻게 살 것인가』)에서 –

(1) 윗글의 필자가 "어떤 삶을 살고 싶은가?"에 대한 답으로 제시한 세 가지를 말해 보자.

- 신나게 살기
- 의미 있게 살기
- 몰두하며 살기

(2) 윗글의 내용과 관련하여 자신의 삶을 돌아보고, 계획해 보자.

나는 어떻게 살아왔나?	
가장 신났던 순간은 언제인가?	우연히 간 건축 박람회에서 다양한 기능의 건축물 모형을 보고, 직접 모형을 조립하기도 했던 일
가장 의미 있었던 일은 무엇인가?	부모님을 따라 어려운 이웃을 위해 집을 지어 주는 봉사 활동을 한 일
가장 몰두했던 적은 언제인가?	머릿속으로 그려 본 집의 모양을 종이나 스티로폼을 활용해 직접 만들어 보았을 때

↓

나는 어떻게 살 것인가?	
어떤 일을 할 때 가장 신나게 살 수 있을까?	건축과 관련한 일을 하면 가장 신나고 재미있게 살 것 같다.
어떻게 사는 것이 가장 의미 있게 사는 것일까?	자신만의 행복을 추구하기보다는 공동체의 행복에도 기여할 수 있도록 이웃과 서로 돕고 나누는 삶이 의미 있을 것 같다.
어떤 일을 할 때 가장 몰두할 수 있을까?	창조적이고 섬세한 일을 할 때 가장 몰두할 수 있을 것이다.

↓

앞으로 나는 (건축 관련)일을 하며 (나눔을 실천하는) 자세로 살아갈 거야!

책 고르기

진로 독서의 중요성 이해하기

2. 다음 글을 읽고, 진로 선택과 독서의 관계를 생각해 보자.

고등학교라는 울타리 안에서 소극적 반항과 맹목적 학습을 번갈아 하던 한 소년은 콧노래를 부르며 집으로 향하고 있었다. 그의 손에는 너덜너덜한 하얀 책이 꼭 붙들려 있었고, 얼굴에는 가벼운 미소가 흐르고 있었다. 무슨 좋은 일이라도 있는 것일까. 그 웃음은 책 표지의 할머니와 아이의 웃음과 닮아 있었다.

책을 여러 번 읽었음을 드러냄 / 독서로 인한 만족감 / 책의 내용에 공감하였음을 나타냄

▶ 고등학교 때 『오래된 미래』를 읽고 쓴 감상문의 일부

이것은 고등학교 때 내가 헬레나 노르베리 호지의 『오래된 미래』를 읽고 썼던 감상문의 일부이다. 나는 처음 『오래된 미래』를 접했을 때의 내 모습을 생생하게 기억하고 있다. 고등학교 2학년 시절, 나는 앞으로 어떤 일을 하면서 살아갈지 한창 고민하고 있었다. 마음은 급했지만 진로를 결정하기란 쉽지 않았다. 그때 우연히 만난 책이 바로 『오래된 미래』이다. [중략]

진로에 대한 고민

▶ 진로 고민의 시기에 우연히 접하게 된 『오래된 미래』

그녀는 정말 우연한 기회를 통해 저명한 인권 수호자로 거듭나게 되었고, 덕분에 그녀의 업적은 『오래된 미래』를 통해 전 세계에 알려졌다. 그녀의 영향을 받은 나도 『오래된 미래』라는 우연한 기회를 통해 인권 보장이 인간의 정치, 경제, 문화 등 총체적인 삶에 있어 근본이라는 점을 깨달을 수 있었다. 이처럼 내 인생을 결정할 기회는 우연히 찾아올 것이기에 진로를 빨리 결정하려는 마음만 앞섰던 나의 성급함을 반성하고, 진로 결정에 앞서 내 삶의 원칙을 확실히 정해 놓겠다고 다짐하였다. 그 원칙은 바로 국제 인권에 관심을 두되 헬레나처럼 서구의 시각을 벗어나 균형 있는 시각을 가진다는 것이었다.

언어학 전공 학생으로서 학위 논문을 쓰기 위해 라다크를 방문함 / 책을 통해 깨달은 점 / 책을 읽고 정하게 된 삶의 원칙

▶ 『오래된 미래』의 독서가 진로 결정에 미친 영향

헬레나를 모델로 인권에 관심을 두게 된 나는 늦바람이 불었는지 그해 여름 방학부터 중증 장애인 요양 시설에서 봉사 활동을 시작했다. 헬레나가 보여 준 인권을 향한 사랑과 균형 있는 시각 때문일까? 고3 때까지 300여 시간의 봉사를 통해 장애인과의 소통을 일상처럼 받아들이고, 이로부터 행복감을 얻게 되었다. 그리고 그것을 잊지 못하고 대학에 와서도 봉사 동아리에 가입해 활동함으로써 인권에 대한 자의식의 끈을 놓지 않고 있다.

『오래된 미래』가 '나'의 생활에 미친 영향 / 대학에 와서도 인권에 관한 활동을 계속함

▶ 『오래된 미래』의 독서로 인해 달라진 '나'의 삶

– 정희창, 「끝나지 않은 꿈, 헬레나식 인권 수호를 향하여」
(구진아 외, 『17살, 나를 바꾼 한 권의 책』)에서 –

(1) 윗글의 필자가 진로를 결정하는 데 『오래된 미래』가 어떤 영향을 미쳤는지 말해 보자.

➜ 필자는 『오래된 미래』를 읽고 국제 인권에 대한 관심을 두되 서구의 시각을 벗어나 균형 잡힌 시각을 갖자는 삶의 원칙을 정했다. 그리고 그것을 생활 속에서 실천하기 위해 봉사 활동에 적극적으로 참여했다.

(2) 진로 선택의 과정에서 책 읽기가 중요한 이유를 말해 보자.

➜ 필자는 『오래된 미래』를 읽기 전에는 성급하게 진로를 결정하려 했지만, 이 책을 읽은 후에는 성급한 진로 결정보다 삶의 원칙을 정하는 것이 중요하다는 점을 깨달았다. 그리고 그렇게 정한 삶의 원칙을 생활 속에서 실천하려 노력하였다. 이처럼 진로 선택의 과정에서 책 읽기는 간접 경험을 하게 하여 바람직한 삶의 방향을 결정하는 데 영향을 미친다

진로와 관심사에 맞게 책 선정하기

3. 친구들과 모둠을 지어 진로와 관련하여 읽을 책을 선정해 보자.

(1) 진로와 관심사가 비슷한 친구들끼리 모둠을 이루고, 알맞은 모둠명을 지어 보자.

관심 분야	모둠명	모둠원 이름
예 건축	예 세상을 짓는 사람들	

(2) 구체적으로 어떠한 책을 읽을지 모둠원들끼리 이야기해 보자.

건축가가 하는 일의 다양한 분야를 알아볼 수 있는 책을 찾을거야. 그래야 진로를 구체적으로 정할 수 있을 것 같아. 	일단 좋은 건축물을 볼 수 있는 안목을 기르는 것이 중요하다고 생각해. 그래서 나는 훌륭한 건축물에 대해서 자세히 소개한 책을 읽을 거야. 

(3) 도서관에 직접 가거나 인터넷 서점에서 읽고 싶은 책을 찾아보고, '나의 책 장바구니'에 정리해 보자.

나의 책 장바구니

책 제목	지은이	출판사	읽고 싶은 까닭
건축가가 말하는 건축가	이상림 외 16명	○○출판사	건축가가 하는 일부터 건축가가 가져야 할 가치관, 건축가가 되는 방법 등 궁금한 사항들을 건축가가 직접 이야기해 주고 있어서
건축, 사유의 기호	승효상	돌베개	20세기에 만들어진 유명 건축물을 통해 현대 건축의 흐름을 알고 싶어서. 건축의 본질에 대한 필자의 성찰이 담겨 있다고 해서

(4) 각자 찾은 책들을 모둠원들에게 소개하고 모둠원들과 이야기 나누어 본 후, 자신이 읽을 책 한 권을 선정해 보자.

〈유의할 점〉
- 모둠원 각각이 다른 책을 읽도록 한다.
- '나의 책 장바구니'에 없더라도 다른 모둠원의 '책 장바구니'에 있는 책을 선정할 수 있다.
- 책을 읽은 후 나중에 그 내용을 공유할 때 서로에게 도움이 되는 책을 선정한다.

책 읽기

책 읽고 독서 일지 쓰기

4. 자신이 선택한 책 한 권을 수업 시간에 읽고 독서 일지를 작성해 보자.

독서 일지 예시 — 책 읽기 35분 독서 일지 쓰기 15분

책 제목	건축가가 말하는 건축가	읽은 날짜	2018. 10. 21.
지은이	이상림 외 16명	읽은 쪽	15~35
중심 내용	* 책을 읽으며 책에 큰따옴표(" ")로 표시해 둔다. '나'(필자)가 수많은 건축 설계 프로젝트를 진행하면서도 한 번도 뇌리에서 떠나지 않는 질문은 "과연 건축이란 무엇인가?"이다. 건축에 대한 많은 정의가 있지만 '나'가 추구하는 건축은 건축주가 원하는 바를 실현하고, 사회가 원하는 요구를 실현하고, 땅이 원하는 요구를 실현하는 것이다. 이런 점에서 건축가는 우리 시대의 이상과 현실을 반영하여 시대가 품고 있는 진보적이고 유용한 기술을 실현하는 사람이라 할 수 있다. 지금까지 비용이 많이 들고 규모도 큰 건축 설계 위주로 작업했지만, 언젠가는 사무엘 막비처럼 질박한 삶을 사는 이들을 위한 작고 소박한 건축물을 설계하고 지을 것이다.		
인상에 남는 부분과 그 까닭	* 책을 읽으며 책에 느낌표(!)로 표시해 둔다. • "건축가는 우리 시대의 이상과 현실을 반영하여 시대가 품고 있는 진보적이고 유용한 기술을 실현하는 사람이다." → 건축가의 가장 중요한 임무를 잘 나타낸 말이라고 생각한다. • '나'가 『루럴 스튜디오』라는 책에서 읽었다는 건축가 사무엘 막비의 이야기 → 가난한 사람들을 위해 자신이 가르치는 대학생들과 함께 폐타이어나 유리병처럼 주변에서 쉽게 구할 수 있는 재료로 견고하면서도 아름다운 집을 지은 막비의 행동에 감동했다.		
궁금하거나 이해가 안 되는 점	* 책을 읽으며 책에 물음표(?)로 표시해 둔다. '나'가 건축할 때 가장 중요하게 생각하는 것 중의 하나가 '땅이 원하는 요구를 실현하는 것'이라고 했는데, 그것은 정확히 무슨 뜻일까?		
새로 알게 된 점 / 새로 품게 된 생각	건축가는 그저 집을 짓는 사람이 아니라 사회의 요구를 실현하는 사람, 창조하는 사람이자 조율하는 사람이다. 또한 건축가는 풍부한 감수성을 지닌 예술가이자, 최첨단 건축 기술까지 알고 있어야 하는 과학자이다. 그래서 건축가는 매우 어려워 보이지만 꼭 도전해 보고 싶은 직업이다.		
선생님 의견	필자가 말하려는 바를 꼼꼼히 이해하려 애쓰며 책을 읽었군요. 건축가라는 직업의 특징과 매력을 잘 알아차린 것 같아서 진로 탐색에 도움이 되겠습니다.		

읽은 부분에서 중요한 내용을 요약해서 써요.

책의 원문을 그대로 쓰거나 분량이 길 때는 요약해서 써요.

질문 형태로 써 놓고 이후 더 생각해 보거나 다른 자료를 찾아보아요.

자신의 진로와 관련하여 알게 된 정보와 느낌 등을 써요.

MEMO

고등 국어
HIGH SCHOOL

문제은행 실전기출

정답 및 해설

지학 | 이삼형

(1) 문학과 사회 · 문화적 가치

확인학습 P.07

01 동진강 하구
02 '나'로 하여금 북에 두고 온 고향의 가족들을 떠올리게 하는 매개체이다.
03 동진강이 오염되어 새 떼가 예전처럼 찾아오지 않게 되자 '나' 의 향수도 함께 식어갔기 때문이다.
04 무기력하게 살아가는 실향민의 모습을 잘 보여 주고 있다.
05 ○ 06 ○ 07 ×

07 고향에 대한 '나'의 그리움이 반영되어 있으며, 체념의 정서와는 관련이 없다.

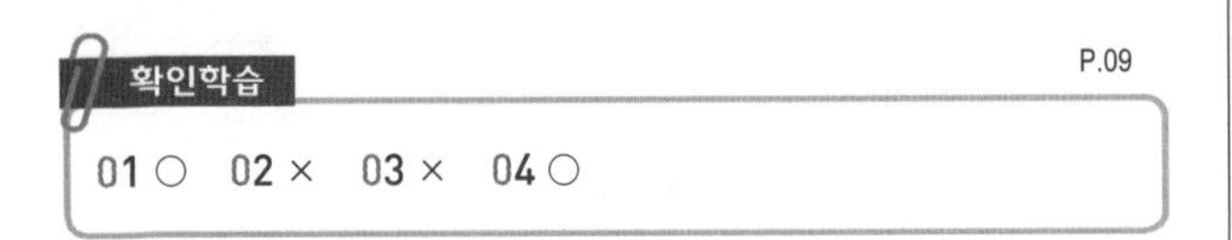
확인학습 P.09

01 ○ 02 × 03 × 04 ○

01 장교와 사병이 찾아온 현재와 지난여름에 있었던 과거의 사건이 교차되고 있다.
02 '인물과 자연의 갈등'이 아니라 인물과 인물의 갈등이 나타난다
03 '아, 아들놈이 낸 진정서 틀림없습니까?'를 통해서 '나'는 '병국'이 진정서를 낸 사실을 몰랐음을 알 수 있다.

확인학습 P.11

01 × 02 ○ 03 ×

01 중위는 자신의 고향도 인천이라고 말하여 동질감을 형성하고 분위기를 부드럽게 하고 있다.
02 산업화로 인한 환경오염 문제가 대두되고 있는 1070년대 사회를 반영하고 있다.
03 비(B) 공단의 공장과 굴뚝에서 가스를 태우는 불꽃을 뱀이나 악귀의 혀처럼 묘사하여 산업화에 대한 비판적인 인식을 드러내고 있다.

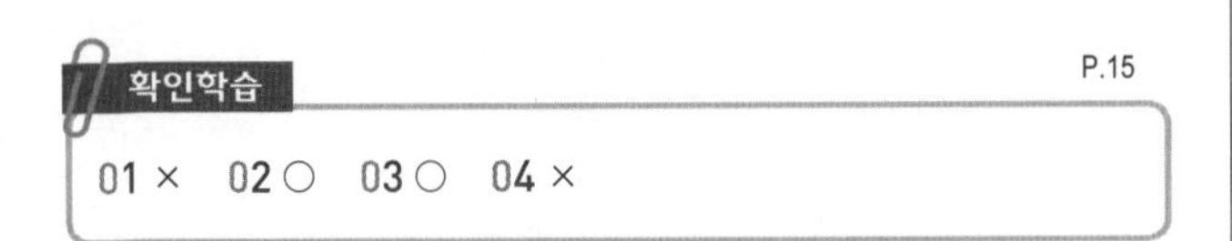
확인학습 P.15

01 × 02 ○ 03 ○ 04 ×

02 "무, 물론. 그림으로도 나는 금강산만큼 아름다운 산을 본 적 없어.~ 구룡천의 구룡연폭포……."를 통해서 알 수 있다.
03 '통금'과 '간첩', '국가안보' 등 시대적 배경과 밀접한 어휘를 사용하여, 민족의 비극적 역사 현실에 대한 인식과 공해문제를 다루고 있다.
04 '나'는 분단으로 인한 아픔을 안고 살아가는 사람이고, '아들(병국)'은 산업화로 인해 환경이 오염되는 문제에 관심을 가지고 있다.

객관식 기본문제 P.16~26

01 ④	02 ②	03 ⑤	04 ⑤
05 ③	06 ④	07 ①	08 ③
09 ③	10 ④	11 ④	12 ⑤
13 ②	14 ③		

01 인물들 간의 대화 방식으로 서술하고 있기 때문에 청자에게 답을 요구한다는 선지는 적절하지 않다. 이 글에서 뚜렷한 청자는 없다.
02 "자제분은 이 방면에 상습범이더군요"에서 ⓑ를 확인 할 수 있다. "간혹 기계 고장으로 가스가 새는 수가 있긴 합니다.~ 아셔야 해요."에서 자신이 속한 집단의 문제점을 인식하고 있으면서 오히려 명예훼손으로 고발할 수 있다며 책임회피하고 있다(ⓒ), "선생도 지난번 반상회엘 나갔다면 우리 비(B) 공단에서 돌린 공문을 받아 보았을 겁니다. 공단 측에서도 ~ 세워 놓았다는 점도 읽으셨겠죠?"에서 ⓔ를 확인 할 수 있다.
03 닐스가 큰 거위를 타고 기러기 떼를 따라 정처 없는 여행을 떠나는 내용인데 이를 통해서 고향에 돌아가고 싶은 '나'의 간절함이 드러난다.
04 소망하는 통일이 현실적으로 어려운 상황이라는 비관적 인식을 보여 준다.
05 의도적으로 범법 행위를 하지 않았을 것이라는 의도를 내포하며 자식을 두둔하고 있고 선처를 바라고 있다. 반어적 표현은 나오지 않았다.
06 위 글의 갈래는 서사 갈래로 작가가 생각하는 바람직한 세계를 이야기하고 있다.
07 이 글은 일제 식민지 시기가 아니라 1970년대 산업화를 배경으로 하고 있다.
08 (다)에서 노무과장과의 갈등 상황을 대화를 중심으로 전개하고 있다.
09 현재의 삶에 향수를 불러일으키는 매개체가 아니라 고향에 대한 향수를 불러일으키는 매개체이다.
10 공장 굴뚝에서 가스를 태우는 불꽃을 뱀이나 악귀의 혀처럼 묘사함으로써 산업화에 대한 비판적인 인식을 드러내는 부분이다.
11 병국이 낸 진정서의 내용으로 환경 오염이 되고 있다는 사실을 언급하고 있고, 구체적인 문제 해결 방안이 나오지 않았다.
12 노무과장과 상반된 가치관은 생태주의적 가치관으로 ⑤이 적절하다.
13 위 소설은 과거와 현재가 교차하는 역순행적 구성 형식을 취하고 있다.
14 〈보기〉에서는 "포수는 한 덩이 납으로 그 순수를 겨냥하지만," 부분, 위 글에서는 비료 공장 사람들이 폐수를 버리는 행동을

통해서 자연을 파괴하는 비인간적인 형태를 보이는 것을 확인할 수 있다.

객관식 심화문제 P.27~45

01 ②	02 ②	03 ⑤	04 ⑤
05 ①	06 ①	07 ③	08 ①
09 ③	10 ⑤	11 ③	12 ④
13 ⑤	14 ④	15 ④	16 ③
17 ⑤	18 ①	19 ④	20 ①
21 ③	22 ⑤	23 ③	24 ④
25 ①	26 ⑤		

01 동물에 빗대어 교훈을 주는 것을 우화적 기법이라고 하는데 윗글에선 우화적 기법으로 문제 해결을 모색하고 있는 부분은 없다.

02 전쟁의 후유증을 겪고 있음을 알 수 있는 부분이다.

03 가스를 태우는 포성은 산업화로 인해 자연을 파괴하는 상징적 의미를 지니고 있는데 이와 가장 유사한 것은 폭력성을 가지고 있는 ⓔ가 가장 유사하다.

04 등장인물이 '나'라고 글 표면에 등장하여 자신이 겪은 일을 주관적 관점에서 서술하고 있다.

05 '새 떼가 부쩍 줄어든' 이유는 환경 오염으로 인해 생태계가 파괴되었기 때문이다(가). '도요새'는 고향에 대한 '나'의 향수를 불러일으키는 소재이다.(다)

06 〈보기〉에서 조홍감을 통해서 부모님을 떠올리는데 '도요새'를 통해서 고향의 가족을 떠올리므로 시어의 의미가 가장 유사하다.

07 중위에게 본인이 6.25에 참전했던 상이군인임을 밝히면서 긴장감을 완화해 주고 있다.

08 세월이 흐르면서 고향에 갈 수 없다는 심리적 거리감이 더해지는 표현이다. 물리적 거리감이 아니다.

09 '노무과장'은 환경오염에 대한 문제의식을 가지고 있지 않다.

10 감정 이입이 된 대상이 아니라 화자와 대비되는 대상이다.

11 작품 전체가 4부로 구성되며, 제시된 부분에서 서술자의 직접적 개입은 없으며 '나'(아버지)의 시점으로 진행되고 있다.

12 병국은 환경 오염으로 망가져가는 생태계에 대해 안타까워 하는 인물로 성북동 산에 비둘기의 번지가 없어지는 상황이 비슷하다고 할 수 있다.

13 "물론 그래야지요."에서 상대의 말을 긍정한 후, "어떻게 한번 용서해 주십시오. 아비 된 제가 주의를 단단히 시키겠습니다." 라고 자신의 의도를 드러내고 있다.

14 (가)와 (나)에서 '나'가 등장하는데 여기서 '나'는 병국의 아버지이다.

15 (다)에서 허생은 독서를 학문 수양의 방법으로 인식을 하고 있는데 허생의 처는 독서를 실생활의 수단이라는 가치관을 가지고 있기에 허생의 입장을 지지하지 않는다.

16 구릉은 '완만한 기복의 낮은 산이나 언덕이 계속 되는 지형'을 말하고 같은 말로 '언덕'이 있다.

17 '나'는 병국의 행동의 원인을 추리는 데 주력하고 있지 않고(B), (다)에서 아내를 통해서 무능한 허생을 비판하고 있기에 수동적이고 소극적인 전통 여인상의 모습이 아니다.(D)

18 공장 굴뚝에서 가스를 태우는 불꽃을 뱀이나 악귀의 혀처럼 묘사하는 부분으로 산업화에 대한 비판의 인식이 담겨 있는 부분이다.

19 노무과장이 아니라 병국과 같은 가치관을 가지고 있는 사람들이 병국이의 행위를 보고 용기가 있고 신념이 강하다고 생각할 것이다. 노무과장과 병국은 반대의 가치관을 가지고 있다.

20 도요새를 통해 고향에 있는 가족을 떠올리는데, ①의 조홍감은 부모님을 떠오르게 하는 소재로 기능이 가장 유사하다.

21 젊은이가 주먹을 내두르는 다음 장면을 보면 위협을 가하는 행동을 하고 있다. 이는 소심한 성격을 가졌음을 보여주는 것이 아니다.

22 '풍천 화학 역시 아음을 틈타 카드뮴수은 등 중금속 물질' 등으로 피해받은 대상이다.

23 주로 과거형 어미를 사용하고 있다.

24 자신의 생각을 강조하기 위한 반언어적 표현이다. 반어적 표현은 아니다.

25 〈보기〉는 다듬이 소리를 들으며 고향을 떠올리고 '꿈 속'에서 다듬이 소리를 따라가려 하고 있기에 '도요새'와 동일한 기능이라 할 수 있다.

26 ㉯에는 추상적인 대상(안타까움, 시간의 흐름)을 구체적으로 형상화 시키는 표현 방법이 사용되었는데 ⑤은 사용되지 않았다.

서술형 심화문제 P.44~53

01 ⓐ 빈대, ⓑ 초가삼간

02 윗글의 시점은 1인칭 주인공 시점이고, 〈보기〉의 시점은 전지적 작가 시점이다.

03 도요새는 병국에게는 자신과 동일시되는 대상이고 지켜야하는 생명이며 '나'에게는 고향에 대한 그리움을 매개하는 존재이다.

04 (1) 도요새, (2) 진정서

05 아버지: 남북 분단으로 인한 아픔과 슬픔이 해결되어야 한다. / 병국: 자연과 환경을 파괴해서는 안 된다.

06 도요새

07 큰 꿈

(2) 정서를 표현하는 글 쓰기

확인학습 P.56

01 × 02 ○ 03 × 04 ○ 05 ○ 06 × 07 × 08 ×
09 ○ 10 ○

02 교술 갈래에 해당하는 글로, 작가가 허구적 대리인을 통하지 않고 직접 서술을 통해 자신의 생각을 전개하고 있다.
03 우화를 제시한 것이 아니라 글쓴이가 실제 경험한 일들과 깨달음을 통해 글을 전개하였다.
04 인생의 소중함과 고통의 깊이를 채 알기도 전에 얼마나 웃자라 버렸을 것인가.'에서 설의적 표현이 드러난다
06 가시는 생활의 짐 때문에 마음속에 자라게 되는 것으로, 인생의 고통을 의미한다. 하지만 그 가시로 남을 찔러 사람으로부터 외면을 당하는 고통을 겪는다는 내용은 드러나지 않았다.
07 가시의 속성과 삶에 대한 깨달음을 제시하고 있을 뿐, 대상(가시)의 장단점을 대조하거나 한계점을 지적하고 있지는 않다.
08 글쓴이는 일상의 평범한 경험과 일상적인 소재를 바탕으로 깨달음을 얻어 일반화하고 있다.

객관식 기본문제 P.57~64

01 ②	02 ③	03 ⑤	04 ②
05 ②	06 ⑤	07 ⑤	08 ②
09 ①	10 ③	11 ②	12 ③
13 ⑤	14 ⑤	15 ①	

01 두 대상의 속성을 대비하고 있지 않다. 글쓴이가 탱자나무 '가시'를 통해서 깨달은 바를 말하고 있다.
02 아름답고 부유하고 재능이 많은 대상이 아니라 인생의 소중함과 고통의 깊이를 알게 하며 사람을 겸허하게 만들어 준다는 것임
03 "내 다리 한쪽이 짧지 않았더라면 나는 그림을 그리지 않았을 것이다."에서 그가 절망으로 인해 훌륭한 그림을 그릴 수 있었다는 것을 알 수 있다. 삶의 고통을 긍정적으로 수용했다.
04 누구나 유년기를 벗어나면 가시를 갖게 될 수밖에 없음을 비유적으로 표현한 부분이다. 역설적으로 표현하고 있지 않다.
05 글쓴이가 직접 경험을 통해 깨달은 바를 말하고 있다.
06 사소한 경험이 많다고 깨달음이 커지는 것은 아니다. 한 번의 경험을 통해서도 큰 깨달음을 얻을 수 있다.
07 가시를 슬기롭게 극복해 나가는 것이 중요하다는 시각을 드러내고(㉣), 극한의 고통이 오히려 인생을 긍정적인 방향으로 이끌어 갈 수 있다는 역설적 인식(㉤)이 나타난다.
08 '가시'를 통해 깨달은 삶의 교훈을 말해주고 있다.
09 ㉮는 생명체를 지키고 보호하는 방어 무기, ㉯는 삶의 고통 비유한다.
10 긍정적인 모습을 표현해야 하는데 ⓒ번만 가시에 찔리는 부정적 상황이므로 적절하지 않다.
11 웃자라는 '쓸데없이 보통 이상으로 많이 자라 연약하게 되어.'의 뜻이다.
12 가시의 장단점을 말하며 대상의 의미를 다양화하고 있지 않다.
13 '나'가 겪은 일을 통해 깨달음을 얻었기에 의미를 부여하고 있다.
14 다 가시가 있는 상황인데 ⓔ만 마음속의 가시가 없는 경우 오히려 불행해질 수 있음을 보여 주는 예시이다.
15 글쓴이는 극한의 고통이 있는 사람이 오히려 인생을 긍정적으로 이끌어 갈 수 있다고 생각한다.

객관식 심화문제 P.65~78

01 ③	02 ⑤	03 ⑤	04 ②
05 ②	06 ④	07 ⑤	08 ③
09 ⑤	10 ③	11 ③	12 ②
13 ⑤	14 ③	15 ②	16 ②
17 ⑤	18 ④	19 ③	20 ②, ⑤

01 ㉠ 우화를 제시한 것이 아니라 글쓴이가 실제 경험한 일들과 깨달음을 통해 글을 전개하였다.
㉡ '인생의 소중함과 고통의 깊이를 채 알기도 전에 얼마나 웃자라버렸을 것인가.'에서 설의적 표현이 드러난다.
㉢ 가시의 속성을 중심으로 글을 전개하고 있을 뿐, 이와 대비되는 대상의 속성을 제시하지 않았다.
㉣ 객관적 관찰이 아닌, 주관적 경험과 깨달음을 이야기 하고 있다.
㉤ '가시'라는 구체적인 사물을 통해 글의 주제를 제시하고 있다.
02 생활의 짐 때문에 마음속에 날카로운 가시가 자라나는 등 유년기 이후의 경험을 통해서 '가시'는 그것을 어떻게 받아들이고 다스려 나가느냐가 중요하다는 것을 깨달았다.
03 가시는 자기 보호하는 방어의 기능을 하지만 그로 인해 사람들로부터 외면당하는 고통을 겪진 않는다.
04 발전과 성숙의 원동력이 되고, 사람을 겸허하게 만들어 준다는 새로운 인식을 가지게 되었다. 살아가면서 겪을 수밖에 없는 삶의 고통으로 오히려 인생을 긍정적인 방향으로 이끌어 가자는 바람직한 삶의 태도로 정리할 수 있다.
05 (가)는 교술 갈래로 글쓴이가 경험을 통해 깨달은 것을 표현하고, (나)도 고등학생인 화자가 학원에서 늦게 끝나 집에 돌아온 후 엄마와 대면하는 일상의 순간을 담아내었다.
06 추상적인 대상에 비유한 부분은 없다.
07 나머지는 다 고통에 해당하는 데 ⓔ만 아니다.
08 삶의 고통으로 인해 훌륭한 그림을 그릴 수 있었다는 것을 말하려고 일화로 든 것이다. 위대한 예술가가 되기 위해서 유체적인 장애를 필요한 것은 아니다.
09 본인의 고통을 긍정적인 방향으로 이끌어 가는 것을 깨달은 것

이지, 남을 이해하는 데 도움이 됨을 깨달은 부분은 없다.

10 대조의 방법으로 한계점을 지적한 부분은 없고, 과거 유년 시절의 추억을 회상하므로 순행적으로 내용을 전개하고 있는 것도 아니다.

11 마음속의 가시가 없는 경우 오히려 불행해질 수 있음을 보여 주는 예시이다. '지나친 것은 미치지 못한 것과 같다'는 뜻의 '과유불급'이 여기에 해당한다.

12 가시에 대한 글쓴이의 인식의 변화가 일어나는 것이지 주요 소재인 가시의 의미가 변해가는 과정은 아니다.

13 유년 시절의 추억에 대해 회상을 하는데 그 중 탱자 가지에 찔린 기억을 떠올린다. 어린 시절 나는 모든 가시에는 독이 있을 거라고 부정적으로 판단하였는데 아버지의 가르침을 회상하기도 하고 날카로움으로 스스로를 찌르기도 하는 탱자나무를 보면서 슬픔을 느낀다.

14 가시의 크기와 날카로움은 상관이 없다.

15 과거와 현재를 대비하는 것이 아니라 과거의 경험을 통해 깨달음 바를 말해주는 것이다.

16 글쓴이는 고통이 발전의 원동력이 된다고 말하고 있다. 젖지 않고(고통 없이) 피는 꽃은 없다고 얘기하는 ②가 가장 어울리는 시이다.

17 (가)의 글쓴이는 가시를 통해서 인생의 소중함과 고통의 깊이를 알게 하며 사람을 겸허하게 만들어 준다는 것을 깨달았다.

18 더불어 살아가는 삶에 대해 말하고 있지 않다.

19 다양한 감각을 통해 고향에 대한 기억을 표현하고 있지만 공감각적 심상은 아니다. '가시'라는 고통이 인생을 긍정적으로 나아가게 해 준다고 말하고 있다. 평화로운 유년기를 벗어나면 삶의 고통으로 갖게 되다는 것이라, 유년기에 경험을 통해 극한의 고통이 오히려 인생을 긍정적인 방향으로 이끌어 갈 수 있다는 역설적 인식을 표현하고 있다.

20 고통의 종류에 따라 가능성이 달라지는 것은 아니다. '가시'의 날카로움과 행복이 비례하지 않는다.

서술형 심화문제 P.79~80

01 (1) 가시, 생활의 짐 (2) 그리고, 모른다.

02 로트레크의 '가시'는 자신을 괴롭게 하고 삶을 혐오하게 하기도 하였지만 삶의 고통으로 인해 훌륭한 그림을 그릴 수 있었다.

03 '어차피 뺄 수 없는 삶의 가시라면 그것을 어떻게 받아들이고 다스려 나가느냐가 더 중요하지 않을까 싶다.'를 통해 글쓴이는 자신의 약점이나 상처를 받아들이고 잘 다스려 삶을 발전시켜 나가고자 하는 태도를 가지고 있음을 알 수 있다.

04 용모나 육체적 장애, 가난한 환경, 나약하고 내성적인 성격, 원하는 재능이 없다는 것

05 선물

06 이렇게 살아 있는 생명에게는 자기를 지킬 수 있는 힘이 하나씩 주어져 있다고.

단원 종합평가 P.81~86

01 ⑤	02 ②	03 ③	04 ①
05 ③	06 ⑤	07 ②	08 ①

01 다른 부분은 험악한 태도를 취하고 있는데 ⓔ는 격식과 예의를 차리고 있다.

02 물리적 거리감이 아니라 고향에 갈 수 없다는 심리적 거리감이 더해짐을 나타내는 부분이다.

03 '이제'라는 부분에서 과거에서 현재로 이동하고 있기 때문에 특정 시간대의 상황만 서술하고 있다는 것은 옳지 않다.

04 (나)에선 강회장이 살아온 내력을 요약적으로 제시하고 있기에 직접 제시라고 할 수 있지만 (다)는 주로 대화로 이루어져있기에 간접 제기의 방식으로 드러내고 있다.

05 전문가의 견해는 나오지 않았다.

06 누구나 유년기를 벗어나면 가시를 갖게 될 수밖에 없음을 비유적으로 표현한 것이다.

07 자긍심이란 스스로에게 긍지를 가지는 마음을 의미하는데 여기선 그 역할을 얘기하고 있는 것이 아니다.

08 윗글의 주제는 삶의 고통에 대한 인식의 변화와 깨달음을 의미하는 데 ①번은 나의 결별이라는 삶의 고통을 통해서 성숙함을 깨닫는다.

(1) 설득을 위한 읽기와 쓰기

확인학습 P.89

01 ○ 02 × 03 ○ 04 ○ 05 ○ 06 ×
07 헌법상의 차별 금지 조항 08 손해 배상 청구

01 목욕탕 입장을 거부당한 장애인의 상황을 예로 들어 부당한 차별의 법적 대응 문제에 관한 독자의 이해를 돕고 있다
03 관련 법 조항이 있음에도 불구하고 사회적 차별이 존재하는 이유를 세 가지로 분류하여 체계적으로 제시하고 있다.
06 우리 사회에서 부당한 차별 행위가 사라지지 않는 두 번째 이유로 손해 배상액이 너무 적다는 점을 들었다.

확인학습 P.91

01 × 02 ○ 03 × 04 ○ 05 × 06 조사와 권고
07 국가 권력 견제, 시민의 권리 옹호 08 × 09 ○ 10 ○

08 글쓴이는 변호사들에게 계속 선의만을 기대할 수는 없다고 말하며 국가의 개입이 필요하다고 하였다. 국가가 차별 금지 소송의 활성화를 위해 노력해야 한다는 것이 중심 내용이다.
09 "이런 건전한 순환 구조 안에서 시민의 삶과 우리의 법체계는 함께 발전할 수 있다."에서 확인 할 수 있다.
10 현재 우리의 법체계는 차별 금지에 관한 넓은 범위의 영역을 규정해 놓고 있지만 차별은 쉽게 사라지지 않고 있다. 차별 행위에 대해 소송을 하려면 큰돈이 들고 귀찮은 일이 많아서 현재의 우리의 법 제도에서는 차별 철폐 관련 소성이 활성화 되기는 어렵다.

객관식 기본문제 P.92~101

01 ④	02 ①	03 ②	04 ③
05 ③	06 ④	07 ①	08 ②
09 ④	10 ①	11 ⑤	12 ②
13 ②	14 ②	15 ②	

01 권위 있는 학자의 견해를 사용하지 않았다.(가),
02 헌법이 보장하는 차별받지 않을 권리에도 불구하고 차별이 엄존하는 현실을 말해주는 부분으로 ①이 적절하다.
03 건전한 순환 구조란 '의식 개혁 → 한계 절감 → 새로운 법률 제정 → 의식 향상 → 또 다른 한계 절감 → 새로운 법률 제정'이다. 가장 적절한 것은 ②이다.
04 글쓴이는 변호사들에게 계속 선의만을 기대할 수는 없다고 말하며 국가의 개입이 필요하다고 하였다. 국가가 차별 금지 소송의 활성화를 위해 노력해야 한다는 것이 중심 내용이다.
05 현재 우리의 법체계는 차별 금지에 관한 넓은 범위의 영역을 규정해 놓고 있지만 차별은 쉽게 사라지지 않고 있다. 현재의 우리의 법 제도에서는 차별 철폐 관련 소성이 활성화 되기는 어렵다.
06 차별의 사유가 될 수 없는 것이 이 몇 가지뿐은 아니라는 의미가 드러나야 하기 때문에 가장 적절한 것은 ④이다.
07 (가)는 차별과 관련된 우리의 법 조항을 소개하고 있다.
08 병력(病歷)은 '지금까지 앓은 병의 종류, 그 원인 및 병의 진행 결과와 치료 과정 따위를 이르는 말'이다.
09 독자의 감정에 호소하는 부분은 없다.
10 개인과 개인의 관계는 공법(公法)이 아닌 사법(私法)으로 해결해야 한다는 원칙이 우리 법체계의 바탕을 이루고 있다.
11 예상 반론을 예측하고 그것에 반박을 하고 있는 부분은 없다.
12 (라)는 소득의 균형을 이루기 위해서는 분배 정책보다 시장 경제 체제가 더욱 효과적이라고 주장하고 있다.
13 우리나라 국가인권위원회의 행위는 조사와 권고로 제한되어있다. 그렇기 때문에 B회사에 권고를 할 수 있다.
14 ①1990년대 이후에서야 차별 문제가 본격적으로 논의되었다.
③국가인권위원회는 조사와 권고까지의 역할을 할 수 있다.
④큰돈이 들고 귀찮은 일이 많기에 소수의 변호사가 신념을 가지고 변호해 준 것이다. 충분한 예산을 보유하고 있지 않다.
⑤ "추상적이고 형식적인 수준이다. 물론 차별 문제를 단번에 해결 할 묘책을 찾기는 쉽지 않다"에서 확인 할 수 있다.
적절한 것은 ②번이다.
15 국가인권위원회의 권한은 차별 행위를 조사하고 권고하는 정도로 제한되어있다. 법원에 기소하는 권한은 없다.

객관식 심화문제 P.102~114

01 ④	02 ②	03 ④	04 ③
05 ③	06 ④	07 ④	08 ②
09 ③	10 ⑤	11 ①	12 ⑤
13 ⑤	14 ⑤	15 ③	16 ①
17 ⑤	18 ①	19 ⑤	20 ④
21 ②	22 ①, ⑤	23 ③	24 ①

01 "차별 철폐와 관련된 소송들이 계속되면~시민들의 의식은 더욱 향상될 것이다."에서 확인 할 수 있다.
02 문제 상황에 대해 원인 분석한 후에 해결방안을 제시하고 있는데 이는 필자의 관점이다. 서로 다른 관점을 제시하고 있지 않다.
03 현재 국가인권위원회의 권한은 조사와 권고 정도로 제한되어있는데 권한의 확대가 필요하다고 주장하고 있다.
04 우리 법체계는 개인 간의 관계를 사법으로 관할하는 것을 근간으로 하고 있다.
05 다양한 관점을 나타내고 있지 않다.(가), 권위 있는 학자의 견해를 인용하고 있지 않다.(라)

06 차별의 사유가 될 수 없는 것이 이 몇 가지뿐은 아니라는 의미가 드러나야 한다.
07 윗글은 사회적 차별이 사라지지 않는 원인과 차별 철폐를 위한 대책에 대해 이야기 하고 있다. 그렇기 때문에 제기할 수 있는 적절한 의문은 ④이다.
08 연령에 따른 취업 자격 제한이라는 차별이 이루어지고 있는데 이것은 합리적인 이유가 될 수 없다.
09 〈보기〉와 같이 건전한 순환 구조를 통해 시민의 권리를 적극 옹호하는 법의 역할을 기대할 수 있는데, 이로 인해 차별 금지 소송의 증가로 혼란을 우려하고 있지 않다.
10 태동(胎動)은 "어떤 일이 생기려는 기운이 싹틈."을 의미힌다.
11 조삼모사는 "당장 눈앞에 나타나는 차별(差別)만을 알고 그 결과(結果)가 같음을 모름의 비유"하는 말로 가장 적절하다.
12 비유적 표현이 두드러지는 문장을 사용하지 않았다.
13 ①국가인원위원회는 차별 행위를 조사하고 권고까지 할 수 있다 ②차별 행위에 따른 민사상의 손새 배상액은 과다하게 책정되어 있지 않다. ③현재 우리 사회의 차별 문제 중 개인과 개인의 관계는 사법으로 해결하도록 되어 있다. ④ 국가인권위원회는 직접 처벌할 권한이 없다.
14 다른 사람의 선행 연구를 제시하고 본인의 주장을 논리적으로 펼치면 된다.
15 통시적이란 시간의 추이에 따른 변천사를 추적하는 연구 방법을 얘기하는데 윗글은 이 방법을 사용하지 않았다.(ㄱ), 또한 권위 있는 학자의 견해도 인용하고 있지 않다.(ㅁ)
16 윗글은 차별과 관련된 새로운 법률의 제정을 주장하고 있다.
17 우리나라 헌법 제11조 제1항에는 "모든 국민은 법 앞에 평등하다. 누구든지 성별, 종교, 또는 사회적 신분에 의하여~차별을 받지 아니한다."라고 명시되어 있지만, 개인과 개인의 관계에서 일어난 일은 사법(민법, 상법)으로 해결해야 한다.
18 상반된 견해를 제시하고 있지 않다.
19 목욕탕의 예시를 들면서ⓛ을 반영하고 있다. "신입 사원을 뽑는 기업체의 공고에 '25세 미만' 같은 조건이 붙어 있는 경우를 흔히 볼 수 있었다"에서 ㉣을 확인 할 수 있다. 다양한 사회적 차별의 이유를 들면서 차별 주체의 문제를 말하고 있다.㉤
20 국가인권위원회의 권한을 조사과 권고에서 더 확대해야 한다고 주장하고 있다.
21 ⓐ는 '합리적인 이유'이고, ⓑ는 손해배상, ⓒ변호사, ⓓ영리, ⓔ는 법률 제정이다. 적절하게 연결한 것은 ②번이다.
22 손해 발생의 입증은 B가 져야 하는 것은 맞는데 B는 원고이다. 헌법상의 차별 금지 조항은 가해자가 국가일 때 일어나는데 A 회사가 국가가 아니기 때문에 헌법으로 적용할 수 없다.
23 여기서 '길'은 "사람이 삶을 살아가거나 사회가 발전해 가는 데에 지향하는 방향, 지침, 목적이나 전문 분야."의 의미로 사용되었다.
24 진척은 "일이 목적한 방향대로 진행되어 감."의 의미이다.

서술형 심화문제 P.115~117

01 (a) 의식, (b) 법률
02 ㉠ 예산, ㉡ 변호사, ㉢ 소송, ㉣ 의식
03 1. 법은 국가 권력을 견제해야 한다.
2. 법은 시민의 권리를 적극적으로 옹호해야 한다.
04 차별 현상의 대부분이 사적 생활 영역에서 일어나고 차별 행위에 따른 손해배상액이 너무 적다. 또한 손해 발생과 인과관계의 입증 책임을 차별당한 사람이 지어야 한다.

(2) 협상의 과정과 전략

확인학습 P.120

01 ○
02 등가 등량의 교환 원칙
03 자기들에게 아무런 이득이 없을 것이기 때문에
04 ○
05 과거에 합의되었다가 무산된 의궤 맞교환 방안
06 '장남'은 외규장각 의궤를, '차남'은 여타 의궤를 의미함.

확인학습 P.122

01 외규장각 의궤의 순차적 한국 전시
02 외교 협상의 자리에서 우리 측의 입지를 좁히는 결과를 가져오게 될까 봐
03 외규장각 의궤 전체가 한 장소에서 한 시각에 약탈당한 문화재이기 때문에
04 외규장각 의궤를 반환하는 대신 한국으로부터 대가를 받아 내야 한다는 주장
05 × 06 × 07 × 08 ○

05 5년마다 갱신되는 대여 형식이므로 법적인 소유권은 프랑스가 갖고 있다고 봐야 하므로 적절하지 않다.
06 우리나라는 실리와 명분 중에서 실리를 택했다.
07 의궤 전체의 디지털화와 그 공유는 한국이 스스로 결정한 것이다.
08 의궤 이관 횟수에 관해 프랑스는 예닐곱 번을, 한국은 한 번을 주장했지만, 결국 타협안인 네 번으로 결정되었다.

객관식 기본문제 P.123~131

01 ②	02 ⑤	03 ②	04 ①
05 ①	06 ③	07 ②	08 ①
09 ①	10 ③	11 ④, ⑤	12 ⑤
13 ②	14 ④		

01 문제의 원인이 우리에게 있음을 인정하고 있지 않다. 양측 모두 책임이 있다고 말한 것은 프랑스 측이다.
02 5년 단위로 대여 형식으로 협상되었기 때문에 결론적으로 프랑스는 의궤의 소유권을 잃지 않았다

03 시작 단계에서는 갈등의 원인을 분석하고 문제 해결의 필요성과 가능성을 확인하는 부분이다.

04 ㄷ은 한국 측 주장이다. ㄹ은 프랑스 측에서 한국 측에 제시한 내용인데 한국 측에선 받아들이지 않는다.

05 구체적 수치를 제시하지 않고 있으며②, 협상 관계자들을 모두 비판하고 있지 않다③, 양측 합의 결과로 사회에 미칠 영향을 분석하고 있지 않고④, 갈등이 최고조에 올라 있지 않는다⑤. 가장 적잘한 것은 ①이다.

06 ㉠은 외규장각 의궤를 다른 의궤와 맞바꾸는 방식인데 한국 측은 이에 동의하지 않는다.

07 [가]는 협상 재개에 대한 프랑스의 동의 결정과 그러한 결정의 이유를 말하고 있다. 명확한 요구 조건은 밝히지 않고 있다. [나]는 프랑스의 국가 이미지 훼손을 이유로 프랑스 측에 의궤의 반환 결단을 촉구하고 있기에 ②이 적절하다.

08 재개는 '어떤 활동이나 회의 따위를 한동안 중단했다가 다시 시작함.'을 의미한다.

09 필자는 협상 대표들의 발언 내용을 직접 인용하여 생동감과 구체성을 높이고 있다.

10 효율성을 고려하여 결정한 것이 아니라, 실리를 고려하여 결정한 것이다.

11 허구적 내용을 가미하지 않았고④, 최종 합의 결과가 조금씩 양보하며 타협점을 찾았기에 일관되게 유지되고 있지 않다⑤

12 ⑤은 한국 측의 입장이다.

13 우리 측은 명분과 실리 중에서 실리를 택하였다.

14 ④은 토론에 관한 내용이다.

객관식 심화문제 P.132~141

01 ④	02 ⑤	03 ④	04 ①
05 ①	06 ⑤	07 ①	08 ③
09 ②	10 ③	11 ②	12 ①, ②, ⑤
13 ⑤	14 ⑤	15 ④	

01 (나)에서 공감적 듣기 방식은 확인할 수 없다.

02 프랑스 국가의 이미지 훼손을 이유로 프랑스 측의 반환 결단을 촉구하기 위한 새로운 방안이다. 주제로부터 벗어나고자 화제를 돌린 것이 아니다.

03 일축(一蹴)은 '제안이나 부탁 따위를 단번에 거절하거나 물리침.'의 의미이다.

04 어떻게든 의궤를 돌려받는 것이 중요하다는 실리적 관점과,우리 것을 되찾아 오는 일이기 때문에 대여가 아닌 반환의 형식이어야 한다는 명분론적 관점 중에서 실리를 우선시했다는 뜻으로 ①이 적절하다.

05 프랑스 측은 한국의 논리적 오류를 지적하고 있지 않다.

06 해결 단계에서는 최선의 해결책을 제시하여 타협과 조정을 통해 문제를 해결하고 합의하는데 그 합의안이 5년 단위로 갱신되는 대여 형식으로 의궤 전부를 양도하는 방안이다.

07 프랑스 측은 의궤 맞교환 방안을 제시하고 있고, 업체 대표는 총 3대의 복합기를 교내에 설치하고 A4 한 장당 30원의 비용으로 하는 것을 수정안을 제시하고 있다.

08 협상 대표들의 내용을 직접적으로 인용하고 있다.

09 순환 전시 방식을 거절하였고 '5년 단위로 갱신되는 대여' 형식으로 프랑스가 외규장각 의궤 전부를 한국에 일괄 양도 하기로 합의 하였다.

10 "속으로는 말도 안 되는 방안이라며 일축해 버리고 싶었지만~ 프랑스 측의 제안을 다 듣고 나서 우리 측의 입장을 분명히 전달했다."에서 확인 할 수 있다.

11 '교류와 대여'의 원칙에 근거하자고 주장하는 측은 프랑스 측이다.

12 ⓑ :프랑스 측은 의궤를 이관하는 과정에서 생길 수 있는 위험에 대비해 예닐곱 번에 걸쳐 나누어 옮기자고 제안했고, 우리 측은 그 의견에 반대했다. 효율, 비용, 기술, 행정에 이르기까지 모든 면에서 한 번에 옮기는 편이 낫다고 예상했기 때문이다 ⓓ: 이 문제가 양국의 우호 관계를 저해한다는 한국 측의 지적에 동감했기 때문이다.

13 프랑스 측의 입장을 충분히 들어보는 것이 문제의 핵심을 파악하는 길이라고 생각했기 때문이다

14 환수(還收)는 "도로 거두어들임."의 뜻이다.

15 ①고수(固守) 차지한 물건이나 형세 따위를 굳게 지킴.
②질타(叱咤) 큰 소리로 꾸짖음.
③뒤탈이 없도록 단단히 다짐을 두듯이
⑤갱신(更新) 법률관계의 존속 기간이 끝났을 때 그 기간을 연장하는 일.

서술형 심화문제 P.142~146

01 Ⓐ 외규장각,
Ⓑ 다른 의궤, 문화재로서의 중요성을 단순 비교할 수 없다는 비판을 비유적으로 표현한 것이다.

02 장 오르티즈 국장의 말을 경청한 것은 문제의 핵심을 파악하기 위함이었고, 수정 제안을 듣는 전략을 택한 것은 외교 협상 자리에서 우리의 입지를 좁히는 결과를 가지고 올까 염려하였기 때문이다.

03 일단 의궤를 우리 땅에 가져다 놓는 것

04 의궤는 우리 것이기 때문에 대여가 아닌 반환의 형식으로 받아야 한다.

05 자동차 부품 이상과 관련하여 회사 측이 할 보상의 범위에 관한 의견이 소비자와 달랐기 때문에 갈등이 발생하였다.

06 ⓐ는 의궤 맞교환 방안, ⓑ는 1933년에 양국 정상이 합의한 '교류와 대여'의 원칙이다.

단원 종합평가

P.147~153

01 ④	02 ③	03 ②	04 ③
05 ⑤	06 ④	07 ②	08 ④

01 "세 번째로, 불법 행위에 따른 손해 발생과 인과 관계 등의 입증 책임을 모두 차별당한 사람이 지게 되어 있는 것도 문제이다"에서 알 수 있다. 책임은 가해자와 피해자 모두가 아니라 피해자가 지어야 한다.

02 헌법재판소의 판결에 의해서만 여부를 알 수 있지 않다. 이와 관련된 기관은 국가인권위원회이다.

03 입법(立法) "법률을 제정함."을 의미한다.

04 5년 단위로 양측이 타협하였다.

05 "제가 파리에 부임하기 얼마 전, 우연히 텔레비전에서 청소년을 대상으로 하는 퀴즈 프로그램을 봤습니다. 그런데 거기서, 프랑스가 1866년 병인양요 때 약탈해 간 도서가 무엇인지 묻는~프랑스라는 나라를 어떻게 생각할지는 불 보듯 뻔하지 않습니까?"에서 확인 할 수 있다.

06 외교통상부가 의궤 반환과 다른 우리 문화재의 프랑스 전시를 연동하는 새로운 제안을 하였다.

07 프랑스가 의궤 맞교환을 제시하였기 때문에 외규장각 의궤를 구하기 위해 한국에 있는 다른 문화재를 줄 수 없다고 주장하는 부분이다. 외규장각 의궤는 프랑스에 있기 때문에 가장 적절한 것은 ②이다.

08 여태까지 '등가 등량의 교환'을 전제로 진행해온 협상으로(ㄷ)이 가장 먼저 시작이다. 의궤 맞교환 방안이 무산된 후에(ㄱ), '5년 단위로 갱신되는 대여' 형식으로 프랑스가 외규장각 의궤 전부를 한국에 일괄 양도 하기로(ㄹ)하였다. 그리고 "프랑스에 있던 외규장각 의궤를 모두 한국으로 가져오는 대신 한국에 이미 와 있는 한 권을 포함한 297권을"에서(ㄴ)을 확인 할 수 있다.

고등
국어

HIGH SCHOOL

실전기출
문제은행